Robert Fabbri

Vespasianus

IX

Keizer van Rome

Karakter Uitgevers B.V.

Oorspronkelijke titel: *Emperor of Rome*
© 2019 Robert Fabbri
Vertaling: Joost Zwart
© 2019 Karakter Uitgevers B.V., Uithoorn
Opmaak binnenwerk: ZetSpiegel, Best
Omslagontwerp en artwork: Mark Hesseling, Wageningen
Omslagbeeld: Tim Byrne

ISBN 978 90 452 1851 9
NUR 332

Verschenen in de Vespasianus-serie:

Broederschap van de Kruising
Vespasianus I – Tribuun van Rome
Vespasianus II – Scherprechter van Rome
Vespasianus III – Afgod van Rome
Vespasianus IV – Adelaar van Rome
Vespasianus V – Heersers van Rome
Vespasianus VI – Verloren zoon van Rome
Vespasianus VII – Furie van Rome
Vespasianus VIII – Heilig vuur van Rome

Ook van Robert Fabbri:
Magnus
Arminius

Vespasianus
Keizer van Rome

Voor iedereen die de moeite heeft genomen de Vespasianus-serie
te lezen; ik dank jullie allen.

PROLOOG

DE VIA POSTUMIA TUSSEN CREMONA EN
BEDRIACUM IN DE REGIO VENETIA ET
HISTRIA IN ITALIË, 15 APRIL 69 N.C.

'Chaos' was nog zacht uitgedrukt. De manier waarop de colonne zich in een linie probeerde te formeren was volkomen wanordelijk en stond in scherp contrast met de strak in een schaakbordpatroon opgestelde cohorten op de Via Postumia. Met de Po aan hun rechterflank blokkeerden ze de weg naar Cremona. Tienduizenden legionairs en hulptroepen stonden doodstil, de opgewreven helmen glansden zachtjes in de stralen van de opkomende zon. Zwijgend keken ze toe terwijl de vijand worstelde om zich in slagorde op te stellen. Het was geen wanorde omdat de troepen uit een massa slecht gedisciplineerde barbaren bestond, en ook niet omdat er geen commandant was; dit leger leed eerder onder een te veel aan commandanten, want in afwezigheid van keizer Marcus Salvius Otho was er niemand die het opperbevel voerde. Met de discipline van de troepen was verder niets mis, want net als hun tegenstanders waren ze Romeinen.

Dit was een burgeroorlog.

Titus Flavius Sabinus trok een bedenkelijk gezicht toen hij de centuriones van de vijf cohorten praetoriaanse gardisten onder zijn commando aan het werk zag. Met veel gevloek en getier probeerden ze de paradesoldaten in een nieuwe positie te manoeuvreren, want de orders waren sinds de vijand in zicht was gekomen voor de derde keer veranderd. Hoe had het zover kunnen komen, vroeg hij zich af. Hij liet zijn blik over de Rijnlegioenen glijden die naar het zuiden waren gemarcheerd voor de man die ze tot keizer hadden uitgeroepen, Aulus Vitellius, de beruchte lekkerbek en gouverneur van Germania Inferior. Binnen een jaar nadat Nero door de Senaat tot staatsvijand was uitgeroepen en zelfmoord had gepleegd waren er twee keizers geweest, en nu ging er weer Romeins bloed vloeien. Hoe was dat toch mogelijk?

Caecina Alienus en Fabius Valens, twee generaals van Vitellius, hadden de troepen die loyaal aan keizer Otho waren gebleven verrast met de snelheid waarmee ze zo vroeg in het seizoen naar Italië waren opgerukt. Otho probeerde vervolgens onderhandelingen te openen, maar de tegenstander had geweigerd.

En zo was burgeroorlog nog het enige wat Otho restte als hij niet onmiddellijk wilde aftreden door zelfmoord te plegen. Nu zou de kwestie hier in de Povlakte worden beslist.

Sabinus' vader en naamgenoot, de oude Sabinus, was onder Nero prefect van Rome geweest. Onder diens opvolger Galba was hij vervangen, maar Otho had hem opnieuw benoemd en had de jonge Sabinus een consulschap beloofd. En zo stond de familie in de burgeroorlog aan de kant van Otho.

Maar voor hoe lang? Gezien de toestand van het leger niet lang, zo meende de jonge Sabinus. Hij was voor zonsopgang begonnen zijn troepen over de Po te brengen om zich bij de hoofdmacht van Otho's leger te voegen, maar overal om hem heen zag hij verwarring. 'Otho had hier bij ons moeten blijven in plaats van zich terug te trekken naar Brixellum,' zei hij tegen zijn onderbevelhebber, die naast hem eveneens te paard zat. 'Dan, Nerva, dan zouden we een overzichtelijke bevelstructuur hebben in plaats van dit... dit...' Hij gebaarde naar het Legio Prima Adiutrix, dat onlangs geformeerd was uit de soldaten van de Misinium-vloot. Deze legionairs moesten hun linie rechts van zijn troepen formeren en hadden de grootste moeite om zich in de quincunxformatie op te stellen omdat hun legertros in de weg zat.

Marcus Cocceius Nerva, die met zijn negenendertig jaar drie jaar ouder was dan Sabinus, zuchtte. 'Otho heeft al de hele campagne slechte adviezen gekregen, maar ja, met zijn gebrek aan militaire ervaring zou zijn aanwezigheid verder weinig uitmaken. Hij is heel onderhoudend om mee te eten, maar op het slagveld kun je hem maar beter niet in de buurt hebben. Hij lijkt op zijn broer Titianus als het op organiseren aankomt, hij is hooguit iets efficiënter.'

'En als Titianus' zwager kun jij het weten.'

'Doordat ik de vergissing heb begaan om met Titianus' zuster te trouwen ben ik nu gedwongen hier getuige van te zijn.' Nerva keek vol ongeloof naar de warboel voor zijn ogen. 'Maar alle goden, de cavalerie en infanterie die Otho heeft meegenomen zouden we goed kunnen gebruiken; veertigduizend tegen onze dertig, heeft hij echt zo'n grote lijfwacht nodig zo ver van de vijand? We hebben nu de slag al verloren voordat die begonnen is.'

Sabinus schudde zijn hoofd en wendde zich tot de *tribunus angusticlavius* die achter zijn meerderen op orders wachtte. 'Zijn onze persoonlijke spullen naar achteren gebracht?'

De jongen knikte en probeerde met een mislukte glimlach de angst van zijn gezicht te weren. 'Ja, generaal, net als de reservepaarden waar u om vroeg.'

Sabinus knikte met grimmige tevredenheid en keek weer naar zijn metgezel. 'We maken er een mooi spektakel van en dan trekken we ons zo snel mogelijk terug en geven ons aan Valens over, hopelijk.'

'Dat lijkt me het beste. En dan worden we vurige aanhangers van Vitellius, totdat…' Nerva maakte de zin niet af.

'Tot wat?'

Nerva liet zijn stem zakken en leunde naar Sabinus toe. 'Ik heb gehoord dat uw vader naar Judaea is gegaan toen Galba hem als prefect van Rome afzette.'

Sabinus vertrok geen spier; de hoorns van Vitellius' leger schalden, de slag ging beginnen. 'Misschien, maar dat zijn jouw zaken niet.'

Nerva liet zich niet uit het veld slaan. 'Kort nadat Otho Galba had vermoord en de Senaat hem tot keizer had uitgeroepen is hij teruggekeerd, en dat was vlak voordat het nieuws kwam dat Vitellius door de Rijnlegioenen tot keizer was uitgeroepen.'

Sabinus keek naar de rivier, waar de tweeduizend gladiatoren die het restant van zijn bijeengeraapte legioen vormden bezig waren zich te ontschepen uit de boten die hen over de Po hadden gezet en die nu het gevaar liepen ingesloten te worden.

Nerva ging verder. 'Het was geen plezierreisje, daar ben ik zeker van. Uw oom Vespasianus is commandant van de oosterse legioenen en heeft opdracht de Joodse opstand neer te slaan. Hij beschikt dus over een sterke legermacht. Ik vermoed dat uw vader en oom een paar diepgravende gesprekken hebben gehad over hoe deze crisis zich zal ontwikkelen, en als ik het goed heb zullen Galba, Otho en Vitellius niet de enige keizers zijn die we dit jaar zullen zien. De vraag is: wie krijgt

11

de hoofdprijs, uw vader of uw oom? Maar laat ik duidelijk zijn, ik steun ze allebei.'

Titus Flavius Sabinus antwoordde niet, maar wendde zich tot de tribuun en stuurde hem naar de gladiatoren met de order om zich in slagorde op de oever van de Po op te stellen om te voorkomen dat de Bataafse hulptroepen, die hun richting oprukten, hen in de flank konden aanvallen. Hij was echter elders met zijn gedachten; hij vroeg zich af waar Nerva deze informatie vandaan had en wie er nog meer wist van zijn vaders geheime missie.

Otho ging onderuit zitten in zijn stoel en keek naar de rij sombere gezichten voor hem; geen van zijn generaals durfde hem aan te kijken tijdens hun verslag over de nederlaag. Die was rampzalig geweest: de legionairs van Vitellius hadden geen genade getoond voor hun medeburgers aan de andere zijde. Dit was nu eenmaal een burgeroorlog en dat betekende dat ze gevangenen niet konden verkopen of losgeld voor ze konden vragen en daarmee waren ze van geen waarde. Duizenden waren over de kling gejaagd. 'Het is dus voorbij,' zei Otho. Hij voelde aan de punt van een van de twee dolken die op de tafel voor hem lagen.

'De resterende legioenen van Moesia kunnen je nog te hulp komen,' drong Otho's oudere broer Salvius Titianus aan toen hij de wanhoop in Otho's ogen zag, en daarmee de waarschijnlijke executie in zijn eigen toekomst.

Otho schudde spijtig het hoofd. Zijn knappe gezicht stond melancholiek, maar was pafferig geworden na tien jaar van ballingschap in weelde als gouverneur van Lusitania. 'Ik had natuurlijk moeten wachten tot ze gekomen waren, maar ik meende dat uitstel van de slag tot een ramp zou leiden, en nu blijkt het tegenovergestelde het geval.' Hij zweeg even, peinzend over zijn situatie, zijn hand ging door het dikke krullende haar. 'Moet ik jullie moed en heldhaftigheid aan nog meer gevaren blootstellen? Dat zou naar ik meen een te hoge prijs zijn voor mijn leven. Vitellius was degene die strijd om de troon wilde voeren en de oorlog begon, maar ik ben de man die er een einde aan zal maken; deze ene slag is genoeg. Deze daad zal ik stellen en het nageslacht zal me erop beoordelen.' Otho stond op en keek naar zijn twee dolken. 'Ik ben niet een man die de bloem van de Romeinse strijdkrachten zinloos laat neermaaien en zo ons rijk verzwakt. Dus heren, ik troost me met het feit dat jullie bereid waren voor me te sterven, maar jullie moeten leven. Ik ga jullie kansen op gratie niet verknoeien, dus probeer mijn vastberadenheid niet te ondermijnen.'

'En deed hij het toen ter plekke?' vroeg de oude Sabinus aan zijn zoon. 'Nee, vader.' De jonge Sabinus nam een slok warme wijn en zette de lege beker neer. 'Het was nogal beschamend; hij prees onze loyaliteit, ook al wist hij dat we hem in onze gedachten al een tijdje in de steek hadden gelaten. Toen stuurde hij ons weg met de woorden dat hij met zijn dood en zijn genade voor Vitellius' familie aanspraak kon maken op Vitellius' dankbaarheid en zo ons leven redde.'

De oude Sabinus bromde en schonk zijn zoon nog eens bij. 'Erg nobel van hem. En toen deed hij het?'

'Nee, hij ging een opstootje sussen toen enkelen van ons het kamp probeerden te verlaten en zijn overgebleven troepen dat probeerden te voorkomen.'

'Jij niet?'

'Nee, vader. Ik bleef, zoals u gezegd had, om er zeker van te zijn dat hij het deed.'

'En?'

'En toen hij zijn mannen had gekalmeerd liep hij terug naar zijn tent, dronk een beker gekoeld water, testte de scherpte van zijn dolken, koos er een uit, ging naar bed en legde hem onder zijn kussen. Geloof het of niet, hij sliep de hele nacht diep door.'

'Dat getuigt van een opmerkelijke kalmte.'

'Het was indrukwekkend en het werd nog indrukwekkender, want toen hij bij zonsopkomst wakker werd, pakte hij meteen de dolk en liet zich er uit bed in vallen, zonder een geluid te maken.'

De oude Sabinus wreef over zijn bijna kale schedel en dacht hierover na, terwijl een lichte tocht de vlam van het olielampje op de tafel tussen hen in liet flakkeren, waardoor er schaduwen heen en weer bewogen over zijn ronde gezicht, gedomineerd door zijn aardappelneus. Het was al een tijdje donker en ze zaten in de studeerkamer van het huis op de Quirinaal in Rome, dat hij had geërfd van zijn oom Gaius Vespasianus Pollo, die vier jaar eerder op bevel van Nero zelfmoord had gepleegd. 'En dat was twee dagen geleden bij zonsopgang?'

13

'Ja, vader. Ik heb snel gereden en ben alleen gestopt om van paard te wisselen om het nieuws meteen te kunnen brengen.'

'Goed gedaan, jongen. Dus op dit moment zijn wij de enigen in Rome die het weten?'

'Dat lijkt me wel, niemand had hier sneller kunnen zijn. Otho was nog warm toen ik vertrok.'

De oude Sabinus zette zijn vingertoppen tegen elkaar en streek ermee langs zijn lippen. Langzaam knikkend kwam hij tot een besluit. 'Goed, morgenochtend vroeg roep ik de praetoriaanse cohorten die nog in de stad zijn bijeen, en ook de stadscohorten en de *vigiles*, en laat ze de eed aan Vitellius zweren, daarmee wordt de Senaat gedwongen hem als keizer te erkennen. Ga weer naar het noorden en geef je over aan de Vitellianen; vertel ze wat ik gedaan heb om de stad voor ze in handen te nemen. Daarmee moeten we voorlopig veilig zijn.' Sabinus knipoogde naar zijn zoon. 'Zeker ook als je bedenkt dat ik de vrouw en kinderen van beide gebroeders Vitellius onder mijn bescherming heb geplaatst. Dat zal ze in toom houden.'

'U speelt een gevaarlijk spel, vader.'

'Niemand heeft ooit gewonnen door aardig te zijn. Vertel de Vitellii dat ik met alle plezier hun families naar ze stuur als ze me daar schriftelijk om verzoeken, ze begrijpen wel wat dat betekent.'

'Bevestiging van uw positie als prefect van Rome en...?'

'En jij krijgt nog steeds het consulschap waar je aan het einde van deze maand voor zou aantreden.'

'En wat gebeurt er dan?'

De oude Sabinus tikte met zijn vingers tegen zijn lippen. 'Dan? Dat zullen we zien.'

'Kom hier, m'n jochie!' Aulus Vitellius' enorme omvang verhinderde hem om erg ver voorover te bukken en daarom was er een krukje naast hem op het podium gezet. Zijn zesjarige zoontje klom erop, om te verdwijnen in de vele lagen vet van zijn vader. Vitellius tilde hem op en toonde hem aan de legionairs van zijn escorte en aan de vele senatoren en *equites* die net gearriveerd waren in Lugdunum, de hoofdstad van de provincie Gallia Narbonensis. Ze kwamen de nieuwe keizer eren, die in triomf van Germania Inferior op weg was naar Rome. 'Ik noem hem Germanicus, naar de provincie waar ik mijn glorieuze opmars naar het keizerschap ben begonnen. Ik geef Germanicus het recht om de keizerlijke onderscheidingstekens te dragen en benoem hem in aanwezigheid van mijn zegevierende legioenen tot mijn enige erfgenaam.'

De woorden van Vitellius werden met gejuich begroet door zijn zegevierende troepen – voor het gemak zagen ze het feit over het hoofd dat zij niet in de slag hadden gevochten, maar alleen Vitellius hadden begeleid op zijn langzame, gastronomische opmars door Gallië.

De jonge Sabinus deed mee aan de bewieroking; als consul stond hij aan het hoofd van de senaatsdelegatie die de nieuwe keizer was komen feliciteren, en het was wel zo gepast dat hij zich enthousiast betoonde aan deze man van monumentale omvang die zich in de waardigheid van het purper hulde.

'Je zult het misschien niet geloven,' fluisterde Sabinus tegen Nerva, die naast hem stond, 'maar mijn vader heeft Vitellius ooit ontmoet in Tiberius' villa op Capri toen hij een tiener was. Hij was slank en knap en Tiberius was vol lof over zijn, laten we zeggen, orale vaardigheden, en ik bedoel niet als redenaar.'

Nerva keek Sabinus ongelovig aan terwijl hij bleef applaudisseren. 'Echt waar?'

'Zeker, hij bood mijn vader zelfs een demonstratie van zijn kunst aan. Je zou het niet zeggen als je hem nu ziet. Hij moet de vreugdes van het hedonisme geleerd hebben toen hij aan de voeten van Tiberius knielde, zullen we maar zeggen.'

'Niet alleen hedonisme,' zei Nerva en hij gebaarde naar de ruim vijftig gevangenen, gekleed in een tuniek zonder gordel, als vrouwen, die weggeleid werden voor executie. Ze hielden hun hoofd, dat ze op het punt stonden te verliezen, geheven. 'Dat was niet nodig: een voorbeeld maken van de centuriones die Otho het krachtigst steunden.'

Met een plechtig gezicht maskeerde Sabinus zijn tevredenheid over het feit dat Vitellius zich zo gedroeg als verwacht. 'Dat zal de legioenen van Moesia niet lekker zitten.'

Nerva knikte instemmend. 'Ik zat bij de delegatie van voormalige officieren van Otho die de legionairs moest overhalen terug te keren naar hun legerkampen en om trouw te zweren aan Vitellius. Dat deden ze met tegenzin en alleen omdat ze geen alternatief zagen.'

Ze zouden binnenkort wel eens een alternatief kunnen zien, dacht

Sabinus, terwijl het eerste hoofd bloedend op de grond viel. En als het nieuws hiervan bekend wordt, zullen de Moesische legioenen wraak willen.

De stilte onder Vitellius' troepen was bijna tastbaar toen hoofd na afgehakt hoofd over de grond rolde, die modderig werd van al het bloed; de stilte verdikte zich zo hevig dat ze ten slotte door de dikke huid van de keizer drong, zijn gezicht rood aangelopen van het genot van wreedheid. Toen het laatste lichaam in elkaar zakte, scheurde Vitellius zijn blik los van de doden en keek om zich heen. Langzaam registreerden zijn ogen zenuwachtigheid en werd hij zich bewust van de duistere sfeer. Hij schraapte zijn keel. 'Breng de generaals!'

'Misschien gaat hij ze sparen na dat bloedbad,' fluisterde Sabinus, terwijl hij het tegenovergestelde hoopte. 'We hebben wel genoeg wraak voor vandaag gehad.' Intussen voelde Sabinus opluchting dat hij zich niet in de positie bevond van de twee Othoonse generaals, Suetonius Paulinus en Licinius Proculus, en van Salvius Titianus, de broer van de dode keizer. De drie mannen werden naar voren geleid en gedwongen te knielen voor Vitellius. Zijn vaders sluwe aanbod om Vitellius' familie te beschermen had zijn pardon en consulschap verzekerd. Daarna had Vitellius hem persoonlijk de twijfelachtige eer gegund om naar Rome te gaan om Vitellius' zoon naar het noorden te escorteren en af te leveren bij zijn keizerlijke vader, een taak die hij met groot ceremonieel had uitgevoerd, alsof dit het hoogtepunt van zijn carrière was.

'En wat hebben jullie ter verdediging van jezelf te zeggen?' wilde Vitellius weten. Vetkwabben wiebelden onder zijn kleding terwijl hij trilde van verontwaardiging bij de aanblik van de mannen die zich tegen hem verzet hadden.

'U zou ons moeten belonen, niet ons beschuldigen, *princeps*,' zei Paulinus met vaste en luide stem, zodat iedereen hem kon horen. 'Want aan ons, en niet aan Valens en Caecina, hebt u uw overwinning te danken.'

Vitellius keek neer op de gevangenen, verbijsterd; zijn mond ging open en dicht terwijl hij worstelde om te begrijpen wat hij net had gehoord.

'Wij,' nam Proculus het over, 'schiepen de voorwaarden waaronder een overwinning op Otho ondenkbaar was.'

16

'Hoe dan?' vroeg Vitellius, die zichzelf en zijn mond weer onder controle kreeg.

'We drongen er bij Otho op aan onmiddellijk in de aanval te gaan, terwijl de hoofdmacht van de Moesische legioenen er nog niet was.'

Paulinus knikte nadrukkelijk instemmend. 'Ja, en toen dwongen we onze troepen tot een lange geforceerde mars om zo snel mogelijk in contact met de vijand te komen, terwijl er geen reden was om haast te maken.'

'Onze manschappen waren uitgeput toen we aankwamen,' bevestigde Proculus, het argument onderstrepend. 'En vervolgens maakten we een puinhoop van het formeren van de gevechtslinie door tegengestelde orders aan de diverse legioenen te geven en die vervolgens weer te herroepen.' Dat kon Sabinus wel geloven, hij was immers getuige van de chaos geweest. 'Bovendien, waarom zouden we overal in de linie wagens hebben neergezet als dat niet was om het vormen van een slagorde verder te bemoeilijken?'

Vitellius bestudeerde de twee generaals en Titianus, die geen woord had gezegd. 'Vertellen jullie me nou dat jullie de slag hebben gesaboteerd? En hoe zit dat met jou, Titianus? Heb jij je eigen broer verraden?'

Titianus keek met een vermoeide blik op. 'Nee, princeps, dat was niet nodig. Mijn aangeboren onhandigheid zorgde ervoor dat ik bij alle opdrachten eerder een hinderpaal was dan een hulp.'

Vitellius knikte. 'Dat kan ik wel geloven. Ik neigde er toch al naar je te sparen omdat ik het je niet kan aanrekenen dat je je eigen broer steunt, en je klungeligheid is legendarisch. Ik heb medelijden met de man die jou om hulp vraagt.'

'Ik ook, princeps. Dank u.'

Vitellius wendde zich weer tot de twee verslagen generaals. 'En wat jullie betreft...'

'Als u hard bewijs wilt, princeps,' onderbrak Paulinus hem, 'moet u zich afvragen waarom ik onze slechtste troepen, een groep gladiatoren, tegenover uw Bataven op onze uiterste linkerflank opstelde en zo onze linie onhoudbaar maakte.' Sabinus keek verbaasd naar Paulinus toen die deze bewering deed, want ze was overduidelijk onwaar, omdat híj het had gedaan. 'Vraag Titus Flavius Sabinus, die het commando over de linkervleugel voerde, of ik hem specifiek heb opgedragen om die opstelling te maken nadat hij de rivier was overgestoken om zich bij ons te voegen.'

Vitellius wendde zich tot Sabinus, terwijl ook Paulinus hem aankeek met een blik die om instemming vroeg. 'Nou, consul? Is dat zo?'

Sabinus besloot dat het beter was om een levende Paulinus en Proculus te hebben die bij hem in het krijt stonden dan twee doden die hem niets schuldig waren en knikte. 'Ja, princeps, dat klopt. Ik vond het toen maar vreemd, maar hij stond erop, nu begrijp ik waarom. Zijn hart lag bij u, net als het mijne, want ik verzette me niet.'

Vitellius bromde en dacht na. 'Goed dan, Paulinus en Proculus. Ik geloof jullie bekentenis van verraad en onthef jullie van elke verdenking van loyaliteit. Jullie zullen me een rondleiding op het slagveld geven om me te laten zien hoe dit verraad in zijn werk ging.'

Het was een plek van verrotting, er hing een zware stank in de lucht. In de veertig dagen die sinds de slag waren verstreken had niemand iets aan de doden gedaan; de legionairs van Otho en Vitellius lagen door elkaar te ontbinden. Aaseters hadden zich tegoed gedaan aan de lijken van mensen en dieren, en wat er nog over was aan vlees was prooi voor de maden, die met miljoenen in en uit de kadavers krioelden en zich vet vraten voordat ze zich verpopten en uitvlogen tot de zwermen vliegen wier doordringende gezoem onmogelijk te negeren was.

Sabinus onderdrukte zijn woede over de aanblik van al die burgers die onverzorgd dood achter waren gelaten, gedoemd om over de donkere paden te dwalen die niet naar de veerman leidden. Een stapel lichamen, niet veel meer dan skeletten, lag tegen de muur van een hut, de plek waar ze in het nauw waren gedreven en afgeslacht. Sabinus nam zich voor dat als zijn familie ooit in de positie was om dat te doen, hij wraak zou nemen op de burgers van Cremona, die waren uitgelopen om Vitellius toe te juichen. Ze hadden de doden ongetwijfeld beroofd van alles wat waardevol was, in ieder geval was er vrijwel geen helm meer te vinden, en daarna hadden ze hun plicht verzaakt om voor de doden die ze geplunderd hadden te zorgen.

Vitellius wendde zijn ogen geen moment van de stapels lijken af toen Valens en Caecina hem in het kielzog van Paulinus en Proculus begeleidden alsof ze een rondleiding in een nieuwe tuin kregen.

'Op deze plek, princeps, wist de Eerste Italica de legioenadelaar te- rug te halen die de Eerste Adiutrix had weten te veroveren in hun en- thousiasme om zichzelf te bewijzen in hun eerste gevecht,' informeer- de Valens de keizer toen ze de sector van het slagveld naderden waar Sabinus het commando had gevoerd.

Vitellius bekeek de verwrongen lichamen van de voormalige vlootsoldaten die door Galba tot een legioen waren gesmeed en die voor Otho waren gestorven. Hij snoof demonstratief de lucht op. 'Er is één ding dat beter ruikt dan een dode vijand, en dat is een dode medeburger.'

Er volgde gespannen, vleierig gelach op deze krasse opmerking, maar zelfs Valens en Caecina, Vitellius' vurigste aanhangers, konden hun gevoel van ongemak niet volledig verbergen. Sabinus zag hen een blik uitwisselen en begreep dat ze zich tot hun ontsteltenis rea- liseerden dat Vitellius geen enkele eerbied had voor deze dappere medeburgers, die een legioenadelaar hadden veroverd, om die bij een tegenaanval weer kwijt te raken. Vitellius was zojuist alle respect kwijtgeraakt.

Het was het moment waarop hij van zijn vader had moeten wachten. 'Princeps,' zei hij en hij stapte naar voren uit de menigte die de keizer volgde.

Vitellius draaide zich om, nog grinnikend om zijn slechte en smake- loze grap. 'Wat is er, consul?'

'Nu we de plek van uw triomf hebben aanschouwd, meen ik dat het tijd voor me is om naar Rome terug te keren om de stad voor te berei- den op uw komst.'

Vitellius' enorme lichaam zwol nog verder bij de gedachte aan zijn triomfantelijke intocht in Rome. 'Ja, inderdaad, dat is een goed idee, mijn beste Sabinus, ik kijk ernaar uit om je vader te ontmoeten om hem te danken voor het veiligstellen van de stad voor me. We zijn oude vrienden, weet je, we kennen elkaar al heel lang. Maar wil je me niet het deel van het slagveld tonen waar jullie onder jouw commando de slag voor Otho begonnen te verliezen?'

'Ik denk dat het niet meer dan juist is dat Paulinus en Proculus de eer krijgen om u de dode gladiatoren te tonen, ik schep geen vreugde in het stelen van andermans verdiensten.' Hij wierp een snelle blik op de verliezende generaals en zag aan hun gezichten dat ze heel goed begrepen wat ze hem schuldig waren. Sabinus wist dat hij twee belangrijke rekruten had gemaakt voor de zaak van zijn familie.

Met hetzelfde enthousiasme waarmee ze de vorige twee keizers hadden ontvangen onthaalde het volk van Rome Vitellius: alsof hij het antwoord was op hun gebeden, de keizer die ze zich altijd gewenst hadden. Tien, twaalf rijen dik stonden ze langs de straten en wuifden met de kleuren van hun favoriete vierspanploeg. Vitellius was gezeten op een zwoegend paard, zijn weinig krijgshaftige lichaam gekleed in een generaalsuniform, terwijl hij zijn legioenen naar de Campus Martius leidde. Het was twee dagen na de idus van juli en twee maanden nadat de jonge Sabinus naar Rome was teruggekeerd.

'Hij gaat zijn troepen toch niet de stad in laten marcheren?' vroeg de jonge Sabinus aan zijn vader. Ze stonden samen met de Senaat voor het theater van Pompeius, klaar om de zegevierende keizer te verwelkomen met het offer van twee witte stieren.

'Waarom niet? Galba deed het ook en legerde ze hier.'

'Maar het leidde tot een hoop onrust: vechtpartijen, verkrachtingen, moorden. Ze dachten dat ze alles konden maken.'

'Dat klopt. Maar vergeet niet dat Vitellius dat niet gezien heeft, Galba stuurde hem naar Germania Inferior voor hij Rome binnentrok, dus weet hij niet wat ingekwartierde troepen voor de burgers betekenen. En als hij het wel wist, betwijfel ik of het hem iets zou kunnen schelen.' De oude Sabinus trok een overdreven plechtstatig gezicht. 'Het is jammer, echt waar.'

Zijn zoon begreep het. 'En ik weet zeker dat u als prefect van Rome hem niet duidelijk gaat maken wat de gevaren zijn van burgers die boos worden als ze zien hoe hun dochters worden verkracht door slecht gedisciplineerde legionairs.'

'Het is niet mijn taak om de keizer te vertellen wat hij wel of niet moet doen.'

De jonge Sabinus onderdrukte een glimlach. Hij en de andere senatoren begonnen te applaudisseren toen Vitellius naderde aan het hoofd van zijn legercolonne, die ellende voor zijn onderdanen zou betekenen. Onderwijl dacht hij na over het gevaarlijke spel dat hij en zijn vader gedwongen waren te spelen de komende maanden: in een stad leven met een keizer wiens positie ze wilden ondermijnen.

20

Terwijl deze gedachte door zijn hoofd speelde trok een man die tussen de senatoren door zijn kant op kwam zijn aandacht; hij kende de man goed, want het was Hormus, de vrijgelatene van zijn oom Vespasianus. Hij gaf Hormus een teken om te wachten tot de ceremonie voorbij was. Met een knikje trok Hormus zich terug in een deurportaal.

'En, Hormus?' vroeg de oude Sabinus de vrijgelatene toen de gebeden en offers waren afgelopen.

Hormus greep hen om de beurt bij de onderarm. 'Het is gebeurd, meesters: Tiberius Julius Alexander, prefect van Egypte, heeft zijn twee legioenen Vespasianus tot keizer laten uitroepen. Dat was op de calendae van deze maand, zeventien dagen geleden, en twee dagen later, toen ze het hoorden, hebben Vespasianus' legioenen hetzelfde in Caesarea gedaan. Mijn meester heeft me direct hierheen gestuurd om u het nieuws te vertellen en om u te vragen de stad voor te bereiden op de komst van zijn leger. Gouverneur Mucianus van Syria en Vespasianus' schoonzoon Cerialis marcheren via de landroute naar Italië en hopen onderweg de ontevreden legioenen in Moesia op hun hand te krijgen.'

'Mucianus en Cerialis!' riep de oude Sabinus uit. 'Waarom zij? Waarom komt Vespasianus niet zelf aan het hoofd van zijn leger?'

'Hij wil Rome zonder oorlog innemen door te dreigen met een inval in combinatie met een groter gevaar. Hij is naar Egypte om de graanvoorraden daar in handen te nemen en als het lukt ook die in Afrika. Hij wil Vitellius dreigen met uithongering en alleen als die weigert af te treden neemt hij zijn toevlucht tot oorlog.'

Sabinus keek naar zijn zoon. 'Laten we hopen dat mijn goede behandeling van Vitellius' familie zich nu uitbetaalt; het lijkt erop dat we een tijdje gijzelaar worden.'

'Moeten we ons niet bij Vespasianus voegen?'

'Ik ben hem hier van meer nut.'

'Wat bent u van plan te doen?'

'Als de tijd rijp is, neem ik Rome in handen en houd stand tot Vespasianus' leger komt.'

'Wat bedoel je met: de mensen wilden hem niet laten aftreden?' De oude Sabinus sloeg met beide handpalmen op zijn schrijftafel.

De jonge Sabinus maakte een hulpeloos gebaar. 'Precies wat ik zeg: de senior consul weigerde het mes aan te nemen dat hij aanbood als teken dat hij zijn macht opgaf; daarna verhinderde de menigte dat hij naar de tempel van Concordia ging om zijn onderscheidingstekens af te geven, ze dwongen hem terug te gaan naar de Palatijn, waar hij nog altijd is. Strikt genomen is hij nog keizer, al heeft hij liever die villa in Campania en de garantie op een rustig leven die u hem in Vespasianus' naam hebt aangeboden.'

Een volgende klap met beide handen op de schrijftafel. 'De ruggengraatloze, vette schrokop! Medusa's uitgedroogde uiers, hij heeft zich laten dwingen door het gepeupel, dat niets van politiek begrijpt of wat het beste voor ze is. Ik weet dat de saturnalia gisteren zijn begonnen, maar bespaar ons de armen die een dagje koning spelen.'

'Het gaat niet alleen om het volk; ook zijn vrienden en de resten van de praetoriaanse garde doen mee. Ze beweren dat u en Vespasianus jullie woord niet zullen houden; ze begrijpen niet hoe jullie Vitellius en zijn zoon in leven kunnen laten, en om eerlijk te zijn kan ik ze geen ongelijk geven.'

'Net een maand geleden is zijn leger verslagen en drie dagen geleden hebben de resterende legionairs zich overgegeven en is Valens geëxecuteerd! Met de drie stadscohorten onder mijn commando heb ik meer troepen dan hij – en dan zijn er nog de vigiles. Wat kan hij nog doen?'

'Hij kan het middelpunt van onvrede zijn,' zei de derde persoon in het vertrek, naar voren stappend van de kast waartegen hij had geleund. 'Ze hebben gelijk dat ze het aanbod niet vertrouwen; ik zal zorgen dat hij samen met dat kleine mispunt zo snel mogelijk gedood wordt.'

'Jij wordt geen keizer, Domitianus,' zei de oude Sabinus korzelig.

'Niet in naam, maar ik word de keizers zoon. Zolang mijn vader in Egypte is en mijn broer in Judaea, heb ik heel wat autoriteit, zou ik zeggen.'

'Je bent achttien! Je hebt net zoveel autoriteit als een hoerenjong met een pik in beide kanten. Hou je mond en luister; misschien leer je er iets van.' Sabinus wendde zich weer tot zijn zoon. 'Hoe zit het met de Germanen?'

De jonge Sabinus trok een grimmig gezicht. 'Daar ligt een probleempje, vader: de Germaanse keizerlijke lijfwacht blijft ook loyaal aan Vitellius.'

'Dat zijn altijd nog maar vijfhonderd man. Ik stuur nog een laatste keer een boodschap aan Vitellius om nog eens duidelijk te maken dat als hij het aanbod niet aanneemt, hij echt dood is en dat hij mag toekijken hoe de keel van zijn zoontje wordt doorgesneden. Laat hem het risico nemen als hij wil, maar hij zou een dwaas zijn...' Hij werd onderbroken door een klop op de deur. 'Ja!'

Hormus stak zijn hoofd om de hoek. 'Er is een delegatie voor u gekomen, ze staan op straat.'

'Laat ze binnenkomen en in het atrium wachten!'

Hormus kromp ineen door de onverwacht scherpe toon van het antwoord. 'Ik zou het graag doen, maar ik ben bang dat ze er niet allemaal in passen.'

'En wat verwacht je dat ik doe, Nerva?' vroeg Sabinus aan het hoofd van de delegatie, terwijl hij de omvang van de menigte schatte die voor het huis op hem wachtte; ruim honderd senatoren, drie keer zoveel equites en het grootse deel van de stadscohorten en vigiles, allemaal riepen ze dat Sabinus hen moest leiden. 'Waar moet ik jullie heen leiden?'

'De Palatijn, we moeten Vitellius dwingen te vertrekken.'

'Hij heeft gelijk,' viel de jonge Sabinus hem bij, 'hoe langer we wachten, hoe verdeelder de stad zal worden en hoe meer mensen hun leven zullen verliezen. In juli zei u nog dat u de stad voor Vespasianus zou innemen als de tijd rijp was. En nu is het december en het moment is gekomen.' Hij gebaarde naar de bewapende mannen van de stadscohorten en de met knuppels zwaaiende vigiles van Romes nachtwacht. 'En dat is uw leger.'

'Ik wil niet degene zijn die geweld over Rome brengt, want dan zal men zeggen dat Vespasianus in stromen bloed aan de macht is gekomen.'

Domitianus stampte op de vloer. 'Het doet er niet toe wat men zegt; wat telt is dat we het keizerschap voor mijn vader veiligstellen. Vitellius moet sterven, net als iedereen die dat doel in de weg staat.'

'Hou je mond, lastpak!' De oude Sabinus keek niet eens naar zijn neef. 'Vitellius zal niet sterven als hij vreedzaam vertrekt.' Zijn ogen verhardden zich in vastberadenheid. 'Goed! We gaan, maar niemand gebruikt geweld, tenzij we gedwongen worden, begrepen?'

Het was één enkele werpspeer waarmee de vijandelijkheden begonnen; hij sloeg door het hoofd van de centurio van de stadscohorten die voor de oude Sabinus liep en eindigde in de schouder van de standaarddrager naast hem. De standaard viel toen de drager wankelde onder de klap en vervolgens neerging onder het gewicht van de dode centurio.

En toen, bij de voet van de Quirinaal, kregen ze de volle laag; tientallen werpsperen regenden op hen neer vanaf de daken en uit de ramen van de bovenverdiepingen. Het was een goed voorbereide hinderlaag. De jonge Sabinus keek omhoog en zag alleen burgers op de daken en in de ramen, geen soldaten. Bij gebrek aan speren werden ze nu bekogeld met dakpannen en bakstenen. De mannen van zijn vaders legertje renden rond op zoek naar dekking, wie geen schild had probeerde bij de stadscohorten te schuilen om te ontkomen aan de projectielen die dood en verderf zaaiden. Overal lagen lichamen op straat en het geschreeuw echode tegen de muren, maar dat verdronk opeens in een woest gebrul dat als donder in de verte rommelde. En toen kwamen ze: honderden bebaarde, broeken en maliënkolders dragende strijders met lange, zeshoekige schilden en legerhelmen, en zwaaiend met de *spathae*, de zwaarden waaraan de stamkrijgers in Romeinse dienst de voorkeur gaven boven de kortere *gladius*. De Germaanse keizerlijke lijfwacht kwam aangedenderd uit een tiental zijstraten en viel de colonne op meerdere plekken aan met de kracht van een zich vertakkende bliksemflits, onweerstaanbaar en overweldigend. Degenen het dichtste bij de aanval gingen neer, terwijl anderen probeerden te vluchten onder een toenemende regen van geïmproviseerde projectielen. Germaanse oorlogskreten vulden de zintuigen van allen en de slachtpartij begon nu echt.

'Kom, vader!' schreeuwde de jonge Sabinus en hij trok aan zijn vaders toga. 'Ik denk dat we nu gedwongen zijn.'

De oude Sabinus stormde voorwaarts en hield zijn armen boven zijn hoofd tegen de dodelijke regen. 'Door!' schreeuwde hij al rennend. 'We nemen de Capitolijn in en verschansen ons tot er hulp komt. Kom op, door!'

Met het vallen van de avond was een kille regen gekomen, maar dat verhinderde mensen niet om naar de Capitolijn te gaan: senatoren, equites en gewone mensen voegden zich bij Sabinus en zijn kleine, flink verzwakte legertje, dat standhield op Romes heilige heuvel. Er waren zelfs wat vrouwen naar de belegerde heuvel gekomen. Door het weer was het mogelijk om langs de vijandelijke linie te glippen.

'Arulenus Rusticus, mijn zogenaamde echtgenoot, verbergt zich onder het bed,' vertelde Verulana Gratilla de oude Sabinus, terwijl ze een losse haarlok uit haar gezicht veegde. 'Velen zouden zeggen dat mijn plaats bij hem is, maar van mij mogen ze zeggen wat ze willen. Ik vecht voor een keizer die ik kan respecteren, niet voor een lapzwans die ik veracht.' Haar donkere ogen keken Sabinus strak aan en leken hem uit te dagen haar terug te sturen naar haar echtgenoot onder het bed.

'Je kunt een speer of steen even goed gooien als een ander, Gratilla,' zei Sabinus, die probeerde niet te kijken naar de natte stola die om haar volle en uitnodigende borsten plakte. 'Ik zal je niet anders behandelen.' De contouren van haar achterwerk bewonderend toen ze wegliep, wist hij dat dat niet de waarheid was. Hij wendde zich tot zijn zoon om zijn aandacht af te leiden van de fraai gevormde billen en wat die bij hem opriepen. 'Heb je Domitianus nog steeds niet gevonden?'

'Nee, vader; iemand zag hem een schild van een gewonde man van de stadscohorten afpakken en vervolgens wegrennen.'

'Het kleine klootzakje heeft nooit veel moed getoond; hij duikt wel weer op zodra het veilig is, vol verhalen van persoonlijke glorie.'

'Twee,' beweerde Domitianus, 'beiden met doorgesneden keel.' Hij grijnsde naar zijn neef en liet het bloed op zijn handen als bewijs zien.

De jonge Sabinus wist wel beter dan de beweringen van zijn neef zomaar te geloven, maar dat liet hij wijselijk niet merken. 'Goed dat je teruggekomen bent, waar was je sinds de hinderlaag?'

Domitianus fronste, alsof de vraag te stom was voor woorden. 'Ik heb onze aanhangers gehaald om ons te helpen natuurlijk. Terwijl jullie hier veilig verschanst zaten, ben ik in vermomming de stad rond gegaan en heb de mensen opgeroepen om onze zaak te steunen.'

Je hebt je verstopt tot het donker werd en het veilig was om naar de

Capitolijn te rennen, dacht Sabinus, terwijl hij zijn neef op de schouder sloeg. 'Heb je een indruk gekregen van hoeveel man er beneden op het forum zijn?'

'Honderden, de volledige Germaanse lijfwacht plus flink wat praetoriaanse gardisten.'

Tenzij die sinds het invallen van de duisternis waren gekomen was dat een forse overdrijving, zo wist Sabinus. 'En hoe zit het achter ons, op de Campus Martius?'

Domitianus haalde zijn schouders op. 'Daar ben ik niet langs gekomen.'

'Goed, laten we hopen dat het er minder zijn dan op het forum en dat onze boodschapper erlangs is gekomen. Met wat geluk is Vespasianus' leger hier in twee dagen, zijn cavalerie zou er zelfs morgenavond al kunnen zijn. Tot dan kunnen we wel standhouden.'

Domitianus voelde het ongemak van Sabinus. 'Gaan ze aanvallen?'

'Wie weet. Mijn vader stuurt zodra het licht wordt centurio Martialis naar Vitellius om te klagen over het breken van zijn belofte om af te treden. Als hij nog steeds weigert, dan denk ik... tja, ik denk dat als ze aanvallen er heel wat mensen hun leven gaan verliezen.'

'Hij zegt dat hij te bescheiden is om zich te verzetten tegen de overweldigende aandrang van zijn aanhangers,' rapporteerde Cornelius Martialis, de *primus pilus* van de tweede stadscohort, op afgemeten toon.

De oude Sabinus sperde zijn ogen open in verbazing. 'Bescheiden? De vette papzak is een van de minst bescheiden mensen die ik ken. Als hij denkt dat hij een kans heeft om keizer te blijven met als enige steun een paar praetoriaanse cohorten en het gepeupel, dan zit hij er flink naast. Vespasianus' leger is over een paar dagen hier.'

'Als de boodschapper het heeft gehaald,' kwam de jonge Sabinus ertussen.

'Natuurlijk heeft minstens een het gehaald. Ik heb er twaalf gestuurd.' De oude Sabinus wendde zich weer tot Martialis. 'Heb je hem erop gewezen dat we een afspraak hebben dat hij zou aftreden, en dat als hij daarop terugkomt hij zeker zal sterven, samen met zijn zoon en broer?'

'Zeker, prefect, maar hij leek meer belangstelling voor zijn ontbijt te hebben dan voor het gevaar dat hij over zichzelf afroept. Hij zei dat het niet in zijn handen lag en verzocht me vervolgens om te vertrekken via een geheime gang voor het geval zijn aanhangers besloten me te doden omdat ik een ambassadeur voor vrede ben.'

'Dat klinkt alsof hij alleen in naam nog keizer is en alle controle is kwijtgeraakt,' zei de jonge Sabinus, terwijl hij over het Forum Romanum naar de overkant keek, waar zich troepen verzamelden bij de tempel van Vesta. 'En daar komt het ergste soort soldaten: zonder aanvoerder.'

'Nu!' brulde de jonge Sabinus toen de Germaanse lijfwacht op volle snelheid naar de poorten van de Capitolijn rende.

Honderden gebroken dakpannen en bakstenen regenden neer op de aanvallers, zodat ze gedwongen waren hun schild boven hun hoofd te houden om zich te beschermen.

Met de overweldigende energie van mensen wier leven bedreigd wordt slingerden de jonge Sabinus, zijn vader, Nerva en iedereen die de Capitolijn verdedigde projectielen naar de keizerlijke lijfwacht, die met alleen hun zwaard en schild waren gekomen. Steeds meer gingen er neer, bewusteloos of grijpend naar gebroken ledematen, en langzaam werden ze teruggedreven.

'Ze kunnen de heuvel niet innemen, al komen ze terug met duizend speren,' beweerde de oude Sabinus toen de laatste Germaanse lijfwachten zich terugtrokken richting de tempel van Saturnus en de veiligheid van het forum. 'Ze hebben belegeringswerktuigen nodig om de Capitolijn in te nemen en die zijn er niet in de stad.' Hij keek omlaag naar de met ijzer beslagen houten deuren, vergrendeld met twee metalen balken over de breedte en met dikke houten blokken als stutten. 'Ze kunnen de deuren niet forceren zonder stormram of serieuze artillerie.'

'Maar wel met vuur, vader,' zei de jonge Sabinus, zijn stem zacht door de ingehouden angst.

De oude Sabinus keek op. 'Jupiters grote zak, zelfs de Galliërs hadden vierhonderdvijftig jaar geleden genoeg respect voor onze goden om hun tempels niet te verwoesten.'

'De Galliërs misschien, maar dit zijn Germanen.' Zijn zoon keek nog een keer naar de naderende vijand, waarvan elke man een brandende toorts droeg, waarna hij zich tot zijn kameraden wendde. 'Haal water! Haal het uit de cisterne, zoveel als jullie kunnen, anders zijn we verloren.'

Water was echter schaars op de top van de Capitolijn, terwijl er droog hout in overvloed was, ook al was het december. De jonge Sabinus en zijn vader moedigden hun volgelingen aan om hun inspanningen te verdubbelen bij hun pogingen alles uit de cisterne te halen met de paar emmers die ze konden vinden, plus de bronzen schalen waarmee het bloed van de offers werd opgevangen. Intussen ging de ene toorts na de andere tegen de muur en alles wat brandbaar was vatte vlam.

De jonge Sabinus draaide zich snel om toen hij een scherpe flits waarnam en hij keek in afgrijzen toe. 'De poort! Gooi water op de deuren, maak ze nat!' Maar terwijl hij schreeuwde wist hij al dat het te laat was, want de deuren waren aan de buitenkant in brand gestoken en zijn neus ving een geur op, sterker en zeldzamer dan die van hout: ze hadden nafta gebruikt, vandaar de flits, en nafta trok zich niets van water aan.

Zijn vader had het ook gezien. 'Blokkeer de poort, haal alle beelden omver en stapel ze op, en zoek dan een ontsnappingsroute,' beval hij. 'De Capitolijn is verloren!'

'Maar dat is heiligschennis, er zijn veel beelden van goden bij.'

De oude Sabinus wees op het dak van de tempel van Jupiter, waar vlammen de dakpannen lieten springen en door gaten schoten die snel in aantal toenamen. 'En is dat geen heiligschennis? Germaanse stamleden in dienst van de keizer die de tempel van Romes beschermgod aansteken! De beelden zullen ze lang genoeg tegenhouden om een hoop mensen weg te krijgen, als we daarmee een beetje heiligschennis toevoegen aan wat er al gebeurd is, dan is het dat waard. Ga nu en neem dat kleine klootzakje van een Domitianus met je mee, als hij er tenminste niet al vandoor is. Je moet van de Arx naar de Campus Martius naar beneden kunnen klimmen.'

'En u dan, vader?'

Sabinus keek naar zijn zoon en naamgenoot en schudde met een grimmig lachje zijn hoofd. Op dat moment hoorden ze een donderend geraas en kwam er een steekvlam uit de tempel van Jupiter; het dak kon nu elk moment instorten. 'Ik blijf hier. De prefect van Rome ontvlucht de stad niet, als Vitellius wil blijven leven, moet hij met mij onderhandelen.'

'En als hij nu denkt dat hij kan blijven leven zonder met u te onderhandelen?'

'Dan zijn we allebei dood. Ga nu!'

Rook zweefde over het Forum Romanum en de Palatijn, afkomstig van de geblakerde ruïnes op de Capitolijn, die nog maar een schim van zijn voormalige glorie was. De jonge Sabinus keek vanaf zijn schuilplaats op het dak van de tempel van Apollo omlaag naar het paleis dat Caligula had gebouwd en dat net was gerestaureerd na de grote brand van vijf jaar eerder. Onder hem zeulde Vitellius zijn omvangrijke lichaam door de hoofdingang en bleef boven aan de trap staan, omringd door zijn Germaanse lijfwachten. Senatoren en equites stonden te wachten om hem te begroeten, veel van hen waren die ochtend nog op de Capitolijn geweest en hadden weten te ontsnappen doordat Sabinus en de stadscohorten de bestorming van de heuvel hadden vertraagd. Nu waren ze uit hun schuilplekken tevoorschijn gekomen om de keizer die ze haatten te steunen, terwijl die nu zijn oordeel uitsprak over degenen die zich vergeefs tegen hem verzet hadden.

Sabinus kneep in de balustrade tot zijn knokkels wit zagen bij het zien van een figuur, geboeid met zware ketenen, die de trap op werd gesleurd: zijn vader.

De oude Sabinus werd op de grond gegooid, wat gepaard ging met gerinkel van de boeien, waardoor de menigte, die eerst had gezwegen, begon te joelen.

Vitellius gunde het publiek even zijn pleziertje en stak toen zijn armen omhoog; hij keek neer op Sabinus, schraapte zijn keel en spuugde een fluim op diens hoofd. 'Hoe durf je, om te sjacheren met de keizer? Hoe durf je me te vertellen of ik moet komen of gaan, om me mijn leven aan te bieden, alsof het aan jou is om daarover te beschikken, en de brutaliteit om me een lapje grond in Campania toe te wijzen terwijl ik dit allemaal bezit?' Hij gebaarde naar Rome om hem heen, van de geblakerde Capitolijn over de Campus Martius tot aan de Tiber met de Via Flaminia die in het noorden verdween, vredig in het avondlicht. 'Dat is van mij, allemaal, en ik zie nu dat er geen noodzaak is om het op te geven, want het volk houdt van me.' Vitellius zweeg even om de menigte de kans te geven om te juichen en hun misplaatste steun te betuigen. 'Wat zal ik dus met je doen?' vroeg hij, waarbij hij zich tot de menigte wendde.

Het antwoord was ondubbelzinnig. 'Dood!'

'Dood?' Vitellius peinsde en trok aan zijn vele onderkinnen. 'Wat zeg je daarvan, Sabinus, verdien je niet de dood voor je arrogantie?'

De oude Sabinus keek op naar Vitellius, door de spleetjes van zijn opgezwollen ogen. 'Dood me en morgen bij zonsondergang ben jij ook dood. Spaar me en ik kan proberen om je miserabele en overvloedige huid te redden.'

'Tuttut,' reageerde Vitellius. 'Nog meer arrogantie. Ik zal je zeggen wat ik ga doen, Sabinus, aangezien we oude vrienden zijn. Weet je nog, al die jaren geleden, op Capri, toen ik je een aanbod deed, een gul aanbod, waarna je me een walgelijk hoerenjong noemde? Je zei dat jij geen enkele man zou pijpen om je leven te redden, ik heb altijd gehoopt dat ooit het moment nog zou komen waarin je in de positie bent om het te bewijzen. En nu is het zover.' Hij tilde zijn tuniek op en haalde zijn penis uit zijn lendendoek tevoorschijn. 'Hier is mijn lul. Pijp me en je blijft leven.'

De oude Sabinus begon te trillen en een moment lang was de jonge Sabinus bang dat hij in snikken was uitgebarsten, tot zijn vader onbedaarlijk begon te lachen. 'Kijk nou, daar sta je, trots een lul ter grootte van mijn pink te tonen. Is dat de waardigheid van een keizer? Is het zo ver gekomen? Ik kan me dat gesprek nog heel goed herinneren: ik walgde toen van je, hoerenjong, en ik walg nu van je, dus maak er een einde aan. Ik ga je niet pijpen. Zelfs als ik je lul zou kunnen vinden.'

Vitellius opende en sloot zijn mond; hij keek om zich heen en zag hoe belachelijk hij was. Snel schikte hij zijn kleding, draaide zich om en waggelde weg. 'Maak hem af en stel het lichaam tentoon,' zei hij en hij verdween in het paleis.

Het was de stilte die de jonge Sabinus het meeste bijbleef toen zijn vader vrijwillig zijn nek aan de beul aanbood: de stilte van een menigte die toekeek terwijl de kling in het avondlicht schitterde en het hoofd van de schouders scheidde in een fontein van bloed dat op de schoenen van de beul stroomde. Sabinus' hoofd rolde de trap af, zijn lichaam zakte in elkaar en bloedde leeg, en de menigte keek zwijgend toe. De jonge Sabinus zou die stilte nooit vergeten, want terwijl hij zijn verdriet doorslikte en zijn vaders lijk naar de Gemonische trappen werd gesleept, hoorde hij dankzij die stilte vaag het geluid van een hoorn meegedragen worden op een briesje. Hij draaide zich om en keek naar het noorden, waar het geluid vandaan kwam, en daar, in de verte op de Via Flaminia, waren piepkleine bereden figuurtjes te zien, glinsterend in het licht van de ondergaande zon.

Te laat om Sabinus te redden, maar niet te laat om hem te wreken. Vespasianus' leger was aangekomen.

DEEL I

GABARA, GALILEA, MEI 67 N.C., TWEE JAAR EN
ZEVEN MAANDEN EERDER

HOOFDSTUK I

Titus Flavius Vespasianus had het vreemde gevoel dat hij hier eerder was geweest. De situatie leek in zijn ogen zoveel op die van een incident tweeëntwintig jaar eerder, dat hij zich niet verbaasde over de indruk dat de tijd zich herhaalde. Bijna elk detail kwam overeen: de legioenen en hulptroepen in slagorde, wachtend op het bevel om de aanval te beginnen; het doel zelf: een kleine nederzetting op een heuvel met rebellen die zich tegen het Romeinse gezag verzetten; en dan de mogelijkheid dat de leider van de rebellen zich in het omsingelde stadje bevond. Het leek griezelig veel op de belegering van een heuvelfort in Britannia tijdens het tweede jaar van Claudius' invasie, toen hij, Vespasianus, had gehoopt de aanvoerder van de opstandelingen, Caratacus, gevangen te nemen. Het was allemaal hetzelfde, op één detail na: toen was hij een legaat geweest die één enkel legioen aanvoerde, de Tweede Augusta, met de bijbehorende cohorten hulptroepen. Nu was hij generaal en stond aan het hoofd van drie legioenen met hulptroepen, naast contingenten geleverd door loyale, lokale vazalvorsten. Een daarvan was Herodes Agrippa, de tweede van die naam en koning van Galilea. Een andere was Vespasianus' oude bekende Malichus, koning van de Nabatese Arabieren. Alles bij elkaar voerde hij een leger van vijfenveertigduizend man aan. Dat was een reusachtig verschil; bijna net zo groot als het verschil in klimaat tussen het vochtige eiland en dit land van de Joden. Vespasianus peinsde daarover terwijl hij zijn zoon en onderbevelhebber Titus in een wolk van stof aan zag komen rijden, op weg naar hem en zijn metgezel, die rechts van hem rustig op zijn paard zat. Vespasianus kon zich niet meer herinneren wanneer het voor het laatst meer dan een spatje had geregend, terwijl hij al drie maanden in dit droge deel van het rijk zat, dat tegen Rome was opgestaan.

Het was gewelddadig geweest; gewelddadig en vernederend. Nog maar een jaar geleden was Cestius Gallus, toen gouverneur van Syria, naar het zuiden naar Galilea en Judaea gemarcheerd in een poging de ontluikende opstand neer te slaan. Hij leidde de Twaalfde Fulminata, aangevuld met contingenten van de drie andere Syrische legioenen en hun hulptroepen, ruim dertigduizend man in totaal. Aanvankelijk boekte hij succes, hij heroverde Acco in westelijk Galilea, en trok vervolgens naar het zuiden naar Caesarea en Jaffa in Judaea, waar hij bijna negenduizend rebellen afslachtte. Maar vervolgens ging het mis; hij trok zich terug, naar eigen zeggen omdat zijn aanvoerlijnen bedreigd werden, net toen hij op het punt stond Jeruzalem te gaan belegeren. Tijdens die terugtocht liep hij in een hinderlaag bij de pas van Beth Horon. Meer dan zesduizend Romeinse soldaten sneuvelden die dag en bijna twee keer zoveel raakten gewond. De Twaalfde Fulminata was bijna vernietigd en de adelaar kwam in vijandelijke handen. Gallus bracht schande over zichzelf door de resten van zijn leger in de steek te laten en naar Antiochië in Syria te vluchten, terwijl de provincie, aangemoedigd door deze triomf, nu volledig in verzet kwam. De Joodse opstand werd aangewakkerd door leiders die beweerden dat de Joodse god voor de overwinning had gezorgd en dat het daarom vanzelfsprekend was dat het hun zou lukken om de Romeinen uit hun land te verdrijven.

Keizer Nero had zich tot Vespasianus gewend om de Joden duidelijk te maken dat dat een onzinnig idee was.

Het was echter niet de hulp van de jaloerse Joodse enkelvoudige god waar Vespasianus zich zorgen over maakte. Het vervelende was dat de doden in Beth Horon allemaal van hun wapens en wapenuitrusting waren beroofd, en bovendien hadden veel gewonden en zelfs de nietgewonden hun wapens weggegooid toen ze vluchtten. Vespasianus besefte dus heel goed dat hij tegenover een goedbewapende vijand stond en niet met een povere groep rebellen te maken had. Daarnaast had hun leider, Josef ben Matthias, de opstandige gouverneur van Galilea, de gave om zijn mannen te inspireren. Vespasianus wist dat uit eigen ervaring, want hij had de man ontmoet toen hij drie jaar eerder met een delegatie naar Nero was gekomen.

Intussen wachtte hij ongeduldig op Titus met nieuws van de spionnen die voor hem werkten en die in Gabara waren geïnfiltreerd, het eerste doel in zijn campagne.

'En?' vroeg Vespasianus, terwijl Titus met veel vaardigheid en een hoop stof zijn paard naast zijn vader manoeuvreerde.

'Ze weigeren te onderhandelen en houden de poorten gesloten.'

'En Josef?'

'Hij is er niet, vader.'

'Niet? Hoe is hij dan weggekomen?'

'Hij was helemaal niet in Gabara. Onze informanten hadden het mis.'

'Jóúw informanten.' Vespasianus zette zijn helm met hoge pluim af en vervolgens ook de vilten muts, waarna hij over zijn kale, zweterige hoofd wreef. Zijn zoals gebruikelijk gespannen gezichtsuitdrukking gaf de indruk dat hij net veel moeite had gedaan om zijn darmen te legen. 'En wie is dan de commandant?'

'Johanan ben Levi, hij is Josefs rivaal om de macht in Galilea en hij is al even fanatiek. Hij leidt de zeloten in Galilea.'

'Zeloten?'

'Dat zijn religieuze fanaten, het komt erop neer dat ze iedereen willen doden die niet als zij denkt of gelooft, vooral Romeinen, maar nog meer Joden die een minder fanatieke kijk op hun religie hebben dan zij. Het waren de zeloten die alle kunst en beelden in Tiberias hebben vernield omdat die in hun ogen hun god beledigden.'

'Barbaren!' Vespasianus walgde van dergelijk gedrag. 'Hoeveel van die fanatici heeft deze Johanan volgens jóúw informanten onder zijn commando?'

Titus, die met zijn forse neus, intelligente, bewegelijke ogen en grote oren sprekend op zijn zevenenvijftig jaar oude vader leek, onderdrukte de pedante aandrang om zijn vader erop te wijzen dat veel van de spionnen door Vespasianus waren gerekruteerd. Hij had immers de rol van inlichtingenofficier op zich genomen na zijn aankomst in de afgesproken ontmoetingsplaats, de haven van Ptolemais. Hij was uit Egypte gekomen met zijn legioen, de Vijftiende Apollinaris. 'Niet zoveel als we aanvankelijk dachten, ónze informanten lijken ietsjes te hebben overdreven.'

Vespasianus schudde zijn hoofd en glimlachte. 'Het spijt me, zoon.

Ik heb lang geleden geleerd niemand de schuld te geven. Het is net zozeer mijn fout als de jouwe, meer zelfs, want het is mijn leger.'

Titus glimlachte terug. 'Bedoelt u niet "het leger van de keizer", vader?'

'Natuurlijk. Maar hij is zo goed geweest het aan me uit te lenen en de vraag is nu: hoe ga ik het gebruiken? Hoeveel gevechtsklare mannen denken ónze informanten dat er ongeveer binnen de muren zijn?'

'Niet meer dan vijfhonderd.'

'En andere mensen?'

'Zeker tweeduizend, maar minder dan drieduizend.'

'Mooi. Ik zal de aanval aan de hulptroepen overlaten, zodat ze de kans krijgen om te laten zien uit wat voor hout ze zijn gesneden. Dat zal de rest van het leger de nodige honger geven voor het vervolg van de campagne.'

Titus keek met spijt naar de stenen muren van Gabara. 'Jammer van die achterbakse rat van een Josef, het zou mooi geweest zijn om hem al zo snel te kunnen pakken. Maar goed, het is ook niet verkeerd om Johanan ben Levi in handen te krijgen, dat zal een mooi stukje nieuws zijn om in Rome rond te bazuinen. Nero zal tevreden zijn als hij hoort dat onze campagne goed is begonnen met het gevangennemen van een van de leiders van de opstand.'

'Waar Nero tevreden mee zou moeten zijn en waar Nero volgens jou tevreden mee zal zijn en waar hij echt tevreden mee is zijn drie heel verschillende dingen, dat zou je zo langzamerhand moeten weten, beste jongen. Snel goede resultaten halen stemt onze keizer niet noodzakelijkerwijs gunstig, kijk maar wat er met Corbulo is gebeurd.'

Titus zuchtte. 'Dat is waar.'

En dat was precies het probleem waar Vespasianus zich mee geconfronteerd zag: Gnaeus Domitius Corbulo, algemeen beschouwd als de grootste generaal van zijn tijd, was het slachtoffer geworden van een combinatie van zijn eigen successen en de jaloezie van Nero. Hij had een succesvolle oorlog tegen Parthië gevoerd en zo Armenia weer binnen de Romeinse invloedssfeer gebracht; het lag dan ook voor de hand dat de keizer Corbulo als zijn beste generaal naar Galilea zou sturen nadat hij het nieuws over Gallus' nederlaag had gekregen. Dat was toen hij door Griekenland reisde om mee te doen aan wedstrijden in zang, poëzie en wagenrennen, die hij weinig verbazingwekkend allemaal won – alle achttienhonderd. De Olympische Spelen en vele andere religieuze feesten waren zo nodig vervroegd zodat Nero zijn ijdelheid kon strelen en zijn idee versterken dat hij de grootste kunstenaar en beste wagenmenner aller tijden was.

Nero had echter anders beslist. Hij had zich tot Vespasianus gewend, ofschoon hij de keizer had vertoornd door in slaap te vallen en vervolgens luidruchtig wakker te worden tijdens een van Nero's eindeloos lange voordrachten.

Vespasianus was op de loop gegaan voor het ongenoegen van de keizer en had zich verstopt in het land van de Caenii in Thracië. Hij had zijn minnares Caenis meegenomen, die hier oorspronkelijk vandaan kwam en voor het eerst voet zette in het land waar haar moeder in slavernij was verkocht toen ze zwanger van haar was. Zijn oude vriend Magnus had geraden waar hij zich verschuilde en was gekomen in opdracht van de keizer. Magnus was erbij geweest toen Vespasianus, Corbulo en centurio Faustus veertig jaar eerder gevangen waren genomen door de Caenii. Een hanger die Caenis Vespasianus had gegeven had hun leven gered vlak voordat ze zich dood hadden moeten vechten. Het stamhoofd van de Caenii, Coronus, de oom van Caenis, had het symbool van zijn stam herkend. Na hun vrijlating had Vespasianus beloofd om Caenis ooit naar haar volk terug te brengen.

Vespasianus besefte dat als hij Nero's orders niet gehoorzaamde hij voor eeuwig in ballingschap moest blijven en altijd op zijn hoede moest zijn voor de moordenaars die de keizer onvermijdelijk zou sturen. Maar de begenadiging van de een betekende de val van een ander, zoals Vespasianus ontdekte toen hij eenmaal vergeven was en van Nero opdracht kreeg om de groeiende opstand in Judaea neer te slaan en om Corbulo op te zoeken in Corinthus. Vespasianus ging ervan uit dat de orders die hij namens de keizer voor zijn oude kennis had meegekregen instructies bevatten voor de generaal om hem te informeren over de fijnere kneepjes van de oosterse politiek en hoe de opstandelingen het best konden worden aangepakt. Maar zo was het niet: Corbulo had ter plekke zelfmoord gepleegd, in overeenstemming met het keizerlijke bevel, en stierf aan Vespasianus' voeten.

Het was een nuttig inkijkje in het functioneren van de keizerlijke geest geweest en had Vespasianus met een dilemma opgezadeld: als hij het te goed deed in Judaea zou dat de jaloezie van de keizer opwekken en zou hij hoogstwaarschijnlijk hetzelfde lot als Corbulo ondergaan; als hij het te slecht deed, en hij ontliep executie of gedwongen zelfmoord, dan wachtte hem een lot erger dan de dood: vernedering en de afkeuring van zijn gelijken. In beide gevallen zou de opkomst van de Flavii, waar hij en zijn broer Sabinus hun hele leven naar hadden gestreefd, op zijn minst tot stilstand komen en mogelijk zelfs ten einde komen.

Hoe moest hij dus deze campagne voeren, die op het punt stond te beginnen? Hij vervloekte in stilte de laffe, ruggengraatloze keizer die naar militaire successen verlangde, maar die zelf niet het slagveld op durfde en degenen strafte die ze voor hem haalden. Hij was de eerste keizer die nooit een leger in een slag had geleid; toegegeven, zijn oudoom en adoptievader Claudius had alleen in naam een leger aangevoerd tijdens zijn bliksembezoek aan Britannia tijdens de eerste maanden van de invasie, maar dat was genoeg geweest om hem een triomftocht met een zekere mate van legitimiteit op te leveren. Zijn oom Gaius Caligula had met zijn bescheiden veldtocht in Germania Magna nog altijd veel meer gedaan dan Nero, en Caligula's grootse zege op de god Neptunus op de kusten van de noordelijke zee had hem ook een triomftocht opgeleverd – al was het meer een grapje van de kant van Caligula omdat hij zijn legioenen had gedwongen de zee aan te vallen toen ze weigerden aan boord te gaan van de schepen voor een invasie van Britannia. Hij had zich verkneukeld over de gezichten van de senatoren toen hij met tientallen wagens gevuld met schelpen door Rome paradeerde. Nero's eigen triomf kwam toen hij uit Griekenland terugkeerde met zijn achttienhonderd overwinningskronen, hij wilde dat niemand dat overschaduwde. Maar als Vespasianus de revolte zou neerslaan met de kracht die van hem werd verwacht, dan zou hij ernstig gevaar lopen van de kant van de man die zichzelf beschouwde als de enige mens van belang in de hele wereld.

Vespasianus meende daarom dat hij drie werkbare keuzes had, maar bij geen van drieën was zijn veiligheid gegarandeerd. Hij kon zijn plicht aan Rome vervullen en de woede van de keizer riskeren. Hij kon de campagne expres laten mislukken en de provincie in geweld laten verzinken en dan buiten bereik van Rome vluchten en hopen dat de straf niet al te zwaar zou zijn. Of hij kon... maar nee, daar wilde hij niet aan denken, hij wilde niet overwegen wat hij allemaal kon doen met het leger dat de keizer in zijn handen had gelegd.

En nu stond hij op het kruispunt. Hij haalde diep adem en keek naar Titus. 'Als we expres falen heeft dat geen enkel voordeel voor onze familie. We moeten dus slagen en tot onze beschermgod Mars bidden dat de situatie in Rome zal veranderen zodat succes niet langer beloond zal worden met de dood.'

Titus fronste. 'Waar hebt u het over, vader?'

'Ik bedoel dat ik een besluit heb genomen: we gaan deze oorlog genadeloos voeren om de opstand zo snel mogelijk te verpletteren en daarna zoeken we wel uit hoe het verder moet na onze overwinning, want ik zal niet zo gehoorzaam zijn als Corbulo.'

'U bedoelt dat u de keizer zou uitdagen.'

'Er komt een moment waarop iemand het moet doen. Ik zou liever niet diegene zijn, maar als ik moet kiezen tussen een zekere dood door zelfmoord als beloning voor bewezen diensten of... Nou ja, laat ik het zo formuleren: wat er ook gebeurt, ik ga het eerste alternatief niet kiezen.' Hij wendde zich tot het groepje stafofficieren dat een eindje achter hem op orders wachtte. 'Heren, de hulptroepen zullen het afhandelen. Prefect Virdius en prefect Gellianus, jullie twee cohorten moeten voldoende zijn om de muren in te nemen, met dekking van Petro's boogschutters. Toon geen enkele genade, totale verwoesting. Dood iedereen in de stad boven de vijf jaar, met uitzondering van hun leider Johanan – hem wil ik levend, de rest kan als slaven worden verkocht, want de kinderen zijn te jong om zich dit te herinneren en wraak te verlangen. Zorg dat het gebeurt.'

'Altijd met een oog voor winst,' mompelde zijn metgezel, die de hele tijd zwijgend naast hem had gezeten. 'Het zou doodzonde zijn geweest om niets aan de stad te verdienen. Niet dat zuigelingen veel opleveren, want de koper moet flink wat eten in ze stoppen voor ze op eigen benen kunnen staan, als u begrijpt wat ik bedoel.'

'En ik maar denken dat je in slaap was gesukkeld, Magnus, voor een oude man is het tenslotte tijd voor een ochtenddutje. Ik keek al helemaal uit naar de klap die je zou maken als je uit het zadel zou vallen.'

Magnus krabde aan de grijze stoppels die de onderste helft van het gemangelde gezicht van de oud-bokser bedekten en keek Vespasianus met zijn ene goede oog aan vanonder de brede rand van zijn leren zonnehoed – het glazen kunstoog in zijn linkeroogkas had zijn eigen wil. 'Nee, ik was klaarwakker. Ik kijk graag toe hoe u tot een besluit komt.

Het is net als toekijken hoe een Vestaalse maagd voor het eerst in de anus wordt genomen terwijl ze probeert niet te schreeuwen: een hoop gezichtsgymnastiek en geknars van de tanden. Het verbaasde me bijna dat uw ogen niet volschoten van al die inspanningen waarmee u bezig leek. Ik hoop dat u geen permanente schade hebt opgelopen.'

'Met mij is alles prima, dank je, Magnus, die breukband die je me bij de laatste saturnalia hebt gegeven doet wonderen.'

De *cornua*, de grote G-vormige hoorns die gebruikt werden om signalen op het slagveld te geven, begonnen hun lage gerommel, waarna drie cohortenstandaards zakten, centuriones bevelen schreeuwden en de hulptroepen in beweging kwamen om een spektakel op te voeren voor de rest van het leger en om een stad met de grond gelijk te maken.

'Trouwens,' Magnus, keek naar de boogschutters van de vierde Syrische hulpcohort die de verdedigers van de muren schoten zodat hun kameraden veiliger konden proberen de muren te beklimmen, 'het is de juiste beslissing. Wie weet wat er allemaal in Rome gaat gebeuren terwijl u deze rotzooi opruimt.'

Vespasianus knikte goedkeurend bij de aanblik van de cohort van de Eerste Augusta, die de stad naderde in centuriën in testudoformatie, met de mannen met ladders in het midden. Over hun hoofden suisden pijlen, de verdedigers lieten zich niet zien op de muren. 'Tja, mijn broer zal ons ongetwijfeld goed op de hoogte houden. Intussen weet ik alleen dat ik die Joden zal leren wat het betekent om tegen Rome in opstand te komen. Ze zullen ontdekken wat oorlog precies betekent.'

Medelijden was een emotie die Vespasianus zich niet kon veroorloven. Samen met Titus en Magnus bekeek hij de smeulende ruïnes van Gabara, met de honderden doden die daar overal lagen, sommigen niet meer dan geblakerde mensachtige vormen. Hij onderdrukte elk gevoel van medeleven voor de vrouwen en kinderen die samen met de mannen waren afgeslacht. 'Niemand hier was onschuldig,' zei hij, neerkijkend op de lijken van beide geslachten en allerlei leeftijden, allemaal met doorgesneden keel na de methodische executie. Hij duwde met zijn teen tegen het hoofd van een jong meisje zodat hij haar gezicht kon zien, de bleke blauwe ogen die niets meer zagen. 'Als Johanan ben Levi zijn verstand had gebruikt en de poorten voor ons had geopend, dan was ik grootmoedig geweest en zou dit kind nog leven. Maar dit is de boodschap die we naar elke plaats moeten sturen die overweegt om zich tegen ons te verzetten.'

'En als elke stad dat doet?' vroeg Magnus, en hij gaf een schop tegen een bebloede slinger naast een dode hulpsoldaat met een groot gat in zijn voorhoofd.

'Dan zijn er nog maar heel weinig mensen om te regeren in Judaea,' zei Titus, 'maar zover komt het niet. Sepphoris, twaalf mijl naar het zuiden van hier, aan de andere kant van Jotapata, heeft al een delegatie gestuurd om hun loyaliteit te bezweren. We hebben een garnizoen gestuurd om ze aan hun belofte te herinneren.'

'O, dan is het goed, dan heeft de procurator in ieder geval nog een paar mensen om buitenproportioneel zware belastingen aan op te leggen.' Magnus pakte een leren slinger op en bekeek die. 'Was dat niet hoe het allemaal begon? Of kwam het omdat we voor de verandering eens een keertje aardig waren?'

Vespasianus fronste in verwarring over de woorden van zijn vriend. 'Sinds wanneer sta je aan hun kant? Ik had nooit gedacht dat jij het voor de Joden zou opnemen, of voor wat voor volk dan ook.'

'Dat doe ik niet; er is er maar één voor wie ik zorg, dat weet u, en ik heb geen zin om het slachtoffer te worden van een akelig stuk leer als dit.' Magnus gooide de slinger over zijn schouder weg. 'Wat ik wil zeggen is dat de laatste paar procuratoren, ongetwijfeld zo opgeblazen als een pauw met grootheidswaan, deze mensen tot opstand hebben gedreven, met als gevolg dat zesduizend van onze jongens Beth Horon niet hebben overleefd, omdat de opgeblazen zak die ze aanvoerde vergat om verkenners te sturen om naar hinderlagen te zoeken. Ik zeg alleen dat terwijl mensen van uw klasse naar dit soort schijtgaten komen om zo veel mogelijk sestertiën uit de lokale bevolking te persen, het de jongens uit mijn klasse zijn die met hun bloed moeten betalen om de rommel op te ruimen.' Hij wees naar de dode hulpsoldaat. 'Zoals deze jongen hier, al was hij geen burger. Ik begrijp heel goed dat als je bij het leger gaat je een flinke kans hebt om het niet te overleven, maar dat onbelangrijke detail weerhoudt mensen er niet van om te tekenen. Maar je kunt sterven en je kunt onnodig sterven, en ik zou zeggen dat zijn dood omdat een of andere procurator een paar gouden bekers meer op tafel wilde dan zijn buurman onnodig was. Dat is alles, ik zeg het maar gewoon.'

'Ja, goed, stop nu maar met zeggen,' snauwde Vespasianus. 'Het bevalt mij net zomin als jou, maar het is niet anders en we kunnen er verder niets aan doen.' Hij wendde zich tot zijn zoon. 'Titus, laat de doden tellen, ik wil dat het exacte aantal bekend wordt. We slaan hier voor vandaag ons kamp op, versterkt. Onze volgende stap is om te kijken hoe de mensen van Jotapata van plan zijn ons te ontvangen.'

'Met open armen, hopelijk, zodra ze horen wat er hier gebeurd is.'

'Niet als Josef zijn zin krijgt. Stuur een ala cavalerie tot op gezichtsafstand van de stad om een kijkje te nemen en om iedereen gevangen te nemen die ze te pakken kunnen krijgen. Hoeveel man heb je in de stad?'

'Drie betrouwbare en twee anderen van wie ik zeker weet dat het dubbelspionnen zijn. We zouden ze tot ons voordeel kunnen gebruiken.'

'Dat denk ik ook. Laat alle legaten van de legioenen en de prefecten van de hulptroepen een uur voor zonsondergang naar mijn tent komen.'

'Hier zijn de resterende rapporten die zijn binnengekomen, generaal,' zei Lutatius, een jonge tribunus angusticlavius in Vespasianus' staf. Hij legde een tiental wastabletten op Vespasianus' schrijftafel in het *praetorium*, de commandopost. 'Er is alleen nog geen bericht van de ala cavalerie van de Tweede Cappadocia, die is nog op verkenning naar Jotapata.'

Vespasianus wreef over zijn slapen terwijl hij naar de stapel voor zich keek. 'Heb je nieuws van de prefect van het kamp over de fortificaties?'

'Prefect Fonteius heeft een rapport gestuurd. Vijf mijl van de gracht is voltooid en hij wacht nu op de Vijfde Macedonica om hun deel af te maken.'

'Weer de Vijfde, hè? Gisteren waren ze ook als laatste klaar, ze lijken er een slechte gewoonte van te maken. Dank je, Lutatius, je kunt gaan, maar stuur de prefect van de Tweede Cappadocia naar me toe zodra hij terug is.'

Na een strakke groet draaide de jongeman zich om en marcheerde de kamer uit, als je de met een doek afgescheiden ruimte in de enorme tent die als legerhoofdkwartier diende tenminste een kamer kon noemen. Vespasianus pakte het bovenste wastablet op en begon te lezen: een droge opsomming van de toestand van de Tiende Fretensis, cohort voor cohort: aantal zieken en gewonden, aantal gedetacheerden, aantal

44

legionairs met verlof, aantal met garnizoensdienst en andere slaapver-wekkende details. Methodisch werkte hij zich door de stapel.

'Waarom hou je je met die trivialiteiten bezig, liefste?' zei Caenis, die vanuit de deuropening naar hem keek terwijl hij het laatste tablet neerlegde.

Vespasianus keek op. Uit haar houding en de manier waarop ze een kristallen glas vruchtensap in haar hand hield maakte hij op dat ze daar al een tijdje naar hem had staan kijken. 'Het helpt me om in slaap te vallen.'

Ze beantwoordde zijn glimlach, haar saffierblauwe ogen glinsterden in het lamplicht, ze waren even levendig en mooi als de eerste keer dat hij ze had gezien, even buiten Rome, eenenveertig jaar geleden. Toen was ze de slavin en secretaris van vrouwe Antonia, de schoonzuster van Tiberius en moeder van Claudius, grootmoeder van Caligula en over-grootmoeder van de huidige keizer. Inmiddels was Caenis een vrij-gelatene, die rijk was geworden door een leven lang de politiek van de Palatijn op de voet te volgen. Ze liep naar hem toe. 'Soms heb ik de indruk dat je een te ijverige generaal bent.'

'Misschien, maar ik geloof dat het beter is om te veel feiten te ken-nen dan te weinig. Dat zul jij ongetwijfeld begrijpen.'

'Als het op je tegenstanders in de politiek aankomt zeker, maar als het gaat om hoeveel man van de negende centurie van de vierde cohort diarree hebben, dan zie ik dat anders.'

Vespasianus pakte het rapport op dat hij als eerste had gelezen en keek er snel naar. 'Vier zijn het er; althans er zijn er vier ziek, maar of ze zo gelukkig zijn om alleen diarree te hebben of iets echt walgelijks wat hier in de mode lijkt te zijn, dat weet ik niet. Maar wat ik na het lezen van deze lijst wel weet is dat de Tiende Fretensis een effectieve bezetting van zesendertighonderd negenentachtig man heeft, bijna een kwart minder dan zou moeten, en in de loop van de campagne zal dat alleen maar erger worden, niet beter. Dat is nou informatie die een goede generaal volgens mij moet willen hebben.'

Caenis stond naast hem en streelde zijn wang. 'Begrepen.' Ze boog zich voorover en kuste hem op zijn voorhoofd. 'Luister, ik heb interes-sante informatie die je aandacht van de diarreelijders van de negende centurie van de vierde cohort zal afleiden.'

Vespasianus was onmiddellijk geïnteresseerd, hij wist van zijn lange verhouding met Caenis, die al begonnen was toen zijn vrouw Flavia nog leefde, hoe goed ze was in het verzamelen van informatie. Caenis had nooit zo lang kunnen overleven in het wespennest van keizerlijke politiek zonder haar vermogen om interessante feiten boven water te krijgen via haar netwerk van informanten en kennissen door het hele rijk. Al die informatie sloeg ze op in haar uitstekend ontwikkelde geheugen, tot ze van nut waren. Hij legde het rapport van de Tiende Fretensis terug op tafel. 'Ga door.'

'Gaius Julius Vindex.'

Vespasianus begreep het niet. 'Wat is er met hem?'

Hij is van Gallische afkomst, uit Aquitania, en is momenteel gouverneur van Gallia Lugdunensis.'

'Dat is fijn voor hem.'

'Zeker, een groot geluk. Het is een rijke provincie en in Lugdunum zit de keizerlijke munt. Ik vermoed dat hij daar aardig aan het binnenlopen is, en daarom is het nogal vreemd dat hij deze brief heeft geschreven, die een van mijn mensen heeft onderschept en gekopieerd.' Ze zette haar glas neer en haalde een rol tevoorschijn uit haar palla. 'Hij is gericht aan Servius Sulpicius Galba.'

'De gouverneur van Hispania Tarraconensis.'

'Precies. Vindex vraagt op een nogal omslachtige manier of Galba tevreden is met hoe de dingen gaan en impliceert dat hij dat niet is.'

Vespasianus haalde zijn schouders op. 'Ik denk dat weinig gouverneurs en senatoren gelukkig zijn met de manier waarop Nero zich gedraagt.'

'Ja, maar zouden ze zo ver gaan om een alternatief van buiten de keizerlijke familie voor te stellen?'

'Buiten de Julisch-Claudische dynastie?'

'Ja. Vindex zinspeelt er tegen Galba op dat mocht hij ooit aspiraties in die richting hebben, hij op zijn steun kan rekenen, al formuleert hij het wat meer omfloerst. Vergeet ook niet dat toen Claudius stierf er meer dan een paar geruchten waren dat het beter was om een man met ervaring in het purper te hebben dan een slappeling van zeventien, en de naam van Galba dook diverse malen op. Ik heb ook gehoord dat hij de zaak heeft besproken met zijn vertrouwelingen en toen besloot dat het zijn eer te na was om het te doen. En zoals je weet is eer alles voor een man als Galba, die erg trots is op zijn stamboom.'

46

'Tja, de Sulpicii zijn een van de oudste families van Rome.'

'En dus doordrongen van de tradities van het verleden, en omdat Nero zich zo weinig aantrekt van de tradities die Galba zo dierbaar zijn, denk ik dat Vinex een gewillig oor heeft gevonden. Ik vermoed dat dit wel eens het begin zou kunnen zijn, en vanuit ons standpunt bezien kan ik er geen betere plek voor bedenken dan zo ver van ons weg als mogelijk.'

'Wat bedoel je met ons standpunt?'

Caenis gaf een overdreven versie van een lerares die de traagheid van haar leerling niet kan geloven. 'Denk je dat er ook maar iemand is die Galba een betere keus vindt dan hijzelf?'

'Natuurlijk niet, het zal tot enorme jaloezie leiden.'

'Maar wat zullen de meeste mensen met enige intelligentie beseffen?'

Vespasianus begreep het niet en deed geen poging dat te verbergen.

Caenis' blik van de wanhopige lerares verdiepte zich. 'Hoe oud is Galba?'

Nu begreep Vespasianus het. 'Ah, ja! Ver in de zeventig en voor zover ik weet is hij kinderloos.'

'Goed zo, liefste. Ik zie dat de diarreelijders van de negende centurie je geest nog niet helemaal in beslag hebben genomen. Dus degenen die naar het purper streven moeten bedenken of ze tegen Galba gaan vechten of bij hem in het gevlij moeten proberen te komen in de hoop dat hij ze zal adopteren en tot zijn erfgenaam benoemen.'

Vespasianus trommelde met zijn vingers op de schrijftafel terwijl hij dit idee absorbeerde en erover nadacht. 'Wat er ook gebeurt, er komt een oorlog. Dat is onvermijdelijk, toch?'

'Dat denk ik ook. Galba kan het purper pakken, maar niet voor lang. Burgeroorlog is onvermijdelijk, ofwel om van hem af te komen of tussen de erfgenaam die hij benoemt en iemand die vindt dat hij dat had moeten zijn. Maar voor een burgeroorlog zijn legioenen nodig, en jij, liefje...' Ze liet de zin in de lucht hangen.

'Ik heb legioenen, in feite heb ik mijn eigen leger. Dat zet je aan het denken.'

Caenis legde haar hand in Vespasianus' nek en ging op zijn schoot zitten. 'Dat doet het zeker.'

'En je hebt gelijk: het westen is voor ons de beste plek voor een burger-

oorlog. Laat ze het maar een tijdje uitvechten. Galba heeft zijn ene legioen in Hispania en heeft dus steun nodig van óf de legioenen aan de
Rijn óf die aan de Donau om aanspraak op het rijk te kunnen maken.'

Caenis wees op de gekopieerde brief. 'Vindex insinueert dat hij al in
contact staat met de aanstaande gouverneur van Germania Inferior,
maar hij noemt geen naam.'

Vespasianus keek haar verwachtingsvol aan.

'Natuurlijk weet ik het. Nero heeft Gaius Fonteius Capito aangewezen; hij moet inmiddels in de provincie zijn aangekomen.'

'En Germania Superior?'

'Daar ligt het anders. Het is onwaarschijnlijk dat Lucius Verginius
Rufus een opstand zou goedkeuren.'

'Maar zal hij zich verzetten?'

'Dat moeten we afwachten.'

'Dus er is al een kans op burgeroorlog. En dan zijn er nog de Donaulegioenen in Noricum, Pannonia en Moesia.'

'Ik weet zeker dat ze hun zegje willen doen en hun eigen kandidaat
zullen steunen. Als je het hier goed doet, wie weet krijgen de diarree-
leiders van de negende centurie en al hun vrienden dan wel het idee
dat ze ook een stem in de zaak horen te hebben.'

Vespasianus nam het gezicht van zijn minnares in zijn handen en
kuste haar vol op de mond, waarbij hij een prikkeling in zijn lendenen
voelde. 'Jij, liefste, zegt gevaarlijke dingen, sommigen zouden het verraad noemen.'

Caenis kuste hem op haar beurt. 'Dan kun je het maar beter tegen
niemand zeggen, nietwaar?'

Een kuch bij de ingang onderbrak Vespasianus toen hij de kus met
rente wilde retourneren. Hij keek op. 'Wat is er, Hormus? Zie je niet
dat ik bezig ben?'

'Het spijt me, meester,' antwoordde de vrijgelatene. 'Titus heeft me
gestuurd om te zeggen dat de officieren zich aan het verzamelen zijn.'

'Dank voor jullie komst, heren,' zei Vespasianus toen hij het deel van
het praetorium betrad waar de adelaars stonden van de drie aanwezige
legioenen en de beeltenissen van de keizer, omringd door een erewacht.
Die woorden waren nogal overbodig, want niemand zou het bevel van
de oppercommandant negeren.

'Iedereen is aanwezig, generaal, afgezien van prefect Calenus van de Tweede Cappadocia,' blafte Titus op de juiste militaire toon. 'Ik heb orders voor hem achtergelaten om onmiddellijk te komen rapporteren als hij terug is.'

Vespasianus knikte kort en wendde zich tot de prefect van het legerkamp, Fonteius. 'En? Zijn de verdedigingswerken al af?'

Fonteius wierp even een blik van afkeer op de legaat van de Vijfde Macedonica. 'Nee, commandant, de Vijfde moest nog enkele honderden passen voltooien toen ik hiernaartoe kwam.'

'Vanwaar de vertraging, Vettulenus?' vroeg Vespasianus de legaat. 'Dat is de tweede dag op rij dat jouw legioen met afstand het laatste is met het voltooien van zijn deel van de verdedigingswerken.'

Sextus Vettulenus Cerialis rechtte zijn rug. 'Er is geen excuus, generaal. Ik zal primus pilus Barea opdracht geven een paar lui een trap onder de kont te geven.'

'Als ik jou was zou ik hem opdracht geven elke kont in het legioen een trap te verkopen, inclusief zijn eigen en de jouwe, als ik er goed over nadenk! Anders is hij niet lang meer primus pilus in mijn leger.' Hij wees op Marcus Ulpius Trajanus, de legaat van de Tiende Fretensis. 'Trajanus' legioen is op driekwart van zijn sterkte en toch doet het zijn deel sneller dan de Vijfde. Misschien komt dat wel doordat ze meer tijd met een schop in hun handen doorbrengen dan met de pik van hun centuriones!'

'Het zal niet meer gebeuren, commandant.'

Vespasianus gunde zich nog een lange boze blik op de man. 'Goed, Vettulenus, zorg daarvoor.' Hij keek het vertrek rond, dat gevuld was met de legaten van de drie legioenen, de prefecten van de hulpcohorten, de commandanten van de contingenten geleverd door de lokale vazalkoningen, en zijn eigen persoonlijke staf. 'Ik duld geen slonzigheid op deze campagne, elk van jullie moet te allen tijde de maximale inspanning uit elk van jullie mannen halen, zelfs als ze zitten te schijten. Een soldaat met te veel tijd voor zichzelf raakt zijn discipline kwijt en is een bedreiging voor zijn kameraden en een gevaar voor het moreel en de samenhang van zijn centurie. Ik duld het niet in mijn leger, hebben jullie me begrepen?'

Alle aanwezigen begrepen het heel goed.

Vespasianus ademde uit en liet zijn gelaatstrekken verzachten. 'Goed, dan nu waar we voor gekomen zijn. Dat was een mooi begin vanmiddag, gefeliciteerd met de prestaties van jullie mannen, prefect Virdius en prefect Gellianus. De muur over en de stad ingenomen in minder dan een uur, met slechts drieëndertig doden en honderdvijfentwintig gewonden in totaal. Uitstekend werk. Geef mijn felicitaties door aan jullie officieren.'

De twee prefecten gingen in de houding staan, hun gezichten glommen van trots.

'Is er nieuws over Johanan ben Levi?' vroeg Vespasianus aan Titus.

'Geen goed nieuws, commandant. Zover we weten zit hij niet tussen de doden, ik heb elk lijk laten bekijken. Op de een of andere manier, en ik weet nog niet op welke, is hij de stad uit gekomen vlak voordat die viel.'

Vespasianus sloeg met zijn vuist in zijn hand. 'Dat is niet goed genoeg. We kunnen zoveel van deze mensen doden als we willen, maar het maakt geen enkel verschil als hun fanatieke leiders ontsnappen en met hun gif naar een andere stad gaan. Zij zijn de oorzaak van alle ellende, niet de gemiddelde timmerman of herder. Het gaat om de minderheid van religieuze fundamentalisten; dood ze en het probleem verdwijnt vanzelf.'

'Ik heb patrouilles uitgestuurd om Johanan te zoeken. Ik hoop dat we hem snel te pakken krijgen.'

'Dat hoop ik ook, maar ik heb zo mijn twijfels. Iemand die uit een omsingelde stad kan ontsnappen als die op het punt staat te vallen zal zich op open terrein niet zo snel laten verrassen.' Vespasianus keek zijn zoon even streng aan en wendde zich toen tot Petro. 'Je boogschutters waren voorbeeldig, prefect, ze hebben heel wat mannen het leven gered, want met hun nauwkeurigheid bleven de muren vrij. Slechts één dode, en hij werd door een van je eigen mannen van achteren geraakt, las ik in je rapport. Hoe was dat mogelijk?'

'Het ging om een vete, ik heb de moordenaar laten executeren. De idioot deed net of het een ongelukje was en hij het verschrikkelijk vond dat hij zijn eigen centurio had neergeschoten.'

Vespasianus wreef over zijn kin. 'Laat die centurie tien nachten buiten het kamp bivakkeren zodat iedereen beseft dat ze een oogje op hun kameraden moeten houden om te voorkomen dat dergelijke dingen uit de hand lopen.'

'Ja, generaal.'

'Titus, zorg dat het hele leger weet wat er gebeurd is en wat de gevolgen voor de centurie van de man zijn. Ik duld geen soldaten die hun officieren vanwege een grief vermoorden. Elke man in elke centurie is verantwoordelijk voor het moreel in zijn eenheid; vetes moeten gerapporteerd en beëindigd worden voor ze uit de hand lopen.'

Titus knikte en maakte een aantekening op een wastablet.

'Jotapata, heren,' zei Vespasianus, van onderwerp veranderend. Hij draaide zich om naar een kaart die achter hem op een bord was vastgemaakt. Hij wees naar een plek halverwege de kust en een meer. 'Wij zijn hier bij Gabara.' Zijn vinger ging naar het zuiden. 'Dit is Sepphoris, dat zich aan onze zijde heeft geschaard en een garnizoen heeft aanvaard.' Zijn vinger ging vervolgens naar het noorden naar een punt tussen Gabara en Sepphoris. 'En dit is Jotapata; zonder die stad en het veel kleinere Japhra, even ten oosten van Sepphoris, in handen te hebben kunnen we niet optrekken naar Tiberias, hier aan het Meer van Galilea.' Hij wees het meer aan. 'Want anders worden onze aanvoerlijnen vanuit Ptolemais aan de kust bedreigd. Als we Tiberias eenmaal hebben, is Galilea van ons en kunnen we naar het zuiden afbuigen en langs de Jordaan optrekken naar Judaea. Jullie zien dus dat Jotapata strategisch van vitaal belang is. We hebben niets van de stadsoudsten gehoord en dus neem ik aan dat ze ons vijandig gezind zijn en dat we de stad met geweld moeten innemen. De Tweede Cappadocia is daar nu op verkenning. De weg ernaartoe stelt niet veel voor, het is niet meer dan een spoor. Vettulenus, morgenochtend stuur je bij zonsopgang de drie cohorten die dat het meeste verdienen op pad om de route begaanbaar te maken voor onze belegeringswerktuigen. Dat lijkt me een probaat middel tegen het gebrek aan enthousiasme van je legioen voor lichamelijke arbeid en zo heeft je bewonderenswaardige primus pilus een ideale gelegenheid om tegen konten te trappen.'

Vettulenus grijnsde. 'Een perfecte gelegenheid voor hem en mij, generaal.'

'Goed, Trajanus, jij gaat met de Tiende en je hulptroepen naar Sepphoris voor een staaltje machtsvertoon om ze eraan te herinneren wie hier de baas is. Daarna ga je door naar Japhra, dat je inneemt en verwoest als ze de poorten niet voor je openen. Je mag de vrouwen en kinderen als je wilt houden om te verkopen.'

'Uitstekend, generaal, we vertrekken bij het eerste licht.'

'Generaal?' klonk er een stem bij de ingang.

Vespasianus draaide zich om en zag tribuun Lutatius staan. 'Wat is er, Lutatius?'

'De Tweede Cappadocia is zojuist teruggekomen.'

'Mooi, zeg tegen de prefect dat hij onmiddellijk rapport komt uitbrengen.'

'Dat gaat niet, generaal. Ik ben bang dat hij dood is, net als ruim veertig van zijn manschappen. Ze zijn op weg naar Jotapata in een hinderlaag gelopen en hebben zich met moeite een weg terug gevochten.'

Vespasianus keek de verzamelde officieren aan. 'Heren, ik geloof dat we ons antwoord hebben. In plaats van vriendschap heeft Jotapata voor volledige verwoesting gekozen.'

HOOFDSTUK II

Vespasianus wist dat Jotapata op een hoge rots was gebouwd, maar ondanks de informatie van Titus' spionnen was hij verrast hoe steil de rots was. Aan drie zijden van de stad rees de rotswand vrijwel loodrecht vijftig tot honderd voet op uit de met struiken begroeide omgeving. Van die zijden was een massale aanval eigenlijk onmogelijk, alleen een vastberaden klimmer kon er met de nodige moeite omhoog. De noordkant werd verdedigd met een twintig voet hoge muur op de benedenhelling van de heuvel waarop Vespasianus zijn kamp had gebouwd, met uitzicht over de stad. Hij hoopte dat de inwoners de moed in de schoenen zou zinken door de aanblik van de omvang van zijn belegeringsmacht.

Vlak voordat de schemering zou aanbreken op de vijfde dag na de belegering van Gabara keken Vespasianus en Titus neer op de stad die gedoemd was, hoe koppig men ook verzet zou bieden. Jotapata moest vallen, want als dat niet gebeurde, glipte de prijs die ze binnen de muren vermoedden opnieuw door hun handen.

'Daar komt hij.' Titus wees naar een geboeide Jood die zonder veel omhaal meegevoerd werd door vier legionairs onder leiding van een *optio*.

'Is dat degene die ons als eerste het nieuws bracht?' vroeg Vespasianus, die zijn rechteroog dichtkneep tegen de ondergaande zon die van opzij scheen.

'Nee, dit is een andere. We hebben hem net gepakt, hij probeerde door de omsingeling te breken die we hebben opgezet zodra we hoorden dat Josef was gekomen.'

Vespasianus kon zijn geluk niet op. De mannen van Vettulenus hadden vier dagen nodig gehad om de weg voldoende uit te bouwen om de grote oorlogsmachines, getrokken door trage ossen, over te laten komen. Zodra de weg klaar was had Vespasianus twee alae cavalerie onder commando van Sextus Placidus, de *tribunus laticlavius* van de Vijfde Macedonica, op pad gestuurd om de stad van de buitenwereld af te sluiten, terwijl Vespasianus met het grootste deel van het leger optrok. Placidus had een paar deserteurs ondervraagd, die hun heil liever als gevangene zochten dan slachtoffer te worden van een belegering. Vespasianus was verbaasd geweest over de stommiteit van de zet toen hij hoorde dat Josef ben Matthias in eigen persoon misschien wel de stad was in geglipt vlak voordat de omsingeling voltooid was. Maar als het waar was, was het dan wel stommiteit? Of was het overmoed? In ieder geval stuurde hij zo luid en duidelijk een boodschap aan zowel de belegeraars als de belegerden, namelijk dat de leider van de opstand in Galilea bereid was alles op te offeren om Jotapata uit handen van de vijand te houden. De inzet was net verhoogd en Vespasianus vond het prachtig.

'Vraag hem te herhalen wat hij je eerder heeft verteld, optio,' zei Titus toen de gevangene op de grond voor hen was gegooid.

De optio schopte de Jood om zijn aandacht te trekken en schreeuwde iets tegen hem in een taal waarvan Vespasianus veronderstelde dat het Aramees was, de lokale taal.

De man stotterde met bebloede lippen een antwoord; zijn lange haar hing los in aan elkaar klevende strengen en plakte aan zijn van het zweet druipende gezicht. Hij bleef strak naar de grond kijken.

'Nou?' vroeg Titus toen de gevangene was uitgesproken.

De optio stond in de houding. 'De gevangene zegt dat de opstandige gouverneur van Galilea, Josef ben Matthias, inderdaad in de stad is om de verdediging van Jotapata te organiseren.'

Titus keek neer op de man. 'En is hij daar heel zeker van?'

De optio blafte nog wat woorden, waarna de gevangene vermoeid antwoordde.

'Volkomen zeker! Hij zegt dat Josefs ijdelheid het niet toelaat dat hij wordt overschaduwd door iemand als Johanan ben Levi, de held van Gabara.'

'De held?' zei Vespasianus ongelovig. 'Dat is een interessante manier om tegen een man aan te kijken die duizenden mensen van zijn eigen volk heeft laten sterven. Vraag hem waarom hij is weggegaan toen Josef kwam.'

'Hij heeft een bloedvete met Josefs familie,' vertaalde de optio. 'Hij had geen andere keus dan te vertrekken toen Josef kwam, anders had het zeker zijn dood betekend.'

'Net zo zeker als hij nu gaat sterven,' zei Titus.

Vespasianus legde zijn hand op zijn zoons schouder. 'Laat hem in leven, hij weet hoe de stad in elkaar zit.'

'Ik heb spionnen die ons dat kunnen vertellen.'

'Die zijn ons meer van nut in de stad, wie weet kunnen we een moordenaar wel gebruiken.' Vespasianus keek even zwijgend naar de stad. 'Wat weten we van hun voorraden, Titus?'

'De drie spionnen die ik vertrouw, in zoverre je iets kunt vertrouwen wat die mensen vertellen, zeggen dat er een flinke voorraad graan is, maar erg weinig zout. Er is geen bron in de stad en ze zijn daarom afhankelijk van regenwater opgeslagen in een openbare cisterne, en zoals we weten…'

'Heeft het nauwelijks geregend sinds onze komst,' onderbrak Vespasianus hem. 'Dus het peil in hun cisterne moet laag zijn. Wat zeggen je dubbelspionnen?'

'Die zeggen dat er ruim voldoende van alles is en dat ze net een put hebben gegraven en het makkelijk een jaar kunnen uithouden.'

'Echt?' Vespasianus keek naar de gevangene. 'Wat zegt hij? Vraag hem of er een put in de stad is, optio, en hoe lang hij denkt dat de voorraden meegaan.'

'Er is geen put, commandant!' verkondigde de optio na tegen de man te hebben geschreeuwd en een gemompeld antwoord te hebben gekregen. 'Alleen de cisterne, die ongeveer halfvol is. Hij denkt dat er voor hooguit veertig dagen eten en drinken is!'

'Veertig dagen? Hm, laten we hopen dat het niet zover komt. Over veertig dagen hoop ik te onderhandelen over de overgave van Jeruzalem en niet hier te zitten wegrotten in dit schijtgat, wachtend tot ze doodvallen. Wat nou veertig dagen, we vallen aan zodra het licht wordt. Titus, je kunt hier glorie oogsten, zonde om het allemaal aan de hulptroepen te laten: ik wil dat jouw legioen de muren inneemt. Ik ben benieuwd wat die Joden in hun mars hebben.'

'Dank je, Hormus,' zei Vespasianus en hij gaf zijn vrijgelatene de vier brieven terug die hij net gedicteerd en ondertekend had, waarna hij een slok wijn nam.

'Aan wie schrijf je, liefste?' vroeg Caenis toen ze Vespasianus' studeerkamer in liep, geurend naar rozenwater nadat ze er op de een of andere manier in geslaagd was een bad te nemen.

'Het verbaast me dat je dat niet weet, aangezien niets aan je aandacht lijkt te ontsnappen.' Hij schonk zijn wijn bij en vulde een beker voor Caenis.

'O, spelen we spelletjes?' Ze nam de aangeboden beker aan en dronk een slokje, theatraal nadenkend. 'Je broer Sabinus, dat is één.'

Vespasianus hief zijn beker naar haar, terwijl ze op een leren bank naast zijn schrijftafel ging zitten. Haar huid oogde zacht en haar ravenzwarte haar was dik en glanzend. 'Heel goed, maar die was makkelijk.'

'Je wilt dat hij subtiel de stemming onder de prefecten van de praetoriaanse garde peilt.'

'Ik ben onder de indruk.'

'Dat is wat ik zou doen. De tweede is aan Herodes Agrippa, je weigert in te gaan op zijn eis om te mogen komen en persoonlijk het commando over zijn troepen op zich te nemen.'

Vespasianus hield zijn hoofd schuin. 'Hoe wist je dat?'

'Omdat je net zo'n hekel aan hem hebt als je aan zijn vader had, en je vertrouwt zijn motieven om aan de campagne mee te doen niet.'

'Juist, het glibberige stuk stront hoopt dat Nero hem koning van Judaea zal maken als de opstand is neergeslagen, zoals Claudius bij zijn al even onbetrouwbare naamgenoot en vader deed. Ik wil niet dat hij bij Nero gaat opscheppen over de troepen die hij heeft gestuurd om te helpen en hoe hij die persoonlijk heeft aangevoerd en gevaar heeft gelopen. Ik heb liever dat hij in Tyrus zit te mokken, zoals nu het geval is. Ik heb geen behoefte aan iemand die mijn glorie komt stelen en zijn aanzien in de ogen van de keizer vergroot. Het is interessant om te ontdekken of hij mijn weigering accepteert of dat hij nog een keer schrijft om te smeken of hij mag komen.'

'Misschien komt hij hoe dan ook.'

'Mogelijk, maar sinds Herodes Agrippa Tiberias is kwijtgeraakt aan Josef en zijn rebellen heb ik het idee dat hij liever veilig binnen de muren van Tyrus blijft. De brieven schrijft hij alleen voor de vorm, zodat hij tegen Nero kan zeggen dat hij aan de campagne had willen meedoen, maar dat ik dat weigerde vanwege de vijandschap die altijd al bestaan heeft tussen zijn familie en de mijne. Derde?'

'Mucianus?'

'O, jij bent echt goed. Klopt, ik dacht dat ik maar eens aan mijn relatie met de aankomende gouverneur van Syria moest werken. We zijn oude vrienden, hij was een tijdje mijn tribunus laticlavius bij de Tweede Augusta, wist je dat?'

'Uiteraard.'

'Ik bied mijn verontschuldigingen aan omdat ik hem nauwelijks geraadpleegd heb voor de komende campagne en vraag zijn advies en dat soort onzin. Daar zal hij zo verguld mee zijn dat hij weer voor me openstaat na zijn gebrekkige medewerking bij het overdragen van het commando van de Vijfde en Tiende aan mij.'

'Heel verstandig, liefje; een vriendelijk gezinde gouverneur in Syria is heel wat beter dan een vijandig gezinde. Maar ik moet bekennen dat ik geen idee heb aan wie de vierde brief is gericht.'

'Ha! Dan ben je dus toch geen godin, je bent feilbaar. Nou, hij is voor Tiberius Alexander.'

'De prefect van Egypte?'

'Juist.'

'Hij kan nuttig zijn als je hem weet te vleien.'

'Ik hoef hem niet te vleien, hij heeft zijn leven aan mij te danken.'

Caenis was een en al oor.

'Toen Caligula me naar Alexandria stuurde om Alexanders borst-pantser voor hem te halen, zodat hij die kon dragen als hij over zijn belachelijke brug over de Baai van Neapolis ging rijden, waren er grote spanningen tussen de Joden en Grieken.'

'Wanneer niet?'

'Klopt. Maar goed, ik had wat persoonlijke zaken af te handelen met zijn vader, Alexander, de *alabarch* van de Alexandrijnse Joden. Ik mocht hem direct. Toen het bloedbad begon, vroeg hij me om hulp en ik leidde een eenheid naar de Joodse wijk en wist de alabarch en het grootste deel van zijn familie te redden. Ze waren al begonnen Tiberius levend te villen, een lot waaraan zijn moeder al was gestorven, maar ik was net op tijd, ze hadden alleen nog wat stroken huid van zijn rug getrokken. Dus je begrijpt dat hij bij me in het krijt staat.'

Caenis sperde haar ogen open. 'Dat komt erg mooi uit. Hij heeft twee legioenen in zijn provincie.'

'En daarom heb ik hem geschreven om hem de groeten te doen en hem omzichtig te herinneren aan zijn schuld.'

'Je neemt dit erg serieus, nietwaar, liefje?'

Vespasianus haalde zijn schouders op en nam een slokje wijn. 'Ik weet het nog niet, maar ik weet wel dat het geen kwaad kan om mensen te hebben van wie je nog een gunst tegoed hebt.'

'Helemaal waar.' Caenis zette haar beker op tafel en keek hem met een uitnodigende blik in haar ogen aan. 'Maar weet je, Vespasianus, ik ben er aardig zeker van dat ik ook nog wat gunsten van jou tegoed heb en daarom eis ik er nu een op.'

'U ziet er moe uit,' luidde het commentaar van Magnus toen Vespasianus vlak voor zonsopkomst in de kille buitenlucht stapte. Castor en Pollux, Magnus' angstaanjagend gespierde jachthonden, trokken aan hun riem in een poging om Vespasianus te begroeten.

'Is dat zo? Zo voel ik me anders niet,' antwoordde Vespasianus en hij aaide de honden over hun kop, die zich tegen zijn knieën drukten. 'Om eerlijk te zijn voel ik me geweldig.'

'O, ik begrijp het al: er moe uitzien en je geweldig voelen; horizontaal worstelen heeft altijd dat effect.'

'Het verbaast me dat je dat nog weet.'

'Spot maar met me, maar vechten en neuken kan ik nog als de beste.'

Vespasianus keek om zich heen naar de schimmige gestalten van legionairs die in centuriën het kamp verlieten om zich buiten in slagorde op te stellen. 'Ongetwijfeld, ik hoop maar dat je tijd hebt gehad voor dat laatste, want nu moeten we ons op die eerste activiteit concentreren. Al geef ik je toestemming, gezien je gevorderde leeftijd en het feit dat je een burger bent, om te gaan zitten om van een veilig afstandje toe te kijken met een beker heerlijke, opgewarmde wijn en wat versgebakken brood.'

Magnus grijnsde. 'Dat is buitengewoon aardig van u, ik zal aantekeningen van de actie maken, die komen vast van pas.'

Vespasianus wuifde de suggestie weg en liep naar zijn paard, dat vastgehouden werd door een slaaf. 'Je kunt niet schrijven.'

'In gedachten dan,' riep Magnus hem na, en hij trok zijn honden omhoog de heuvel op.

'Wat doen ze?' vroeg Vespasianus verbaasd toen de eerste zonnestralen de hoge, langzaam voorbijglijdende wolken raakten en de stadsmuren in de schemering materialiseerden en vaste vorm begonnen aan te nemen.

'Ze wachten op ons,' antwoordde Titus, zijn gezicht even verbijsterd als dat van zijn vader. Ze zaten beiden te paard bij de commandopost van de Vijftiende Apollinaris; tribuni angusticlavii, bereden boodschappers en een *cornicen* stonden klaar om de orders van hun legaat en generaal over te brengen. 'Ze hoorden ons komen en willen de muren niet zonder gevecht opgeven. Ik zie dat Josef een slimmere generaal is dan ik gedacht had; hij wil meer dan alleen achter zijn defensielinie zitten en ons zijn harige kont tonen.'

Vespasianus bestudeerde de zich als een silhouet aftekenende linie van rebellen voor de poort van Jotapata, iets meer dan een halve mijl verderop, de flanken beschermd door de steile hellingen aan weerszijden. 'Het zijn er zeker drieduizend en ze zijn bewapend en bepantserd met wat ze van ons buit hebben gemaakt.'

'Maar ze weten niet hoe ze als Romeinen moeten vechten, vader.' Titus keek naar twee mannen en een vrouw, alle drie geboeid, die uit de Joodse linie naar voren werden gebracht. 'Bijna geen enkele Jood heeft zich ooit aangemeld voor de hulptroepen, omdat ze weigeren offers aan de keizer te brengen.'

De gevangenen werden op de grond gesmeten. Vespasianus wendde zich tot Titus, die zijn hoofd spijtig schudde. 'Zijn dat wie ik denk dat het zijn?'

'Ik ben bang van wel. Als die drie dood zijn, is er niemand meer in de stad die betrouwbare informatie naar buiten kan brengen.'

Rond de veroordeelden vormde zich een halve cirkel van enkele tientallen mannen. De drie knielden en riepen hun god aan. De eerste steen raakte de vrouw tegen de zijkant van haar kaak, waarna ze in elkaar dook; zelfs op die afstand hoorde Vespasianus de klap heel duidelijk. Haar schreeuw overstemde het breken van de schedels van de mannen, die een regen van stenen over zich heen kregen. De Joden bleven stenen gooien naar de slappe lichamen, ook al bewogen ze zich niet meer.

'Nu zijn we blind,' zei Titus toen de lichamen weggesleept werden. 'Ik zal de twee dubbelspionnen laten doden als ze weer contact maken, want ze zijn van geen nut meer en ik zal me dan wat beter voelen.'

'Doe dat,' zei Vespasianus, die de Joodse linie bestudeerde. 'Ze hebben zich zo opgesteld dat aantallen er niet toe doen, want we kunnen niet om ze heen trekken of ze in de flank aanvallen. Ze staan vijf of zes rijen dik, dus ze hoeven alleen stand te houden in een wedstrijdje duwen. Maar daar doe ik niet aan mee. Laten we eens kijken hoe het met hun schilddiscipline zit.'

'Los!'

De doffe klap van houten armen die tegen gecapitonneerde staanders sloegen en het zachte gefluit van projectielen die door de lucht vlogen was langs de hele linie van veldartillerie van de Vijftiende Apollinaris te horen. De machines waren van de vijand afgeschermd door drie cohorten, die twee centuriën dik in een lijn stonden, ruim buiten bereik van pijlen vanuit Jotapata. Het bevel om te schieten werd van de ene machine naar de andere doorgegeven en stenen en pijlen schoten weg, vlogen over de hoofden van de legionairs en volgden hun boogvormige traject naar de Joodste stelling.

Schilden gingen langs de hele Joodse formatie omhoog, maar op een chaotische manier. De voorste rij mannen ging op één knie zitten en de tweede rij bracht de schilden omhoog om een dak te vormen, net als de rijen daarachter. Het was echter meer proberen dan de feilloze uitvoering die maanden van drillen mogelijk maakte. Vespasianus voelde een golf van tevredenheid over zich heen komen toen hij de projectielen door de Joodse linie zag vliegen, met opspattend bloed en kreten van pijn en steeds meer gaten in de muur van schilden tot gevolg.

Maar Josef was geen generaal met weinig of geen ervaring en toen de laatste steen werd gelanceerd en op de verdedigers van Jotapata af vloog, klonk er een brul uit de rangen van de rebellen, die opsprongen en de heuvel op begonnen te rennen in een onstuimige aanval van de wanhopigen.

'Mik lager!' schreeuwde Vespasianus naar de tribuun die het commando over de artillerielinie had, waarna hij verontschuldigend naar zijn zoon keek. 'Het spijt me, ik zal me niet meer met jouw legioen bemoeien.'

'Ik stond op het punt hetzelfde bevel te geven, vader.'

De legionairs die de katapulten en ballista's bedienden dropen van het zweet en begonnen met rollende schouders aan het rad te draaien

60

om de torsiearm van hun machine te spannen, terwijl de commandant van elk apparaat de wiggen wegsloeg om het schootsveld te verlagen.

Maar het duurde vele versnellende hartslagen voor het trage proces van herladen was voltooid. Vespasianus zag dat de tegenstander de charge op het goede moment had ingezet en de Joden kwamen snel dichterbij, al moesten ze tegen de helling op.

'Klaar om op te vangen!' schreeuwde Titus naar zijn cornicen.

Vier donderende noten lieten de centuriones bevelen blaffen en de drie standaards daalden in de drie cohorten die de frontlinie van de Vijftiende Apollinaris vormden. De mannen in de voorste cohorten zetten allemaal gelijktijdig hun linkerbeen naar voren en hielden hun schild stevig voor zich vast, terwijl ze hun rechterarm naar achteren brachten, de *pila* stevig in de vuist klemmend. Er viel een stilte over de linie, iedereen wachtte op het volgende bevel, de haat die vanuit de aanstormende horde naar hen werd geslingerd hoorden ze niet.

En toen werden de onder spanning staande werparmen van de machines losgelaten en een regen van projectielen vloog over de Romeinse linie naar de Joodse rebellen. Maar de vijand had de charge op het vrijwel perfecte moment ingezet, want slechts een paar trage opstandelingen, die achtergebleven waren bij hun kameraden, kregen de volle laag. Hun hoofden ontploften in een wolk van bloed en hersenen en hun onthoofde lichamen liepen nog een paar passen voordat ze ineenzakten om in het stof leeg te bloeden.

De rest stormde verder, onder de artilleriebarrage door. Ze schreeuwden hun afkeer van de gehate bezetters van hun land, het vormde een vreemd contrast met de Romeinse maliënkolders en gesegmenteerde pantsers die ze over hun tot de kuiten reikende tunieken of lange gewaden droegen. Sommigen hadden ook Romeinse helmen, schilden en zwaarden. Niemand had precies dezelfde uitrusting aan en allemaal waren ze bebaard, zodat ze de indruk maakten een Romeinse cohort te zijn die lange tijd op een afgelegen plek op veldtocht was geweest en verwilderd was geraakt.

Met trots keek Vespasianus naar zijn oudste zoon die met de vuist in de lucht de snelheid van de charge schatte. Als legaat van een legioen had hij zelf vele keren in die situatie verkeerd en hij wist hoe moeilijk het was om alles precies goed te krijgen zodat er maximale schade aan de vijand werd toegebracht. De arm van Titus ging omlaag en de cornu blies een bevel. Met een vertraging van een paar hartslagen, de tijd die de centuriones nodig hadden om op het geluid te reageren, werden de pila gelanceerd als een zwarte mist die oprees uit de rangen van Rome en de aanstormende Joden omgaf. Ze vielen bij bosjes, doorboord, gewond en schreeuwend, de tanden ontbloot, met armen maaiend, teruggeworpen door de verzwaarde speren die als een furieuze hagelstorm op hen neerdaalden. De Romeinen pauzeerden echter niet om hun werk te bewonderen, maar brachten hun gewicht terug naar hun rechterbeen en trokken hun korte steekzwaard uit de schede op hun rechterheup en spanden hun linkerarm om de klap tegen hun schild op te vangen. Met de precisie die alleen mogelijk was door jaren van steeds weer herhalen ging de hele voorste linie naar voren en bracht het gewicht op het linkerbeen een oogwenk voordat de charge hen raakte. Schildranden kwamen tegen kinnen en schildknoppen beukten tegen middenriffen toen de legionairs van de eerste centuriën hun schouder tegen het schild zetten om de botsing te absorberen. Hun kameraden achter hen duwden tegen hen aan en de schok plantte zich door de rangen voort. De linie golfde heen en weer maar hield stand.

Al snel begonnen de tanden van Romes legioenen te bijten en scheuren; tussen, onder en boven de schilden flikkerden de gladii, de scherpe punten verdwenen in lendenen, buiken en kelen, de inhoud stroomde en spoot eruit en bevuilde in sandalen gestoken voeten. De zwaarden deden genadeloos hun werk, de Joodse rangen waren door de charge zo in elkaar gedrukt dat de voorste mannen geen ruimte hadden om met hun wapen te zwaaien. De overweldigende haat die uit hun strijdkreten klonk maakte plaats voor de pijn van ijzer dat door vlees sneed, door spieren en pezen kliefde, en gapende wonden achterliet en voor velen de dood betekende. Maar de stormloop ging verder, de achterste rangen hadden geen idee van de slachting die vooraan onder hun kameraden werd aangericht. Het fanatisme waarmee ze naar voren drongen en de wanhoop die ze voelden waren zo groot dat het ondenkbaar was dat ze zo snel nadat er contact was gemaakt zich weer zouden terugtrekken. En dus beten de tanden van Rome en vloeide het bloed van de Joden in hun eigen grond en zorgde voor het eerste vocht dat de bodem in een maand had gekregen. Langzaam drong de stank van de dood door de Joodse rangen naar achteren door en al snel werd hij voor velen ook zichtbaar in de slappe ledematen en knikkende hoofden van lijken die rechtop bleven staan door de druk van zowel voor als achter. De verdedigers van Jotapata begonnen te beseffen dat ze zouden sterven als ze bleven, en als ze die dag zouden sterven, stelden ze hun vrouwen en kinderen bloot aan de wrede behandeling die je van de overwinnaars van een belegering kon verwachten. Ze draaiden zich bijna als één man om en zetten het op een lopen, alles en iedereen door elkaar, terug naar de poort die openstond om hen te ontvangen.

De centuriones wisten met moeite en veel gebrul hun mannen terug in hun linie te krijgen en zo te voorkomen dat ze een slecht gedisciplineerde en chaotische achtervolging van de vluchtende vijand zouden beginnen. Uiteindelijk overwon de discipline en viel er een vreemde stilte over de Romeinse formatie. De vermoeide soldaten probeerden op adem te komen en waren blij dat ze ongedeerd waren. De gewonden werden opgetild en naar achteren gebracht en de drie voorste cohorten trokken zich door de openingen in de volgende linie terug, zodat er nieuwe, ongeschonden troepen tegenover de vijand stonden.

Titus schreeuwde naar de tribuun die het bevel over de artillerie voerde. 'Mik op de bovenkant van de muren! Zorg voor een constante regen, elke machine moet zo snel mogelijk achter elkaar schieten terwijl wij oprukken. De verdedigers mogen niet de kans krijgen om een ritme in de beschieting te ontdekken, om dan in de laadpauzes op ons te schieten.'

De tribuun begon de order door te geven terwijl Vespasianus een bereden boodschapper riep. 'Breng mijn complimenten over aan prefect Petro van de vierde Syrische hulpcohort. Vraag hem zijn cohort als een scherm voor de Vijftiende op te stellen als die optrekt. Hij moet de muren vrij van boogschutters en slingeraars houden, net als hij in Gabara deed. Hij moet tijdens de aanval de bevelen van de legaat van de Vijftiende opvolgen. Begrepen?'

De ruiter salueerde. 'Ja, generaal!'

Vespasianus kneep zijn ogen samen in een vergeefse poging de cohortinsignes in de frontlinie van de Vijftiende Apollinaris te herkennen. 'Wie heb je gekozen?'

'De eerste centurie van de eerste cohort,' antwoordde Titus, 'want primus pilus Urbicus zou het niet anders willen, en daarnaast de vijfde en zesde cohort, die allebei twee centuriën leveren. Elke centurie heeft tien ladders, dus vijftig ladders in totaal. Een voor elke vijftien passen muur.'

'Dat moet voldoende zijn. Als Petro en de artillerie de muren schoon kunnen houden tot de ladders staan, kan het allemaal soepeltjes gaan.' Vespasianus klemde zijn duim in zijn vuist en spuugde om het boze oog af te weren omdat hij iets had gezegd wat aan het soms boosaardige gevoel voor humor van sommige goden kon appelleren. 'Daar komt Petro.'

Vader en zoon keken zwijgend naar de bebaarde boogschutters, de meeste gekleed in oosterse geschubde pantsers en conische helm, die in twee stof opwerpende colonnes aan kwamen marcheren en zich voor de van links naar rechts vijfde, eerste en zesde cohort van Titus' legioen opstelden. De centuriën met de ladders op de schouder vooraan.

Toen de cohort boogschutters eenmaal was opgesteld, twee rijen dik over de volle lengte van het legioen, leunde Vespasianus voorover en sloeg zijn zoon op de schouder. 'Ik laat je verder met rust zodat je aan het werk kunt, Titus. Doe geen gekke dingen, zoals proberen als eerste over de muur te komen, laat dat soort heldendaden maar over aan primus pilus Urbicus.'

Titus bond het leren kinriempje van zijn helm met hoge pluim vast en controleerde of hij goed zat. 'Geen zorgen, vader. Als je een legioen goed wilt laten functioneren is het niet handig de primus pilus boos te maken door de vijand te doden voordat hij de kans daarop heeft gehad.' Hij gooide zijn rode mantel naar achteren en ontblootte zo zijn bronzen borstpantser; hij zette zijn paard in beweging om de aanval te leiden.

De zon nam in kracht toe en Vespasianus voelde zweetdruppels vanonder zijn helm tevoorschijn komen en in zijn roodbruine linnen halsdoek stromen. Hij reed te paard verder de heuvel op om een beter overzicht over de aanval te hebben. Zijn staf volgde hem. Beneden dreunden de hoorns van de Vijftiende Apollinaris en de eerste linie van het legioen zette zich in beweging, voorafgegaan door de boogschutters van de hulpcohort. Vespasianus wendde zijn paard om te kijken en zag een regen van ronde stenen en pijlen afgevuurd worden door de artillerie. Hij volgde hun traject en bromde tevreden toen ze de top van de muur raakten of daar vlak overheen scheerden, waarbij ze aardig wat van de kleine figuurtjes die de verdediging vormden meenamen in een bloedige en verminkte dood aan de andere kant.

Met zijn hand schermde hij zijn ogen af tegen de steeds feller schijnende zon. Hij zag Titus, nog altijd te paard, die aan de rechterkant van de eerste cohort reed. Naast hem was de primus pilus, herkenbaar aan zijn dwars geplaatste pluim. Vespasianus zuchtte en vervloekte inwendig zijn zoon omdat hij zichzelf zo zichtbaar maakte, maar tegelijkertijd voelde hij trots vanwege Titus' moed. Hij wist dat hij zich in die situatie hetzelfde had gedragen, hij had het vroeger ook talloze keren gedaan, want de legionairs waren dan eerder bereid te volgen. Maar die gedachte weerhield hem er niet van om zich meer zorgen te maken over de legaat van de Vijftiende Apollinaris dan over een willekeurige andere geprivilegieerde Romein die de carrièreladder door middel van de *cursus honorum* beklom. Hij foeterde zichzelf uit omdat hij dergelijke gedachten door zijn hoofd liet gaan en zwoer dat hij voortaan afstandelijker zou zijn. Titus moest de kans krijgen om roem en het respect van zijn mannen te verwerven, en dat zou hem niet lukken in een tent achter de achterste linies van zijn legioen.

Zwijgend trok de aanvalslinie naar voren; geen kreten, geen hoorngeschal, alleen het geluid van met spijkers beslagen militaire sandalen, meer dan tweeduizend, begeleid door het gekletter van de wapenuitrustingen. Een volgend salvo vloog naar de muur, dit keer minder gecoördineerd, want de artilleristen wedijverden nu wie het eerst kon vuren. De tweede linie van het legioen, de vier cohorten die niet aan de eerste aanvalsgolf meededen, formeerde zich in vierkante blokken en bleef staan, zodat de ruimte tussen hen en hun optrekkende kameraden groter werd. Achter hen bevonden zich de drie cohorten die bij het gevecht van die ochtend betrokken waren geweest. Ze maakten het zich gemakkelijk en dronken een slok water terwijl hun broeders de muur naderden. De rest van het leger stond hoog op de helling buiten het kamp en keek enthousiast naar het zich ontvouwende spektakel.

Een hoorn blies een lange, lage noot en achthonderd bogen gingen omhoog, maar de Syrische boogschutters marcheerden verder. Op tweehonderd passen schoten ze hun pijlen af, die tegen de muur en er net boven kwamen, waardoor de laatsten van de zichtbare verdedigers wegdoken. Al snel volgde een tweede salvo en een derde en meer, allemaal afgeschoten terwijl ze optrokken zodat de aanval niet stilviel. De cohorten marcheerden voorwaarts, hun voeten wierpen stof op dat de lucht vulde, zodat de individuele legionairs nauwelijks meer te onderscheiden waren. Titus bleef echter herkenbaar en Vespasianus probeerde hem niet voortdurend te zoeken in de menigte.

Nog honderd passen te gaan en de artillerie en boogschutters bleven genadeloos doorvuren. Als er al teruggeschoten werd, dan zag Vespasianus dat niet. Er lagen ook geen slachtoffers achter de cohorten, die nu met het schild omhoog verdergingen.

Vijftig passen. Achter de muur doken hier en daar hoofden op, slingers draaiden boven hen. Sommigen wisten een steen weg te slingeren, anderen werden geraakt en verdwenen, maar bij elkaar wisten ze nauwelijks iets tegen de boogschutters uit te richten en de cohorten raakten ze al helemaal niet.

Nog twintig passen te gaan en de cornua gaven een nieuw signaal. De hulptroepen draaiden zich om en stroomden door de formatie van de legionairs naar achteren. De centuriën in elke cohort weken uit elkaar om de boogschutters een ordelijke doorgang te bieden. De artillerie bleef de muur bestoken, maar nu de permanente stroom pijlen was weggevallen waagden meer verdedigers hun kans om met een slinger, boog of speer de vijand te bestoken, die nu aan de voet van hun verdedigingslinie was gekomen.

De ladders gingen omhoog, terwijl de omringende legionairs hun pila wierpen naar de vele gezichten die boven waren verschenen en projectielen en vloeken op hen lieten neerregenen. De bovenkant van de ladders knalde tegen de muur en de artillerie moest zwijgen om te voorkomen dat de eigen manschappen werden geraakt. Vespasianus hield zijn adem in toen hij de hoogste centurio met zijn helm met dwarsgeplaatste pluim met krachtige passen omhoog zag komen. Aan weerszijden beklommen meer legionairs de ladders, zwaard en schild in de hand, waardoor het klimmen aanzienlijk bemoeilijkt werd. Ze probeerden zo goed en zo kwaad als het ging de projectielen te ontwijken, die met groeiende agressie over hen uitgestort werden. Duidelijk zichtbaar voor allen zat Titus op zijn steigerende paard, hij had zijn zwaard in de lucht, zwaaide het in cirkels, en brulde zijn mannen de ladders op. En ze gingen omhoog, de stormtroepen van de Vijftiende Apollinaris, de een na de ander, ze zwermden over de vijftig ladders. Slechts een paar hartslagen dreunde het bloed in Vespasianus' oren voordat de dwarsgeplaatste pluim van Urbicus boven de muur uit kwam. Vespasianus zuchtte diep toen de ladder van de primus pilus naar achteren kieperde, weggeduwd met een stok. De centurio en de mannen onder hem sprongen. Vespasianus kon niet zien waar ze terechtkwamen, maar hun val werd ongetwijfeld gebroken door hun kameraden beneden op de grond. De chaos nam toe met elke ladder die van de muur werd geduwd. De verdedigers krioelden nu daarboven, want ze konden zich betrekkelijk veilig laten zien omdat er maar weinig Romeinse projectielen op hen afkwamen, alleen nog enkele pila van de soldaten beneden die er nog een overhadden.

Vespasianus' hart begon sneller te kloppen toen links drie of vier ladders van de vijfde cohort lang genoeg overeind bleven om een vijftiental mannen de kans te geven op de muur te komen. Onmiddellijk werden ze belaagd door talrijke verdedigers die van beide kanten kwamen, als vliegen op een open wond. Het gevecht was nauwelijks te volgen door de chaos van lichamen rond de centurio die de leiding had, maar steeds meer legionairs wisten op de muur te komen. Vespasianus merkte dat hij met zijn nagels hard in zijn handpalmen drukte terwijl hij de centurio en zijn mannen voorwaarts wilde kijken. Er ontsnapte bijna een jammerkreet aan zijn mond toen de ladders een voor een werden weggeduwd, waardoor de Romeinen die al op de muur stonden een makkelijke prooi werden voor de verdedigers.

'Dat ziet er niet al te best uit,' zei Magnus, die aan kwam lopen en naast Vespasianus' paard ging staan; zijn honden begonnen de verse paardenvijgen te inspecteren.

'Dat is niet echt een behulpzame opmerking.' Vespasianus wendde zijn aandacht niet van de muur af. 'Maar inderdaad, het lijkt er niet op dat we er vandaag overheen komen.'

Terwijl hij sprak klonk er een doordringend gegil boven de kakofonie van de slag uit. Het gekrijs vloeide over van pijn, waardoor iedereen een moment leek stil te vallen in verbazing over hoe een menselijke stem zoveel lijden kon uitdrukken.

'Stelletje klotebarbaren!' gromde Magnus. 'Wat is het, olie of zand?'

Vespasianus kneep zijn ogen samen om beter te kunnen zien wat er uit de ijzeren ketels kwam die de Joden uitgoten over de legionairs direct voor de poort. 'Ik kan het niet zien, maar het werkt in ieder geval wel.'

Dat klopte: bij de poort kronkelde een tiental mannen van de eerste cohort in ontstellende pijn, worstelend om hun gesegmenteerde pantsers los te trekken, terwijl hun kameraden zich terugtrokken uit angst voor het nieuwe wapen.

Vespasianus zag Titus van zijn paard springen en naar de gevallen mannen rennen om hen te helpen. Hij riep anderen op hem te volgen. 'Idioot!' mompelde hij zachtjes, wetend dat dit precies het soort actie was waar de mannen zijn zoon om zouden bewonderen en beseffend dat hij hetzelfde had gedaan. 'Schiet op, Titus, schiet op!'

Titus en een klein groepje legionairs weerstonden de kokendhete regen in wat Vespasianus een eeuwigheid leek en brachten de verbrande soldaten naar de relatieve veiligheid van de frontlinie van de eerste cohort, die zich had teruggetrokken tot op twintig passen van de poort in een holte in het terrein. Aan weerszijden deden de vijfde en zesde cohort een tweede poging om de ladders tegen de muur te krijgen. Legionairs gingen ondanks de felle tegenstand opnieuw omhoog, hun schild boven het hoofd geheven tegen de regen van projectielen die op hen neerdaalde. Een dierlijke kreet scheurde door de chaos; Titus' onbereden paard bokte en trapte naar achteren, schudde met het hoofd en hinnikte schel en lang om in galop uit te breken, van zijn romp kwam rook, afkomstig van brandend vlees. Hij stormde richting zijn meester.

Vespasianus voelde zichzelf in het zadel opzij duiken, zo leefde hij met zijn zoon mee, terwijl Titus uit het pad van het dol geworden dier sprong dat door de voorste linie van de eerste cohort stormde. Het paard vertrapte alles wat op zijn weg kwam en galoppeerde verder tot iemand met een wanhopige steek van een zwaard het steigerende dier uit zijn lijden verloste, dat vervolgens op degene die het zwaard had gehanteerd viel.

Op dat moment ging de poort open, sneller dan je voor mogelijk had gehouden voor die massa hout en ijzer, en er kwam een furieuze menigte tevoorschijn. De verdedigers hadden niets te verliezen, want hun zaak was verloren als ze met deze uitval de vijand niet wisten te verdrijven. En zo stormden de mannen van Jotapata naar buiten. Aan hun hoofd rende een man die Vespasianus herkende: met geolied haar en een lange, zwarte baard, beide goedverzorgd, en gekleed in een zwart-witte, geborduurde mantel. Josef ben Matthias belaagde zijn al in wanorde verkerende vijand met alle woede die zijn jaloerse god voelde voor iedereen die zijn volk bedreigde.

De Joden kwamen naar voren in een wigvorm, met Josef in de punt. Ze droegen maliënkolders en schilden en de spathae die het favoriete wapen waren van de Romeinse hulptroepen, zowel infanterie als cavalerie. Josef zwaaide met zijn zwaard en hakte in op de legionairs die nog uit positie waren door het op hol geslagen paard. Bloed spoot uit de nek van een grijsharige veteraan die vlak voor Titus stond, terwijl steeds meer Joden zich op de desintegrerende Romeinse formatie wierpen, allemaal uit op bloed. De samenhang, normaal het sterke wapen van de Romeinen, was volledig verdwenen.

'Weg daar, Titus, weg!' Vespasianus keek verbaasd om zich heen toen hij merkte dat hij luidkeels schreeuwde. Hij wendde zich tot de cornicen die achter hem op orders wachtte. 'Laat ze terugtrekken! Nu!'

Het instrument gromde drie herhaalde lage noten en het signaal werd overgenomen door de andere cornicines van de Vijftiende Apollinaris.

Vespasianus had het gevoel dat het veel te lang duurde voordat hij het resultaat van zijn bevel zag, maar uiteindelijk begonnen de vijfde en zesde cohort zich van de muur terug te trekken en samen met de flanken van de eerste cohort stelden ze zich ter hoogte van het belegerde centrum op, zodat de linie weer recht was.

Vervolgens begon men al vechtend aan de terugtocht, waarbij de doden en gewonden achtergelaten werden, want niemand had nog energie over om zijn kameraden te hulp te komen, zo wanhopig was de situatie. Vespasianus keek zijn mannen stap voor stap weg van wat een rampzalige aanval was gebleken. Hij vervloekte zichzelf omdat hij de grillige goden zo openlijk had uitgedaagd.

'Er is maar één manier om dit weer goed te maken,' zei Magnus, kijkend naar het steeds grotere aantal slachtoffers achter de zich terugtrekkende cohorten.

'Ik weet het!' snauwde Vespasianus, ook al wist hij dat zijn vriend alleen goed advies gaf.

'Dan kan het maar beter zo snel mogelijk gebeuren.'

'Jaja, ik weet het!' Vespasianus probeerde zichzelf te kalmeren, maar hij zag nog altijd geen teken van Titus. Hij troostte zich met het feit dat er geen lichaam op de grond lag met een bronzen kuras en een helm met extravagante pluim. 'Morgen.'

'Het was zand, bijna roodgloeiend,' zei Titus met opeengeklemde kaken, terwijl de arts een diepe snee in zijn rechterarm hechtte, vlak onder zijn schouder. Hij liet zijn linkerhand aan Vespasianus zien. 'Kijk!' De rug was bedekt met kleine ronde blaren. 'Ik heb geluk gehad dat ik alleen daar geraakt ben en dat het langs mijn huid gleed. Anderen kregen het zand in hun nek en onder hun pantser. Eén korreltje in je oog en je bent blind, dat kan ik u vertellen, want ik zag het gebeuren. U had het gekrijs van de mannen moeten horen.'

'Ik heb het gehoord,' zei Vespasianus, zijn stem mat. 'Ik hoorde ze helemaal hierboven. Maar wat gebeurde er de eerste keer? Ze begonnen pas met het zand toen jullie al een keer teruggeslagen waren.'

Titus vertrok zijn gezicht opnieuw van pijn toen de naald door rauw vlees ging. 'Er zijn meer strijders daarbinnen dan we dachten. Mijn bronnen moeten het aantal man dat Josef bij zich had fors onderschat hebben. En bovendien zijn het allemaal fanatici en vechten ze voor twee. Ik zal u wat vertellen, vader: we zullen er geen enkele levend gevangennemen. Ze zijn gekomen om de stad te houden of te sterven. Er zal nog heel wat bloed van onze kant vloeien voordat dit voorbij is. Ik heb vandaag drieënveertig man verloren en sommigen van hen waren nog niet dood toen we ze achter moesten laten.'

'En je primus pilus?'

'Er is meer nodig dan een duikeling van een ladder, een jaap over zijn voorhoofd en een bijna-botsing met een dol geworden paard om Urbicus te weerhouden van een goed potje knokken; ik geloof dat hij zich vandaag uitstekend vermaakt heeft. Ik ben wel twee andere centuriones kwijtgeraakt, beide van de eerste cohort. Urbicus probeert nu te bedenken welke optiones onaangenaam genoeg zijn om te bevorderen. Maar wat gaan wij intussen doen, vader? Dit wordt heel wat zwaarder dan we dachten.'

'Ik weet het, we moeten beter ons best doen.'

'Beter! Hoeveel beter had ik vandaag verdomme mijn best kunnen doen? Au!' Hij trok zijn arm bij de arts vandaan. 'Medusa's ranzige kont, man, moet je er zoveel plezier in scheppen?'

'Het spijt me, heer,' mompelde de arts, de naald weer oppakkend en de arm stevig vastklemmend. 'Ik ben bijna klaar, maar ik kan nu ook stoppen en wachten tot de wond geïnfecteerd raakt en dan de hele arm eraf zagen, als dat uw voorkeur heeft.'

'Doe het nou maar.' Titus grimaste toen de arts de naald weer in hem stak. 'Dus hoe gaan we beter ons best doen, vader?'

'Morgen vallen we opnieuw aan en dan zal ik persoonlijk leiden.'

Titus keek zijn vader aan, zonder een poging te doen zijn ongeloof te verbergen.

'Dat heet leiderschap, Titus! Vandaag heb jij dat heel goed getoond en morgen is het mijn beurt. Ik zal als eerste op de muur staan.'

HOOFDSTUK III

'Het nieuws van onze tegenslag van vandaag zal zich verspreiden,' zei Vespasianus zonder inleiding toen hij de avondvergadering van zijn legaten, prefecten en andere hoge officieren betrad. 'En dat soort nieuws zal alleen nog meer van dat ongedierte tot opstand aanzetten.' Hij zweeg even zodat het gezelschap brommend en mompelend zijn instemming met die analyse kon geven. 'En daarom, heren, moeten we hier snel een einde aan maken. Legaat Titus Flavius Vespasianus,' zei hij, zijn zoon formeel aansprekend. 'Ik wil dat je morgenochtend bij zonsopgang met je legioen in zuidelijke richting het kamp in formele marsorde uit marcheert, met de hulptroepen vooraan, schallende trompetten en dat soort dingen, zodat het op een leger op pad lijkt. Begrepen?'

Titus ging in de houding staan. 'Ja, generaal!'

'Mooi. Het is van vitaal belang dat je bij zonsopgang vertrekt. Ik wil dat Josef je weg ziet marcheren en ik wil dat je op honderd passen langs de poort loopt als je naar het zuiden gaat. Ik wil dat hij denkt dat we allemaal vertrekken, zorg dus dat je bepakking is opgeladen, dat je mannen hun spullen aan hun draagjuk hebben, de tenten op de muildieren, alles wat erop wijst dat het legioen vertrekt. Duidelijk?'

'Zeker.'

'Vettulenus, ik ga mee met jou en je legioen; we volgen de Vijftiende het kamp uit en dan hebben we hopelijk een kleine verrassing voor onze Joodse vrienden in petto. Jouw legioen moet gereed zijn voor een aanval, en als alles goed gaat zal het tegen de tijd dat Josef het verschil tussen de twee legioenen ziet te laat zijn. Laat de drie cohorten die het geschiktst voor de aanval zijn vooraan marcheren en laat de centuriën met ladders tussen deze cohorten lopen, waarbij ze de ladders uit het zicht houden. Draag ze laag. Ik wil al je artillerie geladen op karren hebben; bedek ze met dekens zodat ze verborgen zijn.

'Prefect Petro, je boogschutters moeten tussen de eerste drie cohorten en de rest van de Vijfde lopen. Als het bevel tot aanval komt moeten ze weer een scherm vormen voor Vettulenus' oprukkende mannen en de muren schoonvegen, samen met de artillerie op de karren. En dan, heren, gaan we de muur op, maar dit keer hoop ik dat er minder verzet is, want we hebben een kleine afleidingsmanoeuvre.'

Vespasianus wendde zich tot een oudere man gekleed in zwarte gewaden, die achteraan zat. 'Koning Malichus, zijn uw Nabatese Arabieren klaar om hun deel te doen?'

Malichus glimlachte en ontblootte daarbij een reeks glinsterend witte tanden in zijn volle baard. 'Ik wacht op uw bevelen, generaal. Ik sta bij u in het krijt vanwege het burgerschap dat u voor me hebt geregeld toen ik bij de caesar in beroep wilde gaan om de belastingopbrengsten van Damascus weer terug in mijn jurisdictie te krijgen. De kans om mijn schuld af te betalen is welkom.'

'Als u doet wat ik morgen van u verlang, dan zal ik bij u in het krijt staan.'

Malichus stond op en maakte een buiging als dank voor de betoonde beleefdheid.

'Uw duizend ruiters zullen de colonne leiden als die het kamp verlaat, ze moeten als furiën naar het zuiden rijden, ik hoop dat Josef dan denkt dat we een verrassingsaanval op een stad willen ondernemen. Zo lijkt het geloofwaardiger dat we ook echt vertrekken. Met uw vijfduizend boogschutters volgt u ze naar buiten en u blijft aan het hoofd van de colonne totdat ik het signaal geef, dan gaan jullie naar de zuidkant van de stad en nemen daar posities in. Vervolgens wil ik dat jullie al jullie pijlen over de muur schieten, alsof jullie dekking geven aan mannen die proberen de rotswand te beklimmen.'

'Wilt u dat mijn mannen proberen omhoog te klimmen? Er zitten diverse voortreffelijke klimmers bij.'

'Nee, de indruk van een aanval is voldoende als afleidingsmanoeuvre, maar bedankt voor het aanbod, Malichus.'

De Nabatese koning boog opnieuw in dank.

'Heeft iedereen het begrepen?'

Prefect Decius stak zijn hand op.

'Ja, prefect?'

'Wat doen de eenheden die u nog niet genoemd hebt?'

'Ik heb ze morgenochtend niet nodig, ze kunnen in het kamp blijven en uitrusten tot de aanval voorbij is en we de stad hebben ingenomen. Daarna laat ik waarschijnlijk een hulpcohort hier om de ruïnes te bewaken terwijl wij verder trekken naar Tiberias.' Hij keek naar Titus. 'Is er al nieuws van Trajanus over zijn vorderingen bij Japhra?'

'Niets sinds het bericht van gisteravond dat de stad de poorten heeft gesloten en dat hij een aanval voorbereidt.'

Vespasianus knikte. 'Goed, heren, jullie hebben je orders. We staan op aan het begin van het elfde uur van de nacht, twee uur voor zonsopkomst. Ik wil dat iedereen klaar is voor vertrek zodra de zon zich aan de oostelijke horizon laat zien.'

Vespasianus dompelde zijn gezicht in de kom fris water op een kist in zijn slaapvertrek achter in het praetorium, hij proestte en spetterde en gooide ook koud water over zijn nek. Hij opende zijn ogen en wierp zijn hoofd achterover, waarbij druppeltjes water glinsterend in het lamplicht rondvlogen. Hij pakte de handdoek die naast de kom lag en wreef zijn gezicht droog terwijl hij zijn vermoeidheid wegdrukte.

'Je lijkt op Magnus' honden zoals je je uitschudt, het water vliegt alle kanten op,' zei Caenis, die druppels van haar armen veegde. Ze zat in het campagnebed met haar armen om haar opgetrokken knieën geslagen.

Vespasianus draaide zich naar haar om. 'Het spijt me, liefste, ik was vergeten dat je er was.'

'Dank je, fijn om te weten hoe belangrijk ik in je leven ben.'

Vespasianus reageerde niet op het plagerijtje en ging door met zich afdrogen.

'Ga je me nog vertellen wat er mis is?' vroeg Caenis na nog enkele ogenblikken van stilte. 'Tijdens het eten heb je bijna niets gezegd, en sinds de aanval is mislukt heb je vrijwel geen woord meer tot me gericht. Geef je jezelf de schuld, of iemand anders? Wat het ook is, hou op je als een kind aan te stellen, hou op met mokken omdat het niet zo gelopen is als je gehoopt had.'

Vespasianus gooide de handdoek op de grond. 'Natuurlijk is het dat niet, Caenis; ik heb in mijn leven genoeg vestingen bestormd om te weten dat ze zich niet onmiddellijk aanbieden als een loopse teef. In deze moet ik even goed mijn tanden zetten.'

'En je denkt dat het helpt om jezelf vandaag te laten doden?'

'Ik laat me niet doden! Ik leid alleen mijn soldaten de muur op, dat is alles.'

'Een muur die ze gisteren niet konden veroveren, een muur die Titus bijna het leven kostte toen hij de aanval leidde.'

'Hij gedroeg zich als een roekeloze jonge idioot! Ik werd er ziek van toen ik het zag.'

'Ah, dus dat is het?' Caenis wees naar Vespasianus. 'Je hebt je zoon nooit eerder in een gevecht gezien en dat beviel je niet! En wat het erger maakte is dat het jouw orders waren waardoor hij zijn leven riskeerde, en om het goed te maken ga je nu jouw leven riskeren, ook al ben je dertig jaar ouder en half zo goed in conditie als Titus.'

'Met mijn conditie is niets mis, dat heb ik je volgens mij de afgelopen nacht wel bewezen. En ja! Dat is het probleem. Ik kon gisteren niet goed oordelen omdat mijn jongen in gevaar was en dat is een gevoel dat ik kan missen als kiespijn. Ik had hem de leiding over de aanval gegeven zodat hij roem en glorie kon oogsten, maar ik had niet stilgestaan bij de gevaren die daarbij horen. We bevinden ons helemaal aan het begin van de campagne, ga ik me nu de hele tijd zo voelen? Steeds maar die angst als ik mijn zoon het gevaar in stuur? Of wen ik eraan, om het mezelf vervolgens nooit te vergeven als hij sneuvelt vanwege mijn orders, zoals gisteren had kunnen gebeuren?'

Caenis klopte op de plek naast haar en nodigde hem zo uit om naast haar op het bed te komen zitten.

Hij zweeg even, zuchtte toen en gaf toe.

Caenis pakte zijn hand. 'Je moet je plicht aan Rome vervullen, net als Titus dat moet doen. En als je daarbij sneuvelt, dan zij het zo. Maar je maakt het bij deze campagne niet makkelijker voor jezelf of voor hem als je militaire beslissingen op persoonlijke gronden neemt. Je moet dus maar vergeten dat Titus je zoon is als je orders geeft, hij zal je namelijk niet dankbaar zijn als hij denkt dat je hem beschermt, want zo zal hij geen roem en glorie oogsten. En jezelf aan groot gevaar blootstellen als een manier om je te verontschuldigen is ronduit zielig.'

'Het zit anders, liefste. Ik moet de aanval straks leiden, want de mannen moeten zien dat ik na het mislukken van de inname van de stad niet op mijn krent blijf zitten en steeds meer mannen naar hun dood bij de muur stuur, ze moeten zien dat ik bereid ben om zelf voorop te gaan. Het is mijn verantwoordelijkheid aan de mannen.'

Caenis' ogen glinsterden. 'En als de mannen je vooraan zien, dan zijn ze eerder bereid je te steunen bij andere ondernemingen?'

Vespasianus schudde zijn hoofd in gespeelde vertwijfeling. 'Kun je alleen maar konkelen?'

'Ik kan nog heel wat andere dingen, zoals ik je volgens mij vannacht heb laten zien. Of was je te druk bezig met bewijzen hoe fit je nog bent om het op te merken?'

De hoge noten van een *bucina*, de hoorn die gebruikt werd om signalen in het kamp en op mars te geven, voorkwamen dat Vespasianus nog een keer zijn goede conditie ging bewijzen. Hij stond op van het bed, pakte zijn tuniek en stak zijn armen in de mouwen.

'Wat is er?' vroeg Caenis, die zijn gespannenheid zag.

'We worden aangevallen,' antwoordde hij, terwijl Hormus naar binnen kwam rennen met twee slaven die Vespasianus' wapenuitrusting droegen.

'Ik heb niets gehoord.'

Vespasianus tilde een voet op en Hormus schoof er een sandaal om en vervolgens hield hij zijn armen opzij zodat zijn borst- en rugpantser bevestigd konden worden. 'En toch is dat wat het signaal betekent. Een aanval hoeft niet luidruchtig te zijn. Het is de stille soort die ik het meeste vrees.'

'Allemaal, Petro?' vroeg Vespasianus. Ze liepen langs de doden van de centurie Syrische boogschutters die buiten de veiligheid van het kamp had moeten overnachten omdat ze toegestaan hadden dat een van hen hun centurio had doodgeschoten. Legionairs met fakkels liepen voorop, terwijl hulptroepen te voet en te paard een linie rondom vormden om een volgende aanval te ontmoedigen.

'Ik geloof het wel, commandant,' antwoordde de prefect, 'al hebben we ze nog niet geteld.'

Vespasianus keek rond in de tien achtpersoonstenten, die zo dicht mogelijk bij het kamp waren opgezet. Er was geen verdedigingslinie omheen aangelegd. 'Wat is er gebeurd?'

Petro haalde zijn schouders op. 'Ik neem aan dat de Joden de wacht-posten hebben beslopen om hun keel door te snijden, waarna ze de slapende mannen hebben afgeslacht.'

'Tja, dat is het risico dat je loopt als je iets laat gebeuren waardoor je van de veiligheid van het kamp wordt uitgesloten. Het verlies van je mannen spijt me, Petro, maar ik denk dat dit voor het hele leger een goede les is, zo aan het begin van de campagne. Ik tolereer geen onge-disciplineerdheid. Niettemin ben ik er zeker van dat de mannen straks maar al te graag hun kameraden wreken.'

'Dat denk ik ook, generaal. Ik wil zelf ook graag mijn aandeel in het Joodse bloed. Het is alleen jammer dat er zeventig boogschutters min-der zijn om hun aandeel op te eisen.'

Malichus' cavalerie, in zwarte gewaden geklede ruiters met krom-zwaarden, ronde schilden en een handvol werpsperen, galoppeerde de nieuwe ochtend in, hoge vibrerende kreten slakend en zwaaiend met hun wapens. De boogschutters volgden te voet, meer een troep dan een formatie. De Nabatese Arabieren hechtten kennelijk weinig belang aan strakke formaties of in de pas lopen.

Maar Vespasianus was niet van plan de mannen die voor de aflei-dingsmanoeuvre moesten zorgen op uiterlijkheden te beoordelen. Hij, Magnus en Titus zaten op hun paarden buiten de zuidelijke poort van het kamp. Malichus kwam op hen af rijden.

'Goedemorgen, Vespasianus,' zei de Nabatese koning, die zijn fraaie Arabische hengst majestueus tot halt bracht.

'Dat is een prachtig dier,' zei Vespasianus bewonderend. 'Net zo mooi als het span dat u me vijftien jaar geleden hebt gegeven.'

Malichus streelde met duidelijke affectie de hals van het paard. 'Er zijn er nog veel meer in mijn koninkrijk. Hoe gaat het met mijn ge-schenken?'

'Ze waren het beste span van de stad, maar ze doen niet meer mee aan wedstrijden, daarentegen zijn ze nog wel erg actief op de fokkerij.'

Er verscheen een pretlichtje in Malichus' ogen en zijn tanden glans-den in een grijns. 'We zijn nooit te oud voor de fokkerij, nietwaar, vriend?' Hij leunde voorover en sloeg Vespasianus op zijn dij. 'Ik feli-citeer u met uw vrouw; ik geef toe dat ik haar heb gezien, jullie Ro-meinen bedekken jullie vrouwen niet zoals wij dat doen. Hoe dan ook, ze is even mooi als welke van mijn vrouwen en concubines dan ook.'

'Ik zal haar het compliment doorgeven, Malichus.'

Er verscheen een uitdrukking van schrik op het gezicht van de koning. 'In naam van de goden, doe dat niet, Vespasianus. Als mijn vrouwen horen dat ik de schoonheid van een andere vrouw heb geprezen, zouden ze vreselijk jaloers worden en me er maanden over lastigvallen. Geloof me, vriend, mijn leven zou de moeite niet meer waard zijn.' Zijn gezicht lichtte weer op. 'Maar kom, we zitten hier over vrouwen te praten terwijl er Joods bloed is dat vergoten moet worden.'

'U kunt mijn signaal binnen een halfuur verwachten, Malichus,' zei Vespasianus. Intussen verschenen de eerste nieuwsgierige hoofden boven de muren van Jotapata, een halve mijl de helling af.

'Ik kijk ernaar uit. Ik zie u aan het einde van de dag en we zullen van Josefs lijk eten.' Met een elegante beweging van zijn hand keerde hij zijn paard en reed naar het hoofd van de colonne boogschutters.

'Ik hoop dat hij bedoelde dat we Josefs lijk als tafel gebruiken bij het eten en niet als ingrediënt,' zei Magnus, terwijl de eerste van de hulpcohorten strak in het gelid door de poort marcheerde.

'We lijken de juiste soort aandacht te trekken,' observeerde Vespasianus, die Magnus negeerde en naar beneden naar de stad keek. Malichus' Arabieren liepen op een paar honderd passen langs de poort, net buiten bereik van bogen. 'Als ik me niet vergis is dat Josef zelf die een kijkje komt nemen.'

Titus grijnsde naar zijn vader. 'De aanblik van een vertrekkend leger moet hem een prettig gevoel geven bij zijn ontbijt.'

'Als hij in de list trapt, dan heb je vast gelijk. Nu moeten we wachten tot de Vijfde verschijnt.'

Titus kneep even in Vespasianus' onderarm. 'Veel geluk, vader. Ik ga nu naar mijn legioen.'

'Het komt allemaal goed, Titus. Zodra je de gevechten hoort, kun je omdraaien met je legioen en het terug naar het kamp brengen. Met wat geluk zul je... Nee, ik zeg het niet. Ik heb gisteren al de goden verzocht met een onvoorzichtige opmerking, vandaag ga ik dat niet nog eens doen.'

De laatste manschappen van de Vijftiende Apollinaris trokken door de poort. De muildieren waren beladen met tenten, terwijl de legionairs een juk op hun schouders droegen waaraan hun uitrusting in zakken hing: het beeld van een legioen dat op mars gaat.

Vespasianus dreef zijn paard naar voren en liet Magnus achter, die iets mopperde over ladders beklimmen op zijn leeftijd. Hij ging naast Vettulenus rijden, de commandant van de Vijfde Macedonica. Hij wierp een blik achter zich en zag tot zijn voldoening dat de eerste cohort klaar was om in actie te komen. Op hun schouders rustten pila in plaats van een juk en binnen de formatie droegen legionairs ladders, die ze uit het zicht ter hoogte van hun dijen hielden.

'Rijd naar voren en geef Malichus het signaal,' beval Vespasianus de boodschapper die hem begeleidde. Hij keek de cavalerist na terwijl hij naar de Arabieren galoppeerde, die inmiddels een mijl verderop onder de stad waren. Toen wendde hij zich tot Vettulenus en zei: 'We moeten dit op precies het juiste moment doen.'

De Arabieren begonnen van het pad te stromen en gingen richting de zuidmuur van Jotapata. Vespasianus zag vrijwel onmiddellijk beweging op de muur; Josef en zijn kameraden, op niet meer dan een paar honderd passen van hem, begonnen over de noordmuur te rennen om de beweging van Malichus' boogschutters te volgen.

'Nu!' zei Vespasianus tegen Vettulenus, die het bevel direct doorgaf aan de cornicen die naast hem liep. Vier stijgende noten klonken boven de colonne uit en werden herhaald door andere blazers verderop in de formatie. Er werd direct op gereageerd. Centuriones brulden en de standaards gingen omlaag, gericht naar de stad. De boogschutters van de vierde Syrische hulpcohort marcheerden tot voor de drie leidende cohorten, die een linie van acht man dik met het gezicht naar de noordmuur vormden. Achter hen kwamen de muilezelkarren aangereden met de *carroballistae* van het legioen, nog bedekt met dekens. Ze werden in positie in het centrum van de aanval gemanoeuvreerd en op de muur gericht. De dekens werden weggetrokken en de soldaten bemanden hun geschut en draaiden aan de windas.

'Voorwaarts!' beval Vespasianus toen de Syrische boogschutters hun scherm hadden opgetrokken. De lage noten donderden, het bevel was gegeven en zwijgend zetten de drie cohorten van de Vijfde Macedonica zich in beweging en volgden de boogschutters. De doffe dreunen waarmee de artillerie haar lading wegschoot en het gefluit van de projectielen boven hun hoofden gaven iedere man in de aanval het gevoel te

79

moeten opschieten en als op afspraak versnelden ze hun pas. Op honderd passen afstand schoten de Syriërs hun eerste salvo af, maar omdat er nog niemand op de muur te zien was, kreeg Vespasianus de hoop dat ze die zonder veel tegenstand konden bereiken.

De cohorten trokken verder onder dekking van de projectielen van de carroballistae en de Syrische pijlen. Vespasianus hield zijn opgewonden paard in en reed in een drafje naar een positie voor de centrale cohort, tot naast Vettulenus, hopend dat de verdedigers al hun aandacht hadden gericht op Malichus' Arabieren aan de zuidzijde van de stad. Met nog vijftig passen te gaan mompelde Vespasianus een gebed tot zijn beschermgod Mars zodat die zijn handen boven hem zou houden bij de komende gevechten en om de Joden blind voor hun aanval te maken. Op twintig passen schoten de Syriërs hun laatste pijlen en draaiden zich om om zich door de linies van legionairs terug te trekken. De ladders kwamen naar voren en Vespasianus' hartslag versnelde toen er een paar verdedigers op de muur verschenen en met hun slingers schoten. Hij zwaaide zijn been over de romp van zijn paard en sprong op de grond, terwijl de legionairs hun ladders tegen de muur begonnen te zetten.

De eerste die stond was voor Vespasianus, niemand zou hem tegenhouden. Hij duwde de man opzij die de ladder vasthield, zette zijn voet op de tweede sport en begon te klimmen, zijn schild boven zijn hoofd houdend en over zijn schouder brullend tegen degenen die na hem kwamen. 'Kom op, mannen! Ik bestormde al forten toen jullie nog aan jullie moeders tiet sabbelden.'

Hij vloog omhoog, sport na sport, hij trok zich met zijn ene hand op, terwijl de andere het schild boven zijn hoofd hield, hij spande zijn armspieren aan om de inslagen van alles wat naar beneden kwam op het schild op te vangen: stenen, speren, dakpannen en andere projectielen. Zijn voortgang vertraagde naarmate hij hoger kwam en de dodelijke regen dichter werd. Er ging een trilling door de ladder en hij voelde hoe die van de muur werd geduwd. Hij keek even naar beneden, de volgende man was een paar sporten onder hem, en de man daarachter was maar net begonnen met klimmen. 'Schiet op, man, we hebben meer gewicht op de ladder nodig!' Hij verdubbelde zijn inspanningen om nog een paar sporten hoger te komen, terwijl de legionairs beneden zo dicht mogelijk naar hem toe kwamen zodat er ruimte

80

was voor nog een paar man die het gewicht op de ladder vergrootten, die met een klap weer tegen de muur viel, te zwaar om makkelijk weggeduwd te worden. Herhaalde stoten van een speer op zijn schild vertelden Vespasianus dat hij inmiddels binnen bereik van in de hand gehouden wapens was en dus bijna boven. Nu kwam het moeilijkste deel. Hij liet de ladder los met zijn zwaardarm en trok zijn gladius uit de schede; hij duwde met zijn voeten, één, twee, één, twee, en klom; met zijn schild stootte hij herhaaldelijk blind omhoog om de weg vrij te maken. Onder zijn schild kwam de rand van de muur in zicht, hij was er. Hij sloeg met de rand van zijn schild tegen de hals van de eerste verdediger die hij in het zicht kreeg en klom door, er goed op lettend dat hij niet te ver naar achteren leunde en zo zijn evenwicht zou verliezen. Met een bliksemsnelle steek stuurde hij de punt van zijn zwaard in het oog van de man die de verdediger met de verpletterde keel verving. Verder ging hij, terwijl links en rechts van hem twee centuriones dezelfde gevaarlijke overgang van ladder naar muur maakten. Met een laatste sprong stond hij op de rand, een speer ging rakelings langs zijn linkerkuit; hij ramde er zijn schild op om te voorkomen dat het wapen omhoog naar zijn kruis gericht zou worden, dat erg onbeschermd leek toen hij neerkeek op de met haat gevulde bebaarde gezichten beneden op de drie passen brede weergang. Hij wist uit ervaring dat er maar één werkbaar alternatief was voor op de borstwering blijven staan, waar hij een open doelwit was voor speren, die hem onvermijdelijk zouden neerhalen. En dus sprong hij op de weergang. Zwaard en schild zwaaide hij naar weerszijden uit, de schildknop brak een schedel, de kling vrat in een kaak. Gelijktijdig trapte hij hard tegen de borst van de man voor zich, die achteruit wankelde, zwaaiend met zijn armen, en even op het randje balanceerde voordat de zwaartekracht hem te veel werd en hij neerstortte op zijn kameraden, die beneden op straat wachtten tot ze de muur op konden.

Vespasianus had het gehaald, maar nu was hij een makkelijk doelwit; razernij was de enige vriend die hem kon redden, en die kwam hem dan ook onmiddellijk te hulp, zoals alleen een oude vriend dat kan. Zijn zwaard vloog naar links en naar rechts in een waas van vloeiende bewegingen en sneed door vlees waaruit bloed spoot, stak door organen en brak botten. Een rauwe, brute oerkreet kwam van diep vanbinnen, uit dat deel van hem dat zich alleen liet zien bij extreem gevaar en in de vreugde van de strijd. Hij ging genadeloos door, brullend en overdekt met bloed, nauwelijks herkenbaar als mens, terwijl hij zich een weg vocht naar de centurio die de ladder naast hem had beklommen, op tien passen afstand. Achter hen stroomden zijn legionairs de muur op, ze doodden de gewonden en schopten de lijken op de verdedigers beneden, die de trap op probeerden te komen om de wankelende eerste defensielinie te versterken.

'Centurio! Hierheen!' schreeuwde Vespasianus naar de aanvoerder van het groepje Romeinen rechts van hem, dat aan alle kanten door de vijand werd aangevallen. Maar het was te laat, de dwarsgeplaatste pluim op de helm van de centurio sloeg naar achteren toen een speer hem in het voorhoofd raakte en een blikkerende kling zijn rechterhand door de lucht liet wieken, het zwaard nog altijd vastgeklemd. Zijn mannen, die achter hun centurio aan sprongen, schreeuwden hun woede om zijn dood uit en vlogen op de verantwoordelijke verdedigers af. Ze rolden met hun wijd open en met haat gevulde ogen en lieten onsamenhangende klanken uit hun mond komen, een dierlijk gebrul, en zo begonnen ze ongenadig wraak te nemen voor de man die hen toen hij nog leefde met de wijnstok had afgeranseld en genadeloos had gedrild en die in zijn dood een zo grote golf aan loyaliteit losmaakte dat ze bereid waren hun leven te geven om vergelding te krijgen.

Vespasianus ging op weg naar de legionairs die hun centurio wilden wreken. Hij ramde zijn schild tegen een jonge man met nog maar een beginnende baardgroei, die daardoor met gebroken ribben tegen de kameraad achter hem vloog. Hij had geen idee hoe de situatie zich buiten zijn microkosmos van geweld ontwikkelde. Hij wist alleen dat ze hun linie moesten consolideren en dus vocht hij door, met razernij als zijn leidsman, in een poging de overvolle weergang schoon te vegen en zich bij de jongens te voegen die over de volgende ladder de muur beklommen.

Maar het bloedbad had een gruwelijke erfenis achtergelaten, even verraderlijk als gevaarlijk: de sappen afkomstig uit opengereten buiken boden geen houvast aan het ijzeren sandaalbeslag en Vespasianus' standbeen gleed weg, waardoor zijn andere been als tegenwicht de andere kant op ging en hij in een spagaat kwam. Hij probeerde zich weer overeind te duwen met zijn schild en de gebalde vuist van zijn zwaardarm. De rode mantel en hoge pluim op zijn helm, normaal al opvallend, vormden een onweerstaanbaar aantrekkingspunt nu hij op de gladde steen glibberde. Een schild dat van achteren boven zijn hoofd werd gehouden ving de eerste klap op, die op zijn nek was gericht. Een andere legionair zette zijn linkervoet naast zijn generaal en hield zijn schild op als bescherming voor Vespasianus' gezicht. Door zijn voeten naar elkaar toe te trekken slaagde Vespasianus erin overeind te komen, terwijl zijn twee redders de slagen pareerden die hem naar de veerman probeerden te sturen. Door de plotselinge pijnscheut van een verrekte spier in de linkerdij vertrok hij zijn gezicht, maar hij had nu geen tijd voor kleinigheden. Hij onderdrukte de pijn en stak zijn schild naar voren, weer in staat zichzelf te verdedigen.

'Bedankt, jongens,' hijgde hij tegen de twee legionairs die aan weerszijden van hem schouder aan schouder gingen staan zodat er een driemansmuurtje van schilden ontstond, met daaronder de blikkerende zwaarden. Ze stapten naar voren en verdedigers deinsden terug nu Vespasianus en zijn nieuwe kameraden oprukten met een moordlustige blik in de ogen en bloed op hun zwaarden. Het was maar een paar passen naar de plek van de volgende ladder en er stond niet meer dan een zestal Joden in hun weg, waarvan twee de andere kant op vochten. Vespasianus klemde zijn kaken op elkaar om de pijn in zijn dij te verbijten en probeerde zonder succes het stromende zweet uit zijn ogen te knipperen. Als één man zetten ze een volgende pas voorwaarts, ze stootten met hun zwaarden tussen de schilden door naar voren. Maar hun tegenstanders waren geen angsthazen en hadden hun vrijwel onvermijdelijke dood al gezien, het ging er alleen nog om de manier te kiezen waarop ze het leven zouden laten. Voor hen lag de keus voor de hand: met de intensiteit van de religieuze fanatici die ze waren stormden de vier man tegenover Vespasianus gelijktijdig naar voren, zwaaiend met hun buitgemaakte schilden en zwaarden. Ze wilden het leven van de Romeinse generaal met zich meenemen in de dood. Er daalde een regen van zwaardslagen neer op Vespasianus en zijn twee kameraden; gevechtstechnieken kenden de Joden niet, alleen woestheid. Het geluid van metaal op met leer overtrokken hout dreunde in Vespasianus' oren en overstemde de geluiden van de verwoede gevechten voor en achter hem. Vespasianus voelde dat zijn schildarm het niet lang meer zou houden tegen het aanhoudende gebeuk, toen een schelle kreet alles overstemde. De schreeuw kwam van naast hem, niet voor hem. Opnieuw stak hij naar voren met zijn zwaard, opnieuw raakte hij enkel een schild, en op dat moment werd het licht aan zijn schildzijde, want de legionair aan zijn linkerkant ging neer en viel van de muur af met een pijl in zijn nek. De Joodse boogschutters waren terug van Malichus' afleidingsmanoeuvre om met de echte aanval af te rekenen.

Een regen van pijlen volgde, gericht op de legionairs, maar ook menig verdediger werd geraakt, want de officieren van de boogschutters vonden het niet erg als een aantal van hun eigen mensen werd neergemaaid, zolang er maar veel Romeinse levens werden genomen. De pijlen vlogen fluitend naar de kleine groepjes Romeinen op de muur, die nog geen contact met elkaar hadden kunnen maken, waardoor er geen continue linie was gevormd. Het gevolg was dat ze hun schilden niet op de inkomende pijlenregen konden richten, want ze waren nog in verwoede man-tegen-mangevechten verwikkeld. Wie geïsoleerd was moest wel sterven of, erger nog, gevangengenomen worden. Met niemand aan zijn linkerschouder stond Vespasianus bloot aan de dodelijke aandacht van de boogschutters. De aantallen daarvan namen snel toe, ze renden door de wirwar van smalle straatjes tussen de schots en scheef gebouwde, overvolle huizen van Jotapata naar de straat die langs de muur liep en vormden daar een linie. Met niets anders te verliezen dan zijn leven bukte Vespasianus zich en zwaaide zijn zwaard onder de schilden van de vijand. De kling vrat zich in een enkel en hakte de voet er bijna af, een van de vier Joden die hem aanvielen ging neer. De legionair aan zijn rechterzijde beukte zijn schild naar voren en omhoog en raakte een onderarm die net naar beneden sloeg; botten braken en het zwaard viel uit de krachteloos geworden hand; vervolgens stak de Romein zijn kling in de vitale delen van de Jood, die door de pijnscheut van de brekende arm zijn schild opzij had bewogen. Twee van de vier waren uitgeschakeld, zodat het nu twee tegen twee was. Vespasianus drong naar voren en duwde tegen een van de overgebleven tegenstanders, hij stak zijn zwaard in de keel van de schreeuwende Jood die naar zijn loshangende voet greep en maakte zo een einde aan zijn gekrijs en zijn leven.

Toen hij zijn gewicht op zijn linkerbeen overbracht, voelde Vespasianus een stekende pijn. Het been hield hem niet en hij ging neer, terwijl hij zijn vijand nog omver wist te duwen. Hij viel zwaar op de borstkas van de man en perste alle lucht uit diens longen. De wetenschap dat hij gewond en vrijwel hulpeloos was deed Vespasianus alleen maar helderder denken; hij duwde zich met zijn linkerarm omhoog en stak de punt van zijn zwaard in de mond van de naar adem happende man. Het bloed spoot eruit en bedekte Vespasianus' gezicht; hij rolde opzij en bracht zijn schild naar de kant waar de boogschutters stonden. De legionair aan zijn rechterkant stond boven hem en andere soldaten kwamen van achteren om hem weg te halen. Zijn schild trilde van de inslaande pijlen en hij wierp een snelle blik op zijn linkerbeen: de verrekte dijspier trilde in spasmes.

'Zet me overeind!' schreeuwde hij naar een legionair die hem naar achteren probeerde te trekken.

Toen de man zich vooroverboog draaide hij opeens opzij en viel, dood voordat hij de grond raakte; een pijl was bij zijn wang naar binnen gegaan, de punt stak aan de zijkant van zijn hoofd naar buiten.

Vloekend en beseffend dat hun positie met elke op hol geslagen hartslag gevaarlijker werd, kroop Vespasianus met opgeheven schild naar achteren, naar de ladder waarlangs hij naar het leek dagen geleden omhoog was gekomen, terwijl het in werkelijkheid niet langer was dan de tijd die een man nodig had om een volle blaas te legen. Hij hees zich overeind en met al zijn gewicht op zijn rechterbeen keek hij naar beide kanten langs de muur en kreunde. Op een paar plekken na waren de aanvallers er niet in geslaagd contact met de buurladders te maken voordat de boogschutters waren teruggekeerd. Zijn mannen werden nu bestookt met een regen van pijlen terwijl ze nog in gevecht waren met de verdedigers op de weergang, die inmiddels versterkt werden met mannen die de trappen op kwamen rennen.

Het zou een dwaze vorm van koppigheid zijn om het niet toe te geven en het zou nog meer van zijn mannen het leven kosten; hun positie was onhoudbaar. Hij haalde diep adem en met alle kracht die hij nog in zich had brulde hij: 'Terugtrekken! Terugtrekken!'

De cornicen aan de voet van de ladder hoorde het bevel van zijn generaal en blies de noten, die al snel overal langs de linie herhaald werden. De Romeinse aanval was mislukt en nu was het zaak zo veel mogelijk mannen levend van de muren van Jotapata te krijgen.

Met de mislukking die in zijn hart brandde stond Vespasianus op één been en beschermde met zijn schild de mannen die over de borstwering klommen en de ladder afdaalden om weg te komen van de dodelijke pijlenstorm waar ze geen antwoord op hadden gehad. Velen wilden niet wachten tot het hun beurt was om bij de ladders te komen en waagden de twintig voet hoge sprong naar de harde grond beneden, maar voor Vespasianus was dat met zijn been geen optie, en de verdedigers, die nieuwe energie kregen door de Romeinse aftocht, naderden snel.

'Ik houd ze wel tegen, generaal!' schreeuwde een optio, en hij hield zijn schild voor Vespasianus. 'Ga naar de ladder.'

Vespasianus wist dat het geen schande was om niet de laatste man op de muur te zijn en hees zich op de borstwering. Hij had gedaan wat er van hem verwacht werd, hij had de aanval geleid en was gewond geraakt. Het had geen zin om zijn leven te vergooien, dat zou de zaak alleen maar erger maken; nu de tweede aanval in twee dagen tijd was afgeslagen was goed leiderschap vereist. De optio brulde naar een stel legionairs dat ze hem moesten helpen hun generaal te verdedigen tijdens diens ontsnapping. Hun schilden waren bezaaid met pijlschachten, hun gezichten stonden grimmig in het besef dat ze hun leven zouden opofferen zodat Vespasianus het zijne behield.

Met stekende pijn bij elke beweging van zijn linkerbeen zwaaide Vespasianus zijn lichaam over de muur en voelde hoe zijn goede been een sport vond. Hij wierp een laatste blik op de stad beneden in de hoop iets te zien waardoor hij wist hoe hij haar de volgende keer kon innemen en op dat moment kwam een bekende gestalte de weergang op, gekleed in een buitgemaakte wapenuitrusting. 'Vandaag vlucht je, Vespasianus,' schreeuwde Josef, 'en morgen doe je het weer, en de dag daarna. We zullen standhouden tot de beloofde versterkingen uit Jeruzalem komen. Let op mijn woorden: we houden stand.' Hij wierp zich op de optio, terwijl andere verdedigers de twee legionairs aanvielen en die in een regen van slagen, te veel om af te weren, afmaakten.

'Dat zal iedereen van mijn volk de moed geven om tegen Rome op te staan,' hoorde Vespasianus Josef nog schreeuwen toen hij op één been de ladder af hinkte. 'Let op mijn woorden, Vespasianus!'

Terwijl Vespasianus werd weggedragen, met zijn armen om de schouders van twee soldaten geslagen, keek hij om naar de muur. Hij zag de optio springen. Josef legde zijn handen op de borstwering en brulde: 'We zullen het hart van jullie vrouwen breken.'

Vespasianus besloot de optio tot centurio te bevorderen als die het overleefde en draaide zijn hoofd weer naar voren om te zien hoe de cohorten zich ordelijk terugtrokken. Hij zwoer dat hij alles op alles zou zetten om Josefs woorden te loochenstraffen. Hij kon het zich niet veroorloven dat de leider van de Joodse rebellen gelijk had, want elke dag die voorbijging zonder dat ze Jotapata innamen maakte de opstand sterker. Hij moest er snel een einde aan maken.

HOOFDSTUK IV

'Wat doen ze?' vroeg Magnus. Hij en Vespasianus bestudeerden de muren van Jotapata bij de zonsopgang van de tweeëntwintigste dag van het beleg, na een nacht van nieuwsgierigheid veroorzaakt door bouwgeluiden die uit de stad kwamen.

Vespasianus was even verbaasd als zijn oude vriend. 'Ik weet het niet, misschien denken ze dat ze door het spannen van ossenhuiden op de muur een scherm hebben dat voorkomt dat de torens hun lading lossen.' Hij keek naar de vier enorme belegeringsmachines die vorm kregen achter een aarden wal, die elke dag hoger werd om de legionairs te beschermen tegen de talrijke uitvallen die de Joden hadden gedaan in een poging de bouw te verhinderen. 'Tja, maar het zal niet werken, ze gaan neer zodra we de loopbruggen omlaag laten. Titus heeft me verzekerd dat ze in vijf dagen klaar zijn, als het hout op tijd komt, natuurlijk.'

Dat was nou precies het probleem bij de bouw van de belegeringstorens: hout. De hele omgeving was in een straal van tien mijl afgestroopt op bomen en ze waren allemaal gekapt, maar het was niet voldoende geweest en dus was de zoektocht verdergegaan en was de straal met nog eens tien mijl verlengd, en ook dat gebied was nu kaal. Titus zag zich gedwongen de houtploegen tot dertig mijl ver te sturen, ruim een dag reizen, en daarmee was de aanvoer van hout aanzienlijk vertraagd. De langere aanvoerlijnen betekenden onvermijdelijk dat de ploegen meer gevaar liepen in een hinderlaag te vallen van een van de vele bendes rebellen die rondzwierven, zodat de eenheden die erop uit werden gestuurd steeds groter moesten zijn om te zorgen dat het kostbare hout veilig aankwam, zonder al te veel verlies aan manschappen. Vespasianus' geduld werd zwaar op de proef gesteld.

De dag na de aanval die hij persoonlijk geleid had, had hij een volgende bestorming bevolen, deze keer na een vuuraanval, in de hoop dat genoeg Joden bezig zouden zijn om de vlammen te doven om zijn mannen de kans te geven de muur te veroveren. Maar weer lukte het niet: Josef liet de gebouwen branden, alleen kleine brandhaarden werden gedoofd, zodat er niet te veel van het schaarse water werd verspild. De aanval was op ongeveer dezelfde manier vastgelopen als de vorige dag. De twee dagen daarna ging het al niet anders en dus was Vespasianus gedwongen om toe te geven dat hij Jotapata niet met een bestorming met ladders kon innemen. Een volledige belegering met alles erop en eraan was de enige manier, en dat had tot een stevige reeks vloeken geleid, want de tijd die nodig was voor een succesvolle belegering betekende tevens tijd voor de rebellen in de provincie om meer landgenoten tot opstand aan te zetten, en dat zou tot meer Romeinse doden leiden. Hij stuurde ook voortdurend patrouilles naar het zuiden uit om te zoeken naar de ontzettingsmacht die volgens Josef onderweg was, maar die was nog niet in zicht gekomen. Volgens Titus' informanten in Jeruzalem was er in de stad een strijd uitgebroken tussen de radicale facties en meer gematigde groepen die met Rome wilden onderhandelen en die Josef en zijn mannen als een hinderpaal daarbij zagen. Voorlopig leken de gematigden de bovenhand te hebben, maar er konden elk moment gewelddadigheden uitbarsten, want de radicalen loerden op een kans om de macht te grijpen, en als dat zou lukken, zou er een bewind komen dat meer op de hand van Josef was.

Josef van zijn kant had er alles aan gedaan om Vespasianus' voorbereidingen te dwarsbomen. Hij wist enkele malen de torens in brand te steken – waarbij ze een keer volledig afbrandden – en pas nadat de aarden wal langs de hele helling was opgeworpen, waardoor de stad volledig was afgesloten, waren de uitvallen gestopt en kon de bouw ononderbroken doorgaan. Maar ondanks de voltooiing van de verdedigingslinie en de patrouilles die rond de heuvel van Jotapata zwierven, wist Vespasianus dat er de nodige mensen de stad in en uit gingen, want Josef had vanaf de muur steunbetuigingen voorgelezen die de radicale facties in Jeruzalem en andere Joodse steden hadden gestuurd. Dat was al erg genoeg, want het betekende dat Josef ook brieven naar buiten kon smokkelen waarin hij zijn kant van het verhaal vertelde, waarmee hij waardevolle propaganda voor de opstand leverde. Maar het was vooral Vespasianus' angst dat Josef zou weten te ontsnappen waardoor hij bleef zoeken naar de geheime route de stad in en uit. Voorlopig zonder succes.

Vespasianus leunde op de stok die hij gedwongen was te gebruiken om zijn verzwakte been te steunen en draaide zich om en begon terug te lopen naar het kamp dat hij een halve maand geleden al had willen verlaten. 'Als Trajanus Japhra niet had ingenomen was mijn situatie nog erger geweest en zou ik voor gek staan; mijn boodschappen aan Rome kunnen mijn gebrek aan voortgang niet verhullen.'

'Ach, ik zou me maar niet al te veel zorgen maken, u wordt toch niet vervangen,' zei Magnus met een zekerheid die Vespasianus verbaasde.

'Hoe weet je dat zo zeker?'

'Dat is toch vanzelfsprekend?'

'O ja?'

'Natuurlijk: u bent hierheen gestuurd omdat Corbulo naar Nero's smaak te veel succes had, het was de reden om hem tot zelfmoord te dwingen. Wat Nero betreft zijn uw matige vorderingen voorlopig nog geen reden om u te vervangen. Ik weet dat u vastbesloten was deze campagne zo snel mogelijk af te handelen, want ik heb u de beslissingen zien nemen, maar ik zou zeggen dat deze vertraging uw aanstelling juist zekerder heeft gemaakt dan als u een overweldigend succes van de veldtocht had gemaakt.'

Vespasianus haalde zijn schouders op en hinkte de helling op. 'Misschien heb je gelijk, Magnus. In ieder geval was Trajanus zo verstandig om Titus te vragen de beslissende aanval op Japhra te leiden; mijn familie heeft zo de nodige glorie in de schoot geworpen gekregen, want ik kan nu in mijn verslagen legitiem melden dat het allemaal Titus' werk was. Ik ben Trajanus wat verschuldigd.'

'Dat weet hij, daarom heeft hij het ook gedaan.'

Vespasianus glimlachte, knikkend. 'Ik weet het, hij wil de buit van een van de grotere steden. Ik denk dat ik hem Tiberias geef.'

'Dat kan geen kwaad, aangezien die religieuze fanaten alle beelden en kunst in de stad hebben vernield omdat die hun religieuze gevoelens kwetsen. Jeruzalem zal voldoende opleveren, want daar bevindt zich het goud.'

'Als we er ooit komen'

'We komen er, het duurt alleen wat langer dan we dachten.'

'Een ram?'

'Ja, vader,' zei Titus, die met een tamelijk zelfingenomen gezichts-uitdrukking voor Vespasianus' schrijftafel in diens persoonlijke vertrekken stond.

Vespasianus legde zijn stylus neer en keek zijn zoon aandachtig aan. 'Maar ik dacht dat de bomen in dit godenvergeten land niet groot genoeg waren.'

'Ik heb een paar centuriën hulptroepen naar het noorden naar de cederbossen bij Tyrus gestuurd. Ze hebben een monster van een boom meegesleept, er kwam net een boodschapper om te melden dat ze op een dagmars van hier zijn, morgenavond moeten ze aankomen.'

In Vespasianus' ogen gloeide hoop op, en leunend op zijn tafel duwde hij zich omhoog uit zijn stoel. 'Hoe lang duurt het om de boom in een zwaaimechanisme te hangen en een beschermend dak erboven te bouwen?'

'Zodra de stam er is twee dagen, als ik het hout van een van de belegeringstorens mag gebruiken.'

'Ga je gang, desnoods van twee torens. Die muren zijn oud, ze houden het niet lang tegen een stormram. Met een bres en twee torens tegen de muur moeten we eindelijk binnen kunnen komen. Aan de slag, Titus.'

'We zullen over precies vier dagen 's ochtends klaarstaan.'

'O, en Titus,' zei Vespasianus toen zijn zoon zich omdraaide om te vertrekken.

'Ja, vader?'

'Goed gedaan.'

'Dank u, vader.'

'Je hebt het met hem getroffen,' zei Caenis, die opkeek van de brief die ze aan haar schrijftafel zat te lezen.

'Wíj hebben het met hem getroffen,' zei Vespasianus, die weer ging zitten.

'Róme heeft het met hem getroffen,' verbeterde Caenis hem. 'Hij is ongetwijfeld de meest veelbelovende man van zijn generatie, wat niet echt verbazingwekkend is aangezien hij jouw zoon is. Hij zal een voortreffelijk erfgenaam zijn. Jij hebt er tenminste een.'

'Eén? Ik heb er twee, zoals je weet.'

Caenis wees op de brief. 'Van Nerva.'

'Nerva! Waarom schrijft hij jou?'

'Hij schrijft mij niet, hij schrijft ons beiden, maar hij heeft hem aan mij gestuurd. Hij gelooft, denk ik, dat ik de boodschap wat verteerbaarder kan maken.'

'Domitianus?'

'Ik ben bang van wel.'

Vespasianus zuchtte en vroeg zich af waarom hij vervloekt was met een zoon die het tegenovergestelde van Titus was. 'Zeg het maar.'

Caenis haalde diep adem en keek verontschuldigend naar Vespasianus. 'Tja, ik ben bang dat Domitianus de post van militair tribuun heeft geweigerd die Nerva voor hem geregeld had bij de Eerste Adiutrix. Hij zegt dat die beneden zijn stand is omdat hij de zoon is van de opperbevelhebber van het leger in Judaea, en dat hij daarom bij zijn vader moet dienen, net zoals zijn oudere broer doet.'

'Titus is de legaat van de Vijftiende Apollinaris, niet een of andere snotneus die als tribunus angusticlavius net om de hoek komt kijken.'

'En dat is een andere klacht van Domitianus: hij vindt de rang van tribunus angusticlavius een belediging voor zijn stand, hij meent aanspraak te kunnen maken op de rang van tribunus laticlavius en...'

'En die is de tweede in rang van een legioen! Minerva's tieten! Kun je je het voorstellen? Iemand die nog nooit aan iemand anders dan zichzelf heeft gedacht zou voor het welzijn van vijfduizend man moeten zorgen als de legaat om de een of andere reden wegvalt. Wie denkt hij wel niet dat hij is?'

'Hij denkt dat hij jouw zoon is.'

'En ik ben niets meer dan een nieuwe man met een Sabijns accent; een eerstegeneratiesenator. Wat voor verwachtingen kan dat rechtvaardigen?'

Caenis legde de brief neer en keek Vespasianus met overdreven geduld aan. 'Je bent de commandant van het oosten, de machtigste man hier. Als wij Romeinen niet zo'n afkeer hadden van het idee van koningen, zou men jou met een koning vergelijken, want in wezen ben jij de koning van Romes oosten. Domitianus is niet dom, wat je verder ook van hem vindt. Nee, hij is absoluut niet dom, en hij ruikt de mogelijkheden voor zijn familie en hij wil zijn deel. Hij is jaloers, Vespasianus, geloof me maar. Hij is jaloers op Titus en hij kan niet begrijpen waarom je hem niet hebt meegenomen om hier bij jou en zijn broer te dienen.'

'Omdat ik weet hoe het gaat: hij zal doen alsof hij de baas is en hij zal weigeren bevelen van iemand anders aan te nemen dan van mij; en van mij alleen met duidelijke tegenzin. Hij vormt een gevaar voor de commandostructuur en het moreel van het hele leger omdat hij zichzelf veel te belangrijk vindt. En precies daarom heb ik Nerva gevraagd om een post te zoeken bij een legioen waar niemand hem kent.'

'Dat weet ik, liefste, jij weet het en Nerva weet het, maar begrijpt Domitianus dat? Misschien had je eerlijk tegen hem moeten zijn en hem je redenen om hem buiten te sluiten moeten vertellen.'

'Domitianus zou het niet begrijpen als ik het hem uitlegde. Nee, ik moet hem maar schrijven en hem als zijn vader bevelen de post te aanvaarden die Nerva aanbiedt.'

'Ik denk niet dat het gaat werken.'

Vespasianus zag er terneergeslagen uit, zijn gezichtsuitdrukking nog meer gespannen dan gewoonlijk. 'Ik weet het. Hij doet zelden wat hem opgedragen wordt.'

'Dat is het niet zozeer, liefste.' Caenis keek weer naar de brief.

'Wat dan?'

'Tja, Nerva schrijft dat hij de dag voordat hij aan deze brief begon geprobeerd heeft Domitianus uit jouw naam te bevelen de post te aanvaarden, en je broer heeft het ook geprobeerd. Maar het haalde niets uit en nu is het te laat. De situatie is veranderd en Domitianus zegt dat hij Rome niet verlaat. Nooit meer, wat er ook gebeurt.'

Vespasianus deed alle moeite die woorden te begrijpen. 'Nooit meer? Waarom? Hoe komt hij verdomme bij zo'n absurd idee?'

'Het schijnt dat hij verliefd is.'

'Verliefd! De enige op wie hij verliefd is, is zichzelf.'

'En Corbulo's jongste dochter.'

'Domitia Longina? Ik geef toe dat ik ooit met de gedachte heb gespeeld om ze aan elkaar te koppelen, maar dat heb ik van me af gezet toen Corbulo zelfmoord pleegde. Hij heeft haar nog nooit ontmoet, hoe kan hij dan verliefd op haar zijn?'

'Ze is in het huwelijk getreden met Lucius Aelius Plautius Alienus.'

'Des te meer reden om niet verliefd op haar te zijn.'

'Domitianus was op het huwelijk en hij viel als een blok voor haar.'

Dat was te veel voor Vespasianus, hij sloeg met zijn vuist op de schrijftafel. 'Nou, dan moet hij maar weer snel overeind komen! Ik sta niet toe dat hij de kans op een carrière ruïneert door in Rome te gaan zitten mokken en als een hondje achter andermans vrouw aan te lopen. Hij is zestien! Hoe kun je verliefd zijn op die leeftijd? Het is belachelijk!'

'Jij was zestien toen we elkaar ontmoetten.'

'Pff,' sputterde Vespasianus hoofdschuddend. 'Dat was anders.'

'Hoe dan?'

'Ten eerste was jij niet de vrouw van een andere man.'

'Ik was niemands vrouw, ik was een slavin.'

'Nou ja, in ieder geval was je beschikbaar.'

'Ik ben voor jou nooit beschikbaar geweest, niet als slavin en niet nadat Antonia me had vrijgelaten, want het is verboden voor een senator om met een vrijgelatene te trouwen. Als die wet niet bestond en ik echt beschikbaar was geweest, dan waren we nu getrouwd en had ik je kinderen gebaard en niet Flavia. Je argument gaat dus niet op en Alienus kan sterven of scheiden en dan is ze beschikbaar voor Domitianus. Nee, het enige verschil dat ik zie is dat jij niet weigerde om vier jaar als tribuun in Thracië te dienen nadat we elkaar ontmoet hadden. Wat dat betreft lijkt het erop dat Domitianus heel wat verliefder op Domitia Longina is dan jij op mij was, aangezien hij weigert om te gaan.'

'Dat is belachelijk.'

'Is dat zo? Luister, liefste, ik wil je er alleen maar op wijzen dat je Domitianus' vermeende gevoelens niet zomaar kunt negeren louter omdat jij denkt dat hij daartoe niet in staat is.'

'Vooruit, akkoord, stel dat hij echt verliefd is, is dat dan reden om ongehoorzaam aan zijn vader te zijn en zijn plicht tegenover zijn familie en Rome te verzaken?'

'Natuurlijk niet.' Caenis verzonk even in gedachten en keek Vespasianus toen weer aan. 'Maar wat dacht je van het volgende: Domitianus is sluw en achterbaks, dat zeg je zelf altijd, dus als er ontwikkelingen zijn en Galba op aandringen van Vindex in opstand komt en er een burgeroorlog uitbreekt, waar kan Domitianus dan het beste zijn? In een legioen waar hij voor de ene kandidaat of voor een andere vecht, zonder veel te zeggen te hebben omdat hij niet meer dan een onbelangrijke tribuun is, onderworpen aan de politieke voorkeuren van de legaat of de populistische opvattingen van de legionairs? Hij zal absoluut van geen enkel nut voor jou zijn, terwijl hij waarschijnlijk in zijn eerste slag al sneuvelt...'

'O, ik weet zeker dat hij wel een manier vindt om zich aan een slag te onttrekken.'

'Hou op hem bij elke gelegenheid neer te halen.' Caenis stak haar hand op toen Vespasianus tegen haar in wilde gaan. '... terwijl hij waarschijnlijk in zijn eerste slag al sneuvelt. Of heb je hem liever in Rome, waar hij mogelijk van enig nut voor ons kan zijn als de zaken zich gunstig voor ons ontwikkelen? Denk erover na, Vespasianus. Misschien is het in deze situatie beter hem niet de oren te wassen, aangezien hij je ongetwijfeld toch niet zal gehoorzamen.'

'En als ik hem opdraag in Rome te blijven?'

Caenis glimlachte. 'Wat dacht je: hij gaat onmiddellijk naar de legioenen, of hij nu verliefd is op Domitia Longina of niet. Nee, laat het erbij zitten en dan blijft hij in Rome, waar hij van nut kan zijn.'

'En dan zal hij denken dat het allemaal zijn eigen idee was.'

Caenis liep naar hem toe en kuste hem op de wang. 'Je kent je zoon maar al te goed.'

'Dat klopt, liefste, het vervelende is alleen dat ik het liever niet zou weten.'

'Vader, kom snel,' zei Titus, die binnen kwam rennen. 'We horen het geluid van bouwwerkzaamheden.'

'Bouwwerkzaamheden?'

'Ja, vanachter de schermen van ossenhuiden.'

Vespasianus volgde Titus naar buiten het kamp in, waar een zee van leren tenten omgeven werd door de rook van duizenden vuurtjes, want elk contubernium van acht man dat geen dienst had was bezig de avondmaaltijd te bereiden. De geur van geroosterd varkensvlees – een gruwel voor de Joden – vulde de lucht en rook prikte in hun ogen toen ze met ferme pas over de Via Praetoria naar de hoofdpoort richting Jotapata liepen. Bij de Porta Praetoria aangekomen groette de centurio van de wacht hen, terwijl zijn mannen in de houding gingen staan.

Titus beantwoordde de groet. 'Dank je dat je dit onder onze aandacht hebt gebracht, primus pilus Barea.'

Barea liet zijn arm zakken. 'Een patrouille merkte het als eerste op, legaat. Ze waren aan de andere kant van de verdedigingslinie, maar u kunt ze vanhier ook horen als iedereen even stil is. Ze zijn nog altijd bezig, ik hoor geluid van hamers en beitels, alsof ze blokken steen bewerken.' Hij liep naar buiten naar de aarden wal, enkele tientallen passen verderop, waar soldaten de wacht hielden voor het geval er een uitval uit de stad kwam. 'Allemaal even de bek houden, stelletje wormen. De generaal wil luisteren. Wie ook maar een scheet laat krijgt een maand latrinedienst als mijn persoonlijke aarsspons!'

'Ze gebruiken de ossenhuidschermen om de mannen die op de muur aan het werk zijn aan het zicht te onttrekken,' zei Titus nadat hij en Vespasianus hadden staan luisteren naar het geluid dat duidelijk afkomstig was van het bewerken van blokken steen, die vervolgens op de muur werden geplaatst.

'De achterbakse schoft,' mompelde Vespasianus. 'Hij gebruikt waarschijnlijk stenen van de uitgebrande huizen om de borstwering op te hogen. Die schermen zijn zeker tien voet hoog. Weet je wat, Titus? Ik begin met tegenzin respect voor die man te krijgen, ook al is hij een walgelijke fanaticus. Met niet meer dan een paar duizend man houdt hij nu al een halve maand een Romeins leger tegen. Hoe eerder je ram af is, hoe beter.' Vespasianus had voldoende gezien en draaide zich al om toen hem nog iets te binnen schoot. 'O, en maak de belegeringstorens tien voet hoger.'

De ram kwam inderdaad de volgende dag vroeg aan, hij werd naar het kamp gereden op een reeks wagens, getrokken door talrijke ossen, terwijl de mannen van de centuriën die gestuurd waren om de gigant te halen om de beurt hun schouders eronder zetten.

De boom was zo groot, met een diameter van minstens zeven voet en een lengte van vijftig voet, dat iedereen stopte met werken als hij langskwam om de reus te bewonderen en zijn komst toe te juichen. Ze noemden het gevaarte hun redder, de kolos die gekomen was om hun werk te verlichten en de vijand tot overgave te beuken.

'Dat moet voldoende zijn,' observeerde Magnus toen het monster hem en Vespasianus passeerde. 'Een paar keer aankloppen met dat ding en jullie kunnen naar binnen.'

'Ga je dan niet mee?'

'Er zal niets zijn wat de moeite waard is; ik vermoed dat ze hun vrouwen en kinderen doden en dan zelfmoord plegen, dus veel lol zal er niet te beleven zijn. Ik kan me niet voorstellen dat ze in het goud en zilver zwemmen, want we hebben zoveel belasting uit ze geperst dat ze daar zijn gaan zitten. Nee, ik blijf wel wachten, dank u.'

'Wat vindt u ervan, vader?' vroeg Titus, die naar Vespasianus liep, gevolgd door een contubernium dat twee Joodse gevangenen escorteerde.

'Ik denk dat het nog een hele klus wordt om een behuizing te maken die sterk genoeg is om hem te dragen als hij zwaait en stevig genoeg is om het geheel naar de muur te rijden.'

'Dat gaat lukken, vader. Intussen denk ik dat we weten hoe ze ongemerkt de stad in en uit gaan.' Titus wendde zich tot de optio die het escorte commandeerde. 'Breng ze hier.'

De twee Joden werden naar voren geduwd, hun handen waren op de rug gebonden. Hoewel ze voor de man stonden die over hun leven kon beschikken, toonden ze geen angst. Ze hielden hun hoofd fier overeind en keken Vespasianus brutaal direct in de ogen.

'Vertel het de generaal, optio,' beval Titus.

'We hebben ze gepakt toen ze via een geul aan de andere kant van de stad weg probeerden te sluipen, generaal,' zei de optio. 'Het was vlak voor zonsopgang. We patrouilleren vaak in dat gebied en de laatste tijd, de afgelopen tien dagen of zo, viel het ons op dat er af en toe schapen liepen, daar leek het in het donker in ieder geval op. Ik lette er verder niet zo op, want we zijn hier goed voorzien van varkensvlees en ik wilde niet het risico lopen dat een van mijn jongens iets zou breken op het ruige terrein in een wilde jacht op een taai stuk vlees...'

'Jaja,' kwam Titus ertussen, 'schiet nou eens op, man.'

'Pardon, legaat. Maar om een lang verhaal kort te maken zagen we vanochtend vlak voor zonsopgang weer een stel schapen in de geul, ik kon ze maar net onderscheiden, want ze stonden stil. Hoe dan ook, Primus hier,' hij wees op een jonge legionair, niet meer dan een jaar in dienst, die buitengewoon trots keek omdat de aandacht van de generaal op hem werd gevestigd, 'nou, Primus had zin in een lolletje en wilde die beesten wakker maken, en dus gooit hij een steen. En toen gebeurde er iets raars: hij raakt een van de schapen, een voltreffer in de flank, maar het dier bewoog zich niet en gaf geen kik, en ik wist dat-ie niet dood kon zijn, want toen we een uur eerder langs de geul kwamen waren ze er nog niet. Dus dat zette me aan het denken en ik werd wantrouwig en ik leidde de jongens zo snel mogelijk naar beneden naar de geul en u zult het niet geloven, maar...'

'De schapen stonden op en renden weg op twee voeten?' voltooide Vespasianus de zin voor hem.

De optio keek teleurgesteld. 'O, u hebt het rapport al gehoord, generaal?'

'Nee, optio, je hebt het tafereel zo levendig beschreven dat ik het allemaal voor me zag.' Hij keek naar de twee gevangenen. 'Draai ze om.' Vespasianus was niet verbaasd om de schapenvachten te zien die op hun mantels van ongeverfde wol waren genaaid. 'Wat hadden ze bij zich, optio?'

'Dit, generaal.' De optio overhandigde hem een koker.

Vespasianus opende de houder en haalde een rol tevoorschijn; de tekst was in het Aramees geschreven. 'Neem ze mee en sluit ze op, ik moet ze misschien nog ondervragen zodra ik dit heb laten vertalen.'

Toen de optio zich omdraaide om weg te gaan, vroeg Vespasianus: 'Hoe vaak heb je in de afgelopen tijd schapen in de geul gezien?'

'Ik denk zo'n beetje elke avond.'

'Bedankt, optio. Ga uitrusten, vanavond moet je me de geul laten zien.'

'Wat denk je, Hormus?' vroeg Vespasianus. Hij en Caenis keken toe terwijl de vrijgelatene de rol bestudeerde.

'Ik denk dat het een oproep aan Josef is om zich niet over te geven,' zei Hormus, die de rol op Vespasianus' schrijftafel legde. 'Het is niet duidelijk wie hem geschreven heeft, hoewel er een regel aan het einde staat die te vertalen valt als "Meester van de Gezalfde". Maar er is geen naam.'

'Meester van de Gezalfde?' herhaalde Caenis. 'Dat kan iedereen zijn in dit land, ze lijken allemaal te denken dat ze een of andere religieuze roeping hebben. Maar wat staat er nou in?'

Hormus pakte de rol weer op. '"We kennen elkaar al lange tijd en ik meen dat we elkaars oordeel volkomen hebben leren vertrouwen. Dit is geen makkelijke brief om te schrijven, maar ik geloof dat ik voor het lot van ons volk dit beroep op je moet doen. Leg je wapens niet neer om de poort uit te lopen, zoals een lid van mijn familie je heeft gesmeekt te doen. Die persoon denkt dat Titus Flavius Vespasianus een redelijk mens is en dat als je een beroep op hem doet, zoals ze willen dat je doet, hij zich genadig zal tonen. Daar ben ik niet zo zeker van, mijn vader vertrouwde hem nooit en Vespasianus heeft hem tijdens zijn leven heel wat problemen bezorgd. Hij heeft zich een onverbiddelijke vijand betoond en ik geloof niet dat genade een van zijn ondeugden is. Hoe dan ook, nu de opstand om zich heen grijpt hebben we meer dan ooit martelaren nodig. Ik smeek je in de naam van de Heer om tot de laatste snik stand te houden, en als de stad eenmaal is gevallen, zorg dan dat niemand van ons volk er levend uit komt. Ik weet dat je zult denken dat ik makkelijk praten heb, ik die op honderd mijl afstand veilig achter mijn muren zit; ik die door Rome als vriend word beschouwd en dus niet bang hoef te zijn voor de Romeinse toorn. Maar geloof me, als de situatie omgekeerd was, dan offerde ik mijn leven met liefde voor de zaak op…"'

Vespasianus onderbrak Hormus met een honende lach. 'Dat kun je erg makkelijk zeggen als de situatie overduidelijk niet omgedraaid kan worden. Wie de schrijver ook is, hij is een sluwe lafaard die wil dat de anderen het vechten voor hem opknappen. Een vriend van Rome met een familielid dat vrede probeert te bewerkstelligen en een vader die me haatte; ik vraag me af wie dat kan zijn.'

Caenis dacht een moment na. 'Meester van de Gezalfde? Herodes Agrippa heeft van Nero onlangs het recht gekregen om de hogepriester in Jeruzalem te benoemen. Hij en zijn zuster Berenice hebben beiden geprobeerd de opstand in Jeruzalem te beteugelen en wisten afgelopen jaar maar ternauwernood levend de stad te ontvluchten. Zij zou het familielid van Herodes kunnen zijn dat nog steeds in de mogelijkheid van vrede gelooft, terwijl Herodes kennelijk van gedachten is veranderd.'

'Daar lijkt het wel op,' stemde Vespasianus in. 'En zijn vader, de eerste Herodes Agrippa, had geen reden om me te mogen: het was deels mijn verantwoordelijkheid dat Tiberius hem in de gevangenis liet gooien, en toen Caligula hem vrijliet, gaf hij mij de schuld voor het in beslag nemen van zijn graanvoorraad in Alexandria. Nee, het is duidelijk dat de jonge Herodes Agrippa stiekem een wrok tegen me koestert, hoe vriendelijk hij zich ook tegenover me gedraagt, en het is natuurlijk erger geworden toen ik hem verbood om met deze campagne mee te doen. De vraag is: waarom steunt hij de opstand nu in het geheim, terwijl hij die eerder probeerde neer te slaan en troepen naar me heeft gestuurd om de rebellen te bevechten?'

'Dat lijkt me duidelijk,' zei Caenis. 'Hij wilde een opstand voorkomen, want als heerser over zijn kleine vazalkoninkrijkje rond Tiberias had hij er geen belang bij dat Judaea, ten zuiden van hem, tegen Rome in opstand kwam. Als de rebellie namelijk succesvol was, zou hij als collaborateur worden gezien omdat hij zijn positie aan Rome dankt, en daar zou hij dan ongetwijfeld de consequenties van moeten ondergaan. Als de opstand geen succes zou hebben, en dat is de enige aanvaardbare uitkomst, dan verliest hij vrijwel zeker een deel van zijn onafhankelijkheid omdat Rome haar greep op de streek zal verstevigen.'

Vespasianus bromde om te laten zien dat hij de logica van haar argument begreep.

'Maar,' ging Caenis verder, 'toen de opstand naar Galilea en naar Herodes' eigen koninkrijkje begon over te slaan, kwam de situatie opeens heel anders te liggen: hij werd zelf het slachtoffer van de opstand, omdat hij zich gedwongen zag te vluchten. Nu denkt hij te kunnen profiteren door onderdeel te worden van de oplossing van het probleem, en hoe groter het probleem, hoe groter de oplossing moet zijn.'

Vespasianus legde een hand op zijn voorhoofd. 'O, liefste, dat is zo ontzettend cynisch.'

'Hij is een cynisch man.'

Vespasianus kon daar alleen maar mee instemmen. 'Als de opstand eenmaal is neergeslagen, zal hij Nero aanbieden om Judaea in naam van Rome te regeren als een zoethoudertje voor de Joden, zodat die het gevoel hebben in ieder geval nog door een van hun eigen mensen te worden overheerst. Om het idee aantrekkelijk voor Nero te maken moet de opstand wijdverspreid en langdurig zijn, zodat het idee van een herhaling erg afschrikwekkend is uit financieel oogpunt, iets waar Nero heel gevoelig voor is. Herodes Agrippa komt dan naar voren als een verlosser, die voor Rome volkomen aanvaardbaar is omdat hij een Romeins burger is. Het draait uiteindelijk allemaal om Herodes' verlangen om zijn vaders koninkrijk terug te krijgen.'

'Juist. En dus bespeelt hij nu beide zijden: hij levert ons troepen om de opstandelingen aan te pakken en hij dringt er bij Josef op aan om tot de laatste man te vechten zodat de opstand zo lang mogelijk doorgaat.' Caenis keek weer naar Hormus. 'Staat er nog meer in de brief?'

'Eén zinnetje nog: "En vergeet niet dat als ons geluk op is, we altijd nog naar het oosten kunnen kijken." Dat is alles.'

'Naar het oosten kijken?' zei Vespasianus, onaangenaam getroffen door die woorden. 'Parthië? Hij wil toch niet proberen Parthië bij de opstand te betrekken? Daarmee ruilt hij alleen de ene meester voor de andere in, en vanuit een Joods standpunt zou Parthië de slechtste keus zijn, want dat betekent net zo lang oorlog in dit land tot Rome het heroverd heeft. We zullen nooit toestaan dat de Grote Koning weer toegang tot Mare Nostrum krijgt.'

Caenis schudde haar hoofd. 'Nee, liefste, ik geloof niet dat hij dat bedoelt; hij zou Vologases nooit om hulp vragen, want hij weet welke prijs hij dan moet betalen. Hormus, is er een andere manier om "geluk" uit het Aramees te vertalen?'

'Je zou geloof ik ook "fortuin" kunnen zeggen.'

'Kijk! Snap je het, Vespasianus? Hij heeft het over geld. Als ze meer geld nodig hebben, zullen ze naar het oosten kijken, maar niet helemaal naar Parthië, maar iets dichter bij huis. Wat ligt er tussen Judaea en Parthië?'

'Het koninkrijk van de Nabatese Arabieren,' antwoordde Vespasianus, nog niet overtuigd. 'Maar Malichus vecht voor ons en doet dat uitstekend, waarom zou hij de opstandelingen van geld voorzien?'

'Ik denk dat je dat maar aan hem moet vragen.'

De glimlach was breed en vol glanzende tanden, terwijl Malichus in zijn volle baard krabde. 'Generaal, u brengt me ernstig in verlegenheid.'

'Het spijt me dat te horen, Malichus,' zei Vespasianus, die over zijn schrijftafel leunde en de Nabatese koning streng aankeek. 'Misschien kunt u me uitleggen wat voor voordeel u probeerde te halen uit die ernstige verlegenheid die u me niet hebt gemeld?'

Malichus fronste met een gepijnigde uitdrukking en stak zijn handen in de lucht alsof het hem allemaal te veel werd. 'Generaal, ik was niet alleen op voordeel voor mezelf uit, dat moet u begrijpen, ik zocht ook voordeel voor u, mijn vriend.'

'U was bereid de opstandelingen financieel te helpen zodat ik ze beter kon bevechten, Malichus? Bedoelt u dat?'

'Als dat nodig is, natuurlijk. Ik ben een goede vriend.'

'Ik zie niet in hoe het geven van hulp aan mijn vijand u een goede vriend maakt.'

'Ik heb ze geen hulp gegeven – nog niet. Ik heb alleen met Herodes Agrippa afgesproken dat als hij een lening nodig heeft om de opstandelingen te financieren ik bereid ben hem die te verschaffen. Het lijkt me een heel heldere afspraak, die u aanzienlijk zal helpen.'

'Hoe?'

Malichus' grijns werd nog breder; hij leunde voorover en gaf een klopje op Vespasianus' hand. 'Beste vriend, u wilt toch niet dat de opstand voorbij is voor die goed en wel is begonnen? Jeruzalem is rijk, zo ontzettend rijk; ik kan het weten, want ik ben er geweest. We kennen allemaal de verhalen over de rijkdommen die de Joden oppotten voor hun god in zijn tempel. Denk aan wat Pompeius Magnus allemaal meenam toen hij er ruim honderd jaar geleden was. Honderd jaar! Denk aan alles wat er sindsdien weer is verzameld. Nee, als we de opstand laten doodbloeden voordat we Jeruzalem kunnen innemen, missen we de kans om buitengewoon rijke mannen te worden door de enorme oorlogsbuit die daar te halen valt. En u, beste vriend, zult de rijkste van ons allemaal zijn. En wat betekent een kleine lening aan Herodes, mocht hij die nodig hebben, in vergelijking met alle rijkdommen die we kunnen vergaren?'

Vespasianus leunde achterover in zijn stoel en probeerde Malichus' logica te doorgronden. 'Ik zie wat u bedoelt,' zei hij na enig nadenken. 'Maar de strijd rekken tot we Jeruzalem innemen zal veel Romeinen en Nabateeërs het leven kosten, om nog maar te zwijgen van de Joden.'

Malichus haalde zijn schouders op, alsof dat van weinig belang was. 'Als de opstand hier eindigt zullen er nog veel meer levens verloren gaan. Denkt u dat de Joden zich tam onder Romeins bewind zullen schikken, zelfs als Nero Herodes Agrippa gouverneur of vazalkoning maakt?' Zijn ogen sprankelden. 'Ja, ik weet welke motieven Herodes heeft en wat zijn strategie is, dat maakt het juist zo leuk om te doen alsof ik zijn vriend ben en stiekem tegen de Romeinen vecht, terwijl ik eigenlijk u rijk probeer te maken met het Joodse goud – en mezelf natuurlijk. Ik vertrouw erop dat u me de eer geeft om een deel van het tempelcomplex te plunderen.'

Vespasianus kon maar met moeite zijn gezicht in de plooi houden, hij kon elk moment in lachen uitbarsten. Er was geen speld tussen Malichus' logica te krijgen en hij kon alleen maar bewondering hebben voor het genadeloze streven naar rijkdom van de koning. 'Goed dan, Malichus, ik zal proberen je een aanzienlijk aandeel te geven in de rijkdommen van Jeruzalem, als we zo ver komen. Al denk ik persoonlijk dat als we ons werk hier en in nog een paar steden goed doen, de mensen van Jeruzalem door de bloedbaden die we aanrichten niet al te happig zullen zijn om de vernietiging van hun stad te riskeren.'

'Laten we daar niet op hopen, generaal. Het enige logische einde van dit alles is de complete verwoesting van Jeruzalem en de Joodse tempel, want anders gebeurt het weer en weer en weer.'

'Tja, we zullen zien. En wat Herodes Agrippa betreft wil ik dat u me op de hoogte houdt van alle contacten die u met hem hebt en ik wil het weten zodra hij om een lening vraagt, want ik wil er een veto over kunnen uitspreken als ik vind dat de omstandigheden niet geschikt zijn.'

Malichus knikte in zwijgende instemming.

'Intussen wil ik Herodes hierheen halen zonder dat hij weet of ik van zijn bedoelingen op de hoogte ben of niet. Het lijkt me erg bevredigend om hem in de buurt te hebben terwijl hij onzeker is van zijn positie; dat is beter dan enkel mijn besluit te herroepen door alsnog zijn verzoek in te willigen om zich bij zijn troepen te voegen, want dan heeft hij geen reden om zich zorgen te maken.'

'Dat ben ik helemaal met u eens, generaal,' zei Malichus, zijn stem overvloeiend van begrip. 'Mag ik een suggestie doen hoe we dat kunnen bereiken?'

'Ga uw gang.'

'Ik vermoed dat de twee boodschappers de identiteit van degene die ze gestuurd heeft niet zullen verraden, zelfs niet bij een intensieve ondervraging.'

'Daar zou u wel eens gelijk in kunnen hebben.'

'Laat ze daarom martelen, hak nog wat vingers af, misschien een hand van beiden, en zorg dan dat ze kunnen ontsnappen.'

Vespasianus kreeg steeds meer bewondering voor Malichus, want hij zag de schoonheid van het plan. 'Ze zullen teruggaan naar Herodes, die dan weet dat zijn boodschap is onderschept, maar hij zal denken dat ik niet weet wie die gestuurd heeft, want de twee gemartelde en verminkte boodschappers zullen beiden zweren dat ze niets hebben losgelaten.'

'Precies. Hij laat ze uiteraard ombrengen zodat ze hem niet in verlegenheid kunnen brengen, en dan zorgt hij dat hij hier komt om op grond van zijn ontvangst door u te beoordelen wat u precies van zijn plannen weet.'

'En daar, mijn beste Malichus, weet ik helemaal niets van.'

Malichus straalde, zijn gezicht glom van plezier. 'Hij zal zó opgelucht zijn.'

De klaaglijke roep van een uil, ergens boven hem, deed Vespasianus zich afvragen of het echt om een vogel ging of dat ze in het donker gezien waren. De maan was nog maar een kwart in zijn cyclus en liet zich maar af en toe zien, want de nachthemel was gevuld met snel bewegende wolken, voortgedreven door een warme bries die met elk uur verder aanwakkerde. Gekleed in een zwarte mantel hurkte hij naast een rots en keek naar de geul waar de optio zijn schaapjes had gevonden. Magnus zat naast hem, met Castor en Pollux liggend bij zich, het toonbeeld van goed gedresseerde dieren. Achter hen lagen de optio en zijn mannen plat op de grond. Ook zij droegen donkere mantels en hadden alle metalen uitrustingsstukken achtergelaten, op hun in een lap stof gewikkelde zwaarden na, om geluid en reflecties in het maanlicht te voorkomen.

Het was hun uiteraard verboden om te praten en terwijl ze wachtten tot er hopelijk een boodschapper naar of van de stad zou komen, gingen zijn gedachten terug naar de ondervraging van de twee mannen van Herodes. Hij moest toegeven dat ze buitengewoon dapper waren geweest, ze hadden messen en vuur doorstaan zonder Herodes of welke naam dan ook te verraden. Tijdens de drie uur die de marteling had geduurd hadden ze constant lopen mompelen. Hormus had hem verteld dat ze uit het heilige boek van de Joden hadden gereciteerd.

Pas toen een van de mannen stierf – een wijziging die Vespasianus in Malichus' plan had aangebracht om te zorgen dat Herodes zou begrijpen waarom de ondervraging was onderbroken – had Vespasianus bevel gegeven om de overlevende, die wel gewond was, maar nog kon lopen, naar de hospitaaltent te brengen, met de woorden dat zijn wonden niet geïnfecteerd mochten raken zodat hij de volgende dag verder ondervraagd kon worden. Een uur na het invallen van de duisternis was hij uit het hospitaal verdwenen. Vespasianus had van de centurio van de 'wacht' te horen gekregen dat hij zijn mannen in het Grieks bevel had gegeven om iets te eten te halen voor de gevangene, die toch te gewond was om op te staan. Daarop was hij het kamp uit geglipt, verkleed als een oude man, waarbij zijn wonden ervoor zorgden dat hij vanzelf gebogen en mank liep. Vespasianus berekende dat hij over tien dagen de komst van Herodes Agrippa kon verwachten.

Een kneepje van Magnus bracht Vespasianus terug in de werkelijkheid. Zijn ogen volgden Magnus' vinger, die richting de donkere massa van Jotapata's steile heuvel wees. Hij tuurde in de duisternis en na enkele ogenblikken zag hij de vage vlek van een iets lichtere schaduw langzaam langs de helling afdalen. Vespasianus draaide zich om naar de optio en gaf hem een teken dat hij en zijn mannen klaar moesten zijn voor een snelle actie.

Wat los steenslag dat naar beneden gleed bevestigde de komst van een boodschapper. Magnus klemde zijn hand rond Castors snuit toen er een grom in de keel van de hond begon op te wellen bij het horen van vallende stenen. Gehoorzaam aan zijn meesters wens hield het dier zich in.

Vespasianus' hart ging sneller kloppen en hij hield zijn adem in, de figuur bleef even stilstaan, alsof hij aandachtig naar de nacht om hem heen luisterde. Niemand bewoog zich. Zelfs de honden leken de spanning te voelen en verstijfden.

Na een tiental hartslagen zette de man zijn afdaling voort, meer vallende steentjes kondigden zijn komst aan. Toen hij bijna beneden was, bleef hij weer staan om te luisteren. Overtuigd dat er niemand was hief hij zijn hoofd op en bootste zachtjes de roep van een uil na, waarna hij op handen en voeten ging en een schapenvacht over zich heen trok. Vervolgens begon hij langzaam door de geul te kruipen, richting Vespasianus. Voorzichtig sloop hij verder tot hij direct onder de Romeinen was gekomen, op nog geen vijftien voet afstand. In het donker viel hij makkelijk voor een schaap aan te zien voor wie niet beter wist. Vespasianus hief zijn hand op en schudde zijn hoofd, want hij vermoedde vanwege het signaal dat er een tweede man aan kwam, die zeker zou omkeren als hij beneden een geluid hoorde.

Hij liet de eerste man voorbijkruipen en staarde in de duisternis, in de verwachting dat zijn vermoeden juist was. Net toen hij de hoop begon op te geven en wilde bevelen om achter de boodschapper aan te gaan, die inmiddels in het donker was verdwenen, bevestigde het geratel van vallende steentjes dat zijn vermoeden juist was geweest. Hij wees op de honden en vervolgens in de nacht richting de eerste man, Magnus begreep het. Juist voor een dergelijke situatie hadden ze het risico genomen om Castor en Pollux mee te nemen. Vespasianus zou in alle stilte de tweede man pakken, terwijl de honden achter de eerste aan zouden gaan, inmiddels een flink stuk van de geul. Als ze boven op de muren van Jotapata de honden zouden horen, zou Josef vermoeden dat een van zijn mannen op de open vlakte was gepakt, maar omdat het zo ver van de geul gebeurde, zou hij denken dat de route nog veilig was.

Met een plotselinge sprong stortte Vespasianus zich in de geul toen de tweede man direct onder hem was. De optio en diens mannen volgden hem, terwijl Magnus de honden op het spoor van de eerste man stuurde.

Op handen en voeten kruipend had de tweede man geen enkele kans om te vluchten toen Vespasianus op hem landde en hem tegen de grond drukte. Met een paar vuistslagen in het gezicht maakte hij een einde aan het verzet van de man, waarna de optio en zijn mannen hem vastbonden en een prop in zijn mond duwden. Uit het donker klonk intussen het geluid van opgewonden honden en menselijke angst.

Snel werkend doorzocht Vespasianus de kleren van de boodschapper en algauw vond hij een brief die onder de riem van de man was gestoken.

Nog steeds zo stil mogelijk blijvend gaf Vespasianus een teken dat een stel legionairs de boodschapper moest afvoeren en vervolgens gaf hij de optio en de rest van de soldaten opdracht achter Magnus en zijn honden aan te gaan.

'Er is niet veel van hem over, ben ik bang,' fluisterde Magnus toen Vespasianus bij hem kwam.

'Dat had ik ook niet verwacht,' zei Vespasianus, die met een voet tegen het gehavende en bloederige lijk duwde, terwijl hij het geluid van Castor en Pollux probeerde te negeren die zich tegoed deden aan een lekkernij die ze van het slachtoffer hadden gescheurd. 'Had hij iets bij zich?'

'Alleen dit.' Magnus overhandigde hem een brief vergelijkbaar met de brief die hij al had.

'Onder zijn riem?'

'Inderdaad.'

'Kom, we gaan terug. Ik ben nieuwsgierig met wie onze vriend Josef schrijft.'

'"Aan Johanan ben Levi, gegroet,"' vertaalde Hormus de Aramese tekst.

Vespasianus sprong woedend op. 'Die gladde klootzak, waar is hij? Zei de boodschapper waar hij naartoe ging?'

Titus schudde zijn hoofd. 'Ik ben bang dat de boodschapper stierf toen hij stevig aan de tand werd gevoeld, hij heeft niets gezegd. Mijn spionnen hebben ook nog geen spoor van hem gevonden.'

'Ik begin zo langzamerhand mijn vertrouwen in ze te verliezen, ook al heb ik dat nooit echt gehad. Ga verder, Hormus.'

'Dus Josef vraagt Johanan om met zijn medestanders de macht van de priesters in Jeruzalem over te nemen,' vatte Vespasianus de brief samen nadat Hormus klaar was. 'Als dat gebeurt is er geen enkele kans meer op onderhandelingen en een overeenkomst.'

Caenis fronste en verzonk even in gedachten. 'Misschien, maar het zal volgens mij ook tot een burgeroorlog tussen de facties leiden, en dat speelt ons alleen maar in de kaart.'

'Je bedoelt dat ze ons werk voor ons doen? Tja, dat is zo.'

Titus wapperde een rooksliert afkomstig van een van de olielampjes weg. 'Het is veel ingewikkelder dan dat, mocht het gebeuren. Er zijn zoveel verschillende facties en ze haten elkaar allemaal; het is een wonder dat er niet allang een burgeroorlog in Jeruzalem is. Zo commandeerde Eleazor ben Shimon het Joodse leger dat de Twaalfde bij Ben Horon heeft toegetakeld. Hij is ook een zeloot, maar Johanan kan Eleazor niet uitstaan omdat hij door het verslaan van een legioen als de grote held wordt beschouwd, en Eleazor kan Johanan niet uitstaan omdat die hem niet als een held behandelt. Als Johanans factie van de zeloten de macht grijpt, kun je er zeker van zijn dat Eleazor hem zal bestrijden.'

'Tja, misschien moeten we ze daarbij een handje helpen. Is er een manier om deze brief bij Johanan te krijgen zonder dat hij vermoedt dat wij de inhoud kennen?'

Titus nam de brief van Hormus over. 'Laat maar aan mij over.'

Vespasianus wendde zich weer tot Hormus. 'Aan wie is de tweede brief gericht?'

Hormus wierp een blik op de rol. 'Ananus, de hoofdpriester in Jeruzalem.'

'Wat staat erin?'

'"U had me gevraagd om het een week vol te houden zodat u tijd had om een ontzettingsmacht te organiseren, sindsdien zijn er al tweeëntwintig dagen verstreken."'

Vespasianus stak zijn hand op om Hormus te onderbreken. 'Een week?'

'Zeven dagen,' zei Titus. 'Anders dan bij onze marktcyclus van negen dagen duurt een week bij hen zeven dagen: de zes dagen van arbeid plus de sabbat op de zevende.'

'Dus de autoriteiten in Jeruzalem hebben Josef verzocht om het zeven dagen uit te houden toen de belegering begon en hij Jotapata binnenglipte. Dan is hij al vijftien dagen een teleurgesteld man.' Hij gaf zijn vrijgelatene een teken om verder te gaan.

'"Wij hebben ons aan ons deel van de afspraak gehouden, wanneer komt u uw deel na? We hebben de zeven dagen waar u om vroeg standgehouden en we zullen het nog veertig dagen volhouden, maar ik waarschuw u: Jotapata zal op de zevenenveertigste dag vallen; ik heb het gezien. En met Jotapata valt Galilea en als Galilea weg is, valt Transjordanië ook en dan is het een kwestie van tijd voor er een Romeins leger voor de poorten van Jeruzalem verschijnt. Hoe lang zal de Heer u dan nog beschermen? Onthoud: de zevenenveertigste dag, daarna zal Judaea verloren zijn en de schuld zal op uw schouders drukken omdat u zich niet aan uw woord hebt gehouden om Jotapata te komen ontzetten."'

Vespasianus wreef over zijn kin toen Hormus de brief neerlegde. 'De Zevenenveertigste dag, hè? Dat is nog vierentwintig dagen van nu. Dat kunnen we niet toestaan – dat zou andere steden maar inspireren. Titus, je kunt maar beter opschieten met je stormram.'

HOOFDSTUK V

Het was een machtige oorlogsmachine: magnifiek van formaat en ontzagwekkend in haar kracht. Vespasianus voelde dat het einde van het beleg in zicht was. De Bruut, zoals de stormram liefkozend werd genoemd, hobbelde met rommelend geluid naar voren. Hij hing met een web van touwen in een raamwerk van stevige balken en werd beschermd met een dak van druipende, doornatte huiden. De Bruut bood een angstaanjagende aanblik met zijn gepolijste ijzeren ramskop blinkend in de zon; zijn schoonheid verhulde zijn vermogen tot verwoesting.

Maar Vespasianus wist dat het nog niet makkelijk zou zijn om het ding aan het werk te zetten. Als hij in de schoenen van Josef stond zou hij het gebied tussen de Romeinse wal en de muur niet zonder strijd prijsgeven, want daar, in het open veld, lag de mogelijkheid om de Bruut in brand te steken – al was die kans miniem. Twee centuriën, aan elke kant een, duwden het enorme gevaarte op zijn vele wielen door de doorgang die in de wal was gemaakt. Achter hen kwam het volledige legioen van Titus ter ondersteuning. Ook de twee belegeringstorens werden meegesleept, die door hun extra hoogte vervaarlijk wankelden op het oneffen terrein.

Het was naar Vespasianus hoopte de laatste fase in de alsmaar uitblijvende val van Jotapata, die nu al bijna anderhalve maand op zich liet wachten. Na de ontdekking van de geul en de list met schapenvachten was de stad met de dag zwakker geworden, want de Joden hadden niet alleen boodschappen door de Romeinse linies gestuurd, maar ook broodnodige voorraden in de vorm van vaten water en gezouten rundvlees. De 'schapen' hadden ze door de geul gerold en vervolgens werden ze op de muur gehesen met kranen, die naar Vespasianus vermoedde goed ingevette katrollen hadden, want ze werkten geluidloos. In de eerste twee nachten na de ontdekking hadden de Romeinen zeker een tiental mannen opgepakt die met boodschappen naar buiten kwamen of met levensmiddelen naar binnen wilden. In de derde nacht droogde de stroom op omdat Josef doorhad dat zijn koerierssysteem was ontdekt. Maar voor het zover was waren er nog vijf boodschappen onderschept en Vespasianus vroeg zich af hoeveel er in totaal waren geweest, en of de brieven die zijn mannen hadden onderschept kopieën of originelen waren. Hij vermoedde echter dat het om kopieën ging. Er was een brief aan Eleazor ben Shimon waarin hij hem opriep zich met Johanan te verzoenen en om samen de conservatieve priesters aan te pakken; en er was er een aan Johanan waarin hij hem vroeg hetzelfde met Eleazor te doen; en er waren brieven aan de Joden van Alexandria, Antiochië en, verontrustender, aan de vijftigduizend Joden van Rome, waarin hij hun smeekte de zijde van hun neven in het oosten te kiezen en Rome het hoofd te bieden. Vespasianus schreef onmiddellijk aan alle betrokken gouverneurs – zijn oude vriend Tiberius Alexander, de prefect van Egypte, en Mucianus in Syria, en aan zijn broer Sabinus als prefect van Rome – met het advies om snel en hardhandig op te treden tegen elk teken van onvrede en om een paar zondebokken te kruisigen om een voorbeeld voor de rest te stellen. Dat was nu bijna een halve maan geleden en hij had nog geen antwoorden gekregen en wist dus niet of de Joodse opstand zich tot buiten Judaea en Galilea had verspreid.

Maar die zorg zette hij even opzij, want hij keek nu toe terwijl Jotapata's ondergang eindelijk de muren naderde. Eindelijk. Het had lang geduurd, veel langer dan hij had gehoopt. De vier dagen die volgens Titus nodig waren om de stormram gereed te maken waren er twaalf geworden vanwege de zelfmoordmissies van de Joden. Die beseften dat ze niets te verliezen hadden met uitvallen om de bouw van de stormram te vertragen, want als die eenmaal klaar was, was hun doodvonnis hoe dan ook getekend. Het maakte niet veel uit of ze nu stierven bij een poging het ding in brand te steken of als gevolg van de bres die hij zou slaan, waarna de legionairs zouden binnenstromen. En zo organiseerden ze nacht na nacht steeds gewaagdere aanvallen op de werkplaatsen van de timmerlieden en smeden die bezig waren de behuizing te voltooien. Er vielen veel doden bij, voornamelijk Joden.

Vespasianus verwonderde zich over de zinloosheid van de pogingen, Josefs mannen offerden hun leven op voor een verloren zaak en toch waren ze massaal bereid het te doen. Het was waanzin; alsof het hele ras een wederzijds verbond tot zelfvernietiging had gesloten in een poging om hun vreemde god zover te krijgen dat hij zijn bestaan bewees door ze van zichzelf te redden. Vespasianus van zijn kant zou er alles aan doen om dit weerspannige volk in de vergetelheid te laten belanden.

Toen de poort van Jotapata openging voor de verwachte Joodse uitval, voelde Vespasianus een golf van kwaadaardige vreugde door zich heen gaan omdat er weer een stel van die fanatici zou sterven. 'Goden beneden, ik hoop dat ze elke man die ze hebben nu naar buiten sturen. Dan zal de stormram overbodig zijn omdat we al die klootzakken hier voor de poort kunnen afslachten.'

Titus, gezeten op een paard naast hem, leek er minder in te geloven. 'Dat zou mooi zijn, vader, maar Josef kennende, en we hebben hem de afgelopen anderhalve maand leren kennen, kan ik u garanderen dat hij er niet meer dan vijfhonderd van die fanatici op uitstuurt, bewapend met toortsen en pek en misschien wat nafta – als ze dat hebben, al betwijfel ik het – om te proberen De Bruut in brand te steken, waarbij ze zullen sterven in een mislukte missie.'

Vespasianus zuchtte. 'Ik ben bang dat je gelijk hebt en dus zijn we verplicht om een paar uur tegen de muur te beuken terwijl ze alle mogelijke rommel op ons gooien.'

Met berusting erkenden vader en zoon de waarheid van die woorden en zagen enkele honderden Joodse fanatici, allemaal met een fakkel, de poort uit zwermen en rechtstreeks op de stormram af rennen om hun leven te vergooien in een onhaalbare missie.

En ze stierven bij bosjes, velen nog voor ze vijftig passen buiten de poort waren, want Malichus' Arabische boogschutters en de Syrische hulptroepen lieten de ene zwerm pijlen na de andere vertrekken, terwijl de artillerie van het legioen over hun hoofden projectielen liet neerdalen op de massa mannen, die naar elkaar schreeuwden om elkaar op te jutten om zich op De Bruut te storten. De een na de ander ging neer en Vespasianus' gevoel van kwaadaardige vreugde ging langzaam over in verveelde berusting over de zinloosheid van dit alles. Strijd kon, dat wist hij, glorieus zijn – angstaanjagend maar glorieus – maar wat hij hier zag was niets anders dan stupiditeit, zinloze stupiditeit. Als hij nog langer moest toekijken terwijl die fanatici hun leven gaven voor een gedoemde zaak, dan zou hij... tja, wat kon hij nog meer doen? Hij doodde ze hoe dan ook. En dus zat hij daar en keek toe terwijl de groep steeds verder uitgedund werd naarmate ze het doel naderden. Er waren er nog een paar honderd over toen ze de cohort bereikten die de stormram beschermde. Ze wierpen zich in de zwaarden van de vijand bij hun poging de toortsen over de hoofden van de legionairs naar de stormram te gooien. Het lukte geen van hen. De stormram ging meedogenloos verder, de zware, solide wielen verpletterden de slappe lichamen van de dode en gewonde Joden. Vespasianus' bitterheid over Josefs onverschilligheid over de levens van zijn mannen brandde zuur in zijn keel. Hij hoopte dat als er één man in de stad het zou overleven, het de Joodse leider zou zijn zodat hij het genoegen kon smaken hem aan het kruis te nagelen.

Toen de ram binnen bereik van de Joodse boogschutters kwam, vlogen salvo's brandende pijlen de stad uit. Ze lieten een spoor van grijze rook tegen de heldere lucht achter en kwamen met het gekletter van hagel op het dak van natte huiden, waar de vlammen sissend doofden terwijl De Bruut oprukte.

'Ik kan me maar beter bij mijn legioen voegen, vader, we zijn er bijna.'

Vespasianus knikte, hij probeerde de angst voor zijn zoons veiligheid weg te drukken. 'Pas op en vergeet niet om de torens pas tegen de muren te zetten als er een flinke bres in de muur is geslagen. Als we op drie plekken de stad in kunnen, hebben we ze eindelijk te pakken.'

Eindelijk, weer dat woord, dacht Vespasianus, terwijl hij Titus zag weg galopperen. De projectielen van de ballista's suisden door de lucht en veegden de muur van Jotapata schoon, maar ze konden niets uitrichten tegen de constante stroom brandende pijlen, die nu minder precies vlogen omdat ze vanuit dekking werden afgeschoten. Eindelijk. Maar was dat echt zo? Natuurlijk was dat zo: vele steden hadden hun poorten voor Rome gesloten, dat had Trajanus in zijn berichten over de afgelopen maand verteld. Terwijl Vespasianus nog steeds opgehouden werd voor de muren van Jotapata was Trajanus door het zuiden van Galilea gemarcheerd, van stad naar stad. Hij had ze aangevallen en tot overgave gedwongen, met veel meer enthousiasme dan

Vespasianus lief was. Nazareth en Tarichaea hadden het meeste verzet geboden, maar hun bevolking was nu dood of als slaven afgevoerd; zesduizend waren er naar Corinthus gestuurd, waar Nero opdracht had gegeven een kanaal te graven door de landengte om het scheepvaartverkeer in de Griekse wateren te versnellen.

Maar ongeacht de verschillen in succes tussen Vespasianus en Trajanus, was één ding zeker: de opstand greep om zich heen, aangewakkerd door het succes van Jotapata, dat zo lang standhield. Dit 'eindelijk' was voor Vespasianus daarmee slechts het eerste van wat vele 'eindelijks' moesten zijn, want het was nu wel duidelijk dat hij voor elke pas richting Jeruzalem moest vechten.

Met Trajanus' successen in het zuiden lag de weg naar Tiberias open, maar met een gevoel dat dicht bij misselijkheid kwam vreesde Vespasianus een mogelijke herhaling van de recente pogingen. Het leek veel meer dan twee maanden geleden dat hij voor de stad Gabara stond en besloot de opstand snel neer te slaan. Intussen naderde De Bruut de muur en Titus, wiens rode mantel nog zichtbaar was ondanks het opwervelende stof en de dalende rook, voegde zich bij zijn mannen om het commando op zich te nemen, maar Vespasianus lette niet op, hij telde de dagen sinds Gabara. Hij kwam op vijftig dagen uit. Vervolgens trok hij er de dagen tussen die overwinning en de aankomst bij Jotapata van af en fronste toen hij besefte dat het antwoord zesenveertig was.

Dit was de zesenveertigste dag van de belegering.

Veertig dagen aan voorraden, dat was wat de gevangene hun had verteld toen ze er net waren, maar mannen konden ook zonder eten doorvechten, in ieder geval een tijdje, er was dus geen reden om aan te nemen dat de stad onmiddellijk zou vallen nadat de laatste schepel graan was verbruikt. Nee, Josef zelf had in zijn brief aan Jeruzalem voorspeld dat de stad op de zevenenveertigste dag zou vallen en hij had er met nadruk op gewezen dat de hoofdpriester zijn woorden zorgvuldig moest onthouden. Toen hij die woorden las had Vespasianus er verder geen belang aan gehecht. Pas nu dacht hij er weer aan. Zevenenveertig dagen? Ben ik gedoemd om ook vandaag weer te falen, vroeg Vespasianus zich af, en zal ik morgen triomferen? En hield dat in dat Josef het van het begin af aan zo had uitgedacht dat de stad op de zevenenveertigste dag zou vallen in de hoop dat Vespasianus meer clementie zou betonen mocht hij overleven? Maar nee, dat kon het niet zijn, want Josef wist niet dat Vespasianus diens voorspelling had gelezen, en bovendien was het puur toeval dat De Bruut na veel vertraging op de zesenveertigste dag eindelijk klaar was. Had Josef dus echt in de toekomst gekeken en gezien dat de stad op de zevenenveertigste dag zou vallen? Was hij echt helderziend? Maar als dat zo was, waarom was hij dan naar de stad gekomen als hij al wist dat die verloren was? Hoofdschuddend duwde Vespasianus deze gedachten weg en richtte zijn ogen op de gebeurtenissen die zich ontvouwden op de zesenveertigste dag van het beleg van Jotapata.

Het lage gerommel van de cornua rees op van het slagveld en overstemde de voetstappen van een legioen dat in de pas marcheerde, constant en zonder haast, ondanks de regen van pijlen die neerkletterde op de geheven schilden. Er klonken geen oorlogskreten uit de kelen van de Vijftiende Apollinaris, wat de opmars alleen maar dreigender maakte, want de soldaten hoefden hun vastberadenheid niet te versterken met vertoon van krijgslust.

En zo hobbelde De Bruut voort over het slagveld tussen de wal en de muur, maar afgezien van een enkele ongelukkige legionair lagen er verder alleen Joodse lijken in zijn spoor. Met een nieuwe barrage van stenen en projectielen die de artilleriebemanningen op het stuk muur direct boven De Bruut mikten kwam de stormram bij zijn bestemming. Titus' opvallende mantel was in en rond de centuriën te zien die de enorme machine bemanden en zijn commando's en die van de centuriones en optiones rolden over het nog altijd zwijgende legioen, dat aan beide zijden van de stormram tot stilstand was gekomen. De enorme boomstam, veilig onder het overstekende dak, werd langzaam naar achteren getrokken. De mannen zweetten en hun spieren zwollen op in hun inspanning om de ram, dreigend in zijn harnas hangend, zo ver mogelijk naar achteren te krijgen. En toen, met de eerste collectieve schreeuw die uit de Romeinse kelen kwam na Titus' doordringende bevel, zwaaiden ze De Bruut naar voren. De reusachtige boomstam won aan vaart, de glanzende, bolle ramskop vooraan, hij bereikte het laagste punt, waar de touwen van het harnas even in verticale positie kwamen en de snelheid van de ram haar hoogtepunt bereikte, waarna hij doorzwaaide en met overweldigende kracht tegen de muur van Jotapata dreunde. De aarde beefde door de hevigheid van de klap, alsof Vulcanus in eigen persoon met zijn hamer op de steen had gebeukt; het geluid weerkaatste tegen de heuvels en brokstukken steen vlogen in het rond. Het raamwerk waarin het enorme belegeringswerktuig hing kraakte en sprong terug, waardoor diverse bemanningsleden tegen de houten vloer kwakten. De Bruut stuiterde naar achteren, de touwen tot het uiterste gespannen door de enorme kracht die ze moesten opvangen, en bereikte een lager punt dan de eerst keer en zwaaide vervolgens weer naar voren. Met een volgende donderende klap vrat de ramskop in een nieuwe regen van stukken afgebroken steen zich vuistdiep in de oude muur van Jotapata. Maar de muur was tien voet dik en De Bruut zou nog heel wat keren moeten toeslaan voordat de stenen constructie zo verzwakt zou zijn dat ze ging instorten.

De behuizing werd weer naar voren tegen de muur geduwd om het wapen zijn maximale kracht te laten behouden. De officieren brulden om de mannen weer aan te zetten en die grepen de vele lussen van De Bruut beet en brachten de enorme boomstam tot rust totdat ze hem op Titus' bevel weer zo ver mogelijk naar achteren trokken om de kop weer in Jotapata's muur te rammen.

'U maakt vorderingen, generaal, een waar genot om te zien dat het u gaat lukken.' De stem achter hem vloeide over van kruiperigheid op een toon die meer bij een leugen dan de waarheid paste.

Vespasianus draaide zich niet om. 'Ik dacht dat ik het u verboden had om hier te komen en uw mannen op het slagveld te leiden, Herodes Agrippa.' Hij zweeg even, omdat er een volgende donderende klap volgde afkomstig uit het middelpunt van de oorlogshandelingen. 'Ik had eigenlijk de indruk dat u zich liever schuilhield in uw tijdelijke verstopplaats dan dat u in de buurt kwam van het leger dat u gestuurd hebt om mij te helpen.' De tweede, minder harde klap klonk op. 'Het is tenslotte al meer dan veertig dagen geleden dat ik u schreef dat u geen toestemming krijgt om hier uw mannen te leiden. Bij gebrek aan een volgend verzoek had ik het idee dat u vond dat u genoeg had gedaan om uw eer te redden en verder legitiem op veilige afstand van de strijd kon blijven.'

'Mijn beste Vespasianus,' zei Herodes toen zijn overdekte draagstoel naast de generaal werd gebracht. 'In normale omstandigheden zou ik nooit een bevel van u negeren. Dat zou namelijk gelijkstaan aan het negeren van een bevel van de keizer zelf, aangezien u hier zijn vertegenwoordiger bent.'

'Maar in dit geval hebt u dat wel gedaan.' Vespasianus keek opzij en glimlachte met overdreven warmte naar de vazalkoning. 'En waarom nu? Had u anderhalve maand nodig om in te pakken?'

Herodes glimlachte met even grote onoprechtheid. Zijn donkere ogen aan weerszijden van zijn haakneus, de erfenis van zijn vader, verraadden een zekere zorgelijkheid, tot genoegen van Vespasianus. Hij gebaarde naar het slagveld. 'Er moet heel wat georganiseerd worden voordat men aan een onderneming als deze kan deelnemen.'

Vespasianus had geen zin om de man verder te stangen, omdat de gebeurtenissen op het slagveld veel interessanter waren. De Bruut beukte weer tegen solide steen en de artillerie bleef de muur erboven bestoken, zodat niemand zich daar durfde te vertonen om projectielen en vuur op de oorlogsmachine te laten regenen.

'Ik hoop dat ik u in goede gezondheid aantref, generaal,' zei Herodes na een tijdje toen duidelijk was dat Vespasianus weinig ging bijdragen aan de conversatie.

'Dat doet u,' antwoordde Vespasianus, die bewust niet naar Herodes' gezondheid informeerde.

'Dat is goed om te horen.' Herodes schraapte zijn keel, alsof hij een aanzet gaf voor een moeilijke vraag, en schikte zijn losse, schitterend geweven witte gewaden over zijn slanke lichaam zodat zijn figuur op zijn voordeligst uitkwam. 'En uw zoon Titus is naar ik hoop ook in goede gezondheid?'

'Ja, in zoverre dat mogelijk is voor een man die aan de voet van de muur van een belegerde stad staat terwijl hij een felrode mantel draagt.'

Herodes liet een hooghartig lachje horen en onderdrukte dat door snel zijn keel opnieuw te schrapen. 'Goed. Ik zal uw tijd niet langer in beslag nemen, generaal. Ik ga naar het kamp en roep mijn officieren bijeen om me op de hoogte van de situatie te laten stellen.'

'Doe dat, Herodes.'

'Juist. Misschien wilt u me het genoegen doen om vanavond bij mijn tafel aan te schuiven?'

'Deze avond ben ik van plan om met mijn mannen feest te vieren in Jotapata. Wilt u niet liever met ons meedoen?'

Herodes' gezichtsuitdrukking bleef neutraal. 'Het zal me een waar genoegen zijn, op voorwaarde natuurlijk dat u er voor etenstijd in geslaagd bent de stad in te nemen. Mijn gezondheid laat het niet toe om mijn maaltijden uit te stellen. Maar mag ik u nog iets vragen voor ik ga?'

Vespasianus trok een vragend gezicht in afwachting van de vraag waarvan hij wist dat die zou komen. 'Ga uw gang.'

'Ik vroeg me af of er onlangs nog gevangenen zijn gemaakt; ik dacht dat het nuttig zou kunnen zijn als ik ze ondervroeg, aangezien ik weet hoe ze denken en ze daardoor subtiel aan de tand kan voelen.'

En ontdekken of ze iets weten van zijn contacten met Josef, dacht Vespasianus, inwendig glimlachend, terwijl de volgende machtige dreun van De Bruut door de heuvels echode. 'Er zijn er een paar, Herodes, ze werden gepakt toen ze verkleed als schaap door een geul de stad in en uit slopen. Maar ik denk niet dat we uw vriendelijke aanbod hoeven te aanvaarden, want ik geloof dat we alles uit ze hebben gekregen wat eruit te halen valt. U weet hoe overtuigend we kunnen zijn.'

'Maar generaal, u weet hoe standvastig een Jood kan zijn.'

Vespasianus deed alsof hij hier even over nadacht. 'Ik veronderstel dat u gelijk kunt hebben, Herodes; een paar dagen geleden hebben we er twee gepakt die erg onwillig waren om te praten. De ene nam zelfs de moeite om te sterven in plaats van iets interessants te onthullen, bijvoorbeeld wie hem gestuurd had.'

Herodes hapte in het aas dat Vespasianus hem voorhield. 'Ziet u nu wel, generaal. Geef me de ander en ik krijg binnen de kortste keren alles wat hij weet uit hem voordat hij sterft.'

'Als dat mogelijk was zou ik het doen, Herodes,' zei Vespasianus met een stem waarin spijt doorklonk, 'maar helaas is hij ontsnapt.'

'Ontsnapt! Hoe is dat mogelijk?'

Vespasianus zweeg even terwijl De Bruut weer een machtige dreun tegen de muur van Jotapata gaf. 'Heel simpel: ik liet hem ontsnappen.' Hij vermeed zorgvuldig om naar Herodes te kijken, maar hij voelde dat de vazalkoning een bezorgde blik op hem wierp.

'Waarom hebt u dat gedaan?'

'Om te zien naar wie hij zou vluchten.'

'En?'

'En de idioten die hem hadden moeten volgen raakten zijn spoor kwijt. Ik heb de optio die de leiding had gedegradeerd tot gewoon legionair.' Vespasianus voelde Herodes' opluchting toen die uitademde. 'De gevangene wist ze even ten noorden vanhier af te schudden, dus we nemen aan dat zijn meester ergens die richting op zit.' Vespasianus wendde zich tot Herodes met een uitdrukking van verbaasde onschuld. 'U woont die kant op, Herodes, hebt u enig idee wie er in dat gebied in contact staat met de opstandelingen?'

'Och,' sputterde Herodes, terwijl het geluid van de volgende klap van De Bruut donderend weerklonk. 'Er zijn diverse mogelijkheden. Ik heb gehoord dat de Joden van Damascus onrustig worden omdat Malichus de belastingen die ze hem moeten betalen blijft verhogen. Het zou zelfs Malichus zelf kunnen zijn.'

'Malichus is hier, met zijn leger, en anders dan u is hij hier al sinds het begin, want ik beschouw hem als een nuttig man om aan mijn zijde te hebben. Interessant genoeg zei hij dat u het wel eens zou kunnen zijn.'

'Ik? Waarom zou ik met Josef in contact willen staan?'

'Josef? Wie zegt dat de boodschap voor Josef was? Ik in ieder geval niet.'

'Tja, daar ging ik van uit, aangezien hij de leider van de opstandelingen is.'

'Daar hebt u een punt, al had het bericht evengoed aan de stadsoudsten of de rabbijnen gericht kunnen zijn. Maar hoe dan ook, ik heb Malichus verteld dat hij zijn oordeel niet moet laten beïnvloeden door zijn vooroordelen en antipathie tegen u. Tenslotte hebben u en uw zuster geprobeerd de opstand tegen te houden toen die begon. Ik denk dat hij wel aanvaardt dat u Rome nooit zou verraden.'

'Zeker. Wat stond er in die brief?'

'Hij is afkomstig van een man die zichzelf "de Meester van de Gezalfde" noemt, hij was er erg op gespitst dat Josef stand zou houden, ondanks wat een familielid had gezegd. Verder stond er dat de opstandelingen altijd nog naar Parthië konden kijken voor hulp.'

'Parthië?'

'Letterlijk stond er iets van "kijk naar het oosten". Hoe dan ook, het is verraad en ik denk dat de keizer de kloten wil van degene die de brief heeft geschreven.' Vespasianus keek Herodes bezorgd aan. 'Ik vertrouw erop dat u uw gedachten laat gaan over wie het kan zijn, toch, Herodes? "De Meester van de Gezalfde" klinkt mij Joods in de oren.'

'Ik zal mijn netwerk van spionnen direct naar de zaak laten kijken. Alles om Rome te helpen, generaal.'

Eerder alles om jezelf te helpen, was de onuitgesproken gedachte van Vespasianus. 'En vraag het uw zuster Berenice, ze lijkt goed op de hoogte van de regionale politiek.'

'U kunt het haar zelf vragen, generaal; ze is op weg hierheen. Al kan ze als vrouw natuurlijk niet in hetzelfde tempo reizen als wij, omdat ze al die bepakking mee heeft.'

'Inderdaad, Herodes. Ik ben nog altijd verbaasd over de snelheid waarmee u bent gekomen. Als u me nu wilt excuseren, ik moet nog een stad veroveren.'

De aarde beefde opnieuw toen De Bruut de muren van Jotapata met donderend geweld aanviel; het geluid rolde over de velden en echode tegen de heuvels. Van de onlangs opgehoogde muren werden nu branddende substanties uitgegoten op de met water doordrenkte huiden die het dak van het apparaat vormden. Hier en daar begonnen ze te smeulen, maar het meeste spul stroomde van het schuine dak en richtte weinig schade aan de mannen onder het dak aan. Vespasianus reed er met zijn staf in zijn kielzog naartoe, evenzeer om van Herodes' gezelschap af te komen als om dichter bij de bres te zijn zodra die geslagen was.

Maar de verdedigers waren niet van plan om De Bruut zomaar hun stad te laten openleggen, en ondanks de continue regen projectielen die de bovenkant van de muur geselde wisten ze een constructie te laten zakken om de overweldigende kracht van de stormram te breken. Het was een elegante oplossing, dat moest Vespasianus toegeven, toen hij besefte dat de enorme bundel die Josefs mannen aan twee kettingen lieten zakken niets anders was dan een reusachtig kussen, zo groot als vier man die naast elkaar stonden. Met een man die zijn leven riskeerde door over de muur gebogen naar beneden te kijken om aanwijzingen te kunnen roepen naar de ploegen die de kettingen bemanden, zakte het kussen. Snel achter elkaar werden drie man die zo instructies gaven uitgeschakeld, hun schedel verpletterd door diverse voltreffers van de boogschutters en artillerie, die al hun inspanningen op hen richtten. Maar steeds als een man viel met een schreeuw van pijn en rondspattend bloed, kwam een andere man tevoorschijn om de opengevallen plaats in te nemen en onmisbare aanwijzingen naar zijn kameraden achter de muur te roepen. De Bruut zwaaide weer naar voren voor de volgende klap en op dat moment schreeuwde de laatste observator vlak voordat twee pijlen hem raakten een bevel en zakte het kussen tussen de muur en de ramskop, die in de massa dekens en stro verdween. Dit keer voltooide de ram geluidloos zijn baan, de stoot opgevangen door het kussen, terwijl de muur geen verdere schade opliep. De Bruut stuiterde nu niet terug maar bleef bewegingsloos hangen, de kop diep in het kussen gestoken.

'Snij hem los!' brulde Titus toen iedereen werkeloos bleef toekijken, verbaasd over de effectiviteit van zo'n eenvoudige constructie.

Een moment later kwamen de centuriones die de legionairs aan weerszijden van De Bruut commandeerden weer bij zinnen en blaften bevelen naar de mannen om hen heen. Die renden met getrokken zwaard naar voren om in te hakken op het ding dat de machtige oorlogsmachine zo makkelijk had tegengehouden. Maar het kussen hing aan kettingen, niet aan touwen, en dus konden de zwaarden er niets tegen beginnen en moesten de legionairs op het materiaal zelf in hakken in een poging het los te krijgen. Dat was het moment waar de verdedigers op hadden gewacht: kokende olie en extreem verhit zand stroomden door de opening tussen de muur en het beschermende dak en kwam op het kussen en spatte in het gezicht en op de kleding van de mannen die het probeerden te vernietigen. Met kreten van pijn weken ze terug, verbrand of verblind, terwijl het kussen zelf in brand vloog in een explosie van vuur. Verhit door de hete olie en het zand dat van boven kwam ontvlamden de stof en het stro met de woede van Vulcanus en staken de kokende olie aan die op de vloer van de behuizing van De Bruut was gekomen. Binnen de kortste keren woedde er een vuurzee die allen die hem zagen angst aanjoeg.

Vespasianus dreef zijn paard naar voren in het besef dat besluiteloosheid tot mislukking zou leiden en daarmee tot schande. Hij sprong uit het zadel en baande zich een weg door de massa legionairs die wanhopig probeerden weg te komen van wat nu een verschroeiende hitte was. 'De huiden! De huiden!' schreeuwde hij, en hij wees naar het beschermende dak. 'Trek de achterste huid omlaag!' Hij sprong op en greep de overhangende rand van een van de doorweekte huiden aan de achterkant van de behuizing. Met al zijn kracht slaagde hij erin hem een stukje omlaag te krijgen, waarna een optio en enkele mannen hem te hulp schoten. Samen trokken en wrikten ze en scheurden de huid los van de spijkers waarmee hij was bevestigd. Vespasianus en zijn kameraden vielen achterover toen de huid losschoot. Intussen beseften de centuriones wat Vespasianus aan het doen was en brulden bevelen naar hun mannen om hetzelfde als hun generaal te doen.

Met de huid voor zich als schild tegen de verschroeiende hitte rende hij naar voren en gooide hem op de brandende vloer. Binnen enkele ogenblikken lagen er meer vuurdempers op het brandende hout, waardoor de vlammen doofden en de hitte minder werd, zodat de huiden nu over de kop van De Bruut konden worden gegooid om het vuur dat hem dreigde te verslinden te verstikken.

Het kussen was verbrand en de kettingen werden opzijgetrokken omdat de schakels te heet waren om te proberen ze naar beneden te halen. Vespasianus besefte dat het niet lang zou duren voor de volgende tegenmaatregel zou volgen. 'Snel, beman De Bruut!' bulderde hij. De olie die langs de muur droop brandde nog, maar de stormram werd er niet langer door bedreigd. 'Zet hem aan het werk!'

De centuriones reageerden met militaire directheid op het bevel en schreeuwden hun manschappen terug naar hun posities aan de touwen. De grote ram werd naar achteren getrokken, zo ver als mogelijk was, waarna hij met een luidruchtig gekreun van inspanning naar voren werd geslingerd door de van razernij en haat vervulde mannen. Bijna majestueus volgde de boomstam in zijn ophanging zijn boogvormige traject, verder versnellend door zijn gewicht, en doorzwaaiend tot hij onvermijdelijk de muur bereikte, door de vlammen die daar nog aan likten. Met intense en geconcentreerde kracht raakte hij de muur, waarbij de vlammen alle kanten op schoten. Vespasianus voelde de schokgolf door zijn hele lichaam trekken en onwillekeurig sloot hij zijn ogen. Toen ze weer opengingen en De Bruut terug stuiterde, keek hij door de vlammen naar de plek waar de kop de steen had geraakt. Door de hitte was de steen gaan uitzetten en dat had de constructie verzwakt: er was een scheur verschenen, niet groot, maar het was een scheur. Opnieuw kwam de metalen ramskop aangestormd en beukte tegen de verse wond. Vespasianus hield dit keer zijn ogen open en werd beloond met de aanblik van het groeien van de scheur.

'Laat ze doorgaan, centuriones!' schreeuwde hij, zijn stem schoot door de opwinding de hoogte in, want mogelijk was dit de langverwachte doorbraak.

De centuriones zweepten hun mannen op om door te gaan; ze trokken De Bruut naar achteren, verder dan ze voor mogelijk hadden gehouden, en zwaaiden hem met al hun kracht weer naar voren onder een massale brul van inspanning. Met een nieuwe uitbarsting van alle kanten op slaande vlammen beukte de ramskop tegen de muur. De loskomende stenen verbrokkelden en grote en kleine stukken steen, nog altijd besmeurd met brandende olie, vlogen in het rond en raakten de legionairs die vooraan De Bruut bedienden, waardoor ze ineendoken en zich omdraaiden, hun armen beschermend over hun hoofd, maar gelijktijdig juichend. De grote ceder van Tyrus zwaaide terug en onthulde een gat dat naar Vespasianus zag zeker het begin van het einde was. Hij draaide zich om en zocht zijn zoon. 'Nu, Titus, nu de torens!'

Titus maakte een bevestigend gebaar en met zijn paard steigerend en zijn zwaard schitterend boven zijn hoofd gaf hij bevel de twee andere grote oorlogsbeesten te halen, die buiten bereik van de Joodse boogschutters stonden te wachten. Langzaam kwamen ze in beweging, getrokken door ploegen loeiende ossen en zwetende legionairs, terwijl de boogschutters en de artillerie een constante stroom projectielen op de bovenkant van de muur afvuurden, die een bloedige dood betekenden voor iedereen die dwaas of dapper genoeg was om op de zwoegende trekdieren te willen schieten. Maar met niets te verliezen dan hun leven, een leven dat ze toch al als verloren beschouwden, letten de Joden niet op de dood en trotseerden de regen van projectielen om pijlen en stenen richting de ossen te lanceren, waarbij ze erin slaagden er enkele te vellen. Met de snelheid die oefening baarde sneden de menners de wankelende dieren uit het span en verlosten ze uit hun lijden, terwijl de grote torens voortdenderden. Ze waren gebouwd op wielen zo groot als een man en waren breed aan de basis en liepen taps toe. Over de dode ossen heen rolden ze richting muur, waar De Bruut doorging met een ravage aanrichten aan het steenwerk van Jotapata's verzwakkende verdedigingsmuur.

In grimmige, zwijgende rangen marcheerden de aanvalscohorten achter de twee torens. Iedere legionair staalde zichzelf tegen de beproeving die zou komen, want ze wisten wat ze konden verwachten: ze kenden de benauwende afmetingen van de ruimte waarin de ladder zat waar ze tegenop moesten klimmen, met roffelend voetenwerk, want snelheid was cruciaal voor het resultaat. Ze kenden de duizelingwekkende diepte onder de loopbrug die op de muur neergelaten zou worden; er was geen hekwerk om hen te beschermen tegen een val richting de veerman of, erger nog, een ellendig leven als kreupele. En ze kenden uit eigen bittere ervaring de woestheid waarmee de Joden zouden proberen hun aanval af te slaan en als gevolg daarvan het snel rijzende dodental onder degenen die als eerste de stad zouden bestormen. En ze wisten ook dat geen van deze factoren hen ervan zou weerhouden om de toren in te stromen zodra die bij de muur was.

En Vespasianus wist, kijkend naar de belegeringstorens die voortgang boekten over het terrein dat ze van tevoren vlak hadden gemaakt, dat de overwinning nu voor het grijpen lag, al formuleerde hij die gedachte niet in zijn hoofd uit angst voor de zwarte humor van de goden, die zich de vorige keer dat hij dat gedaan had zo vermaakt hadden. Een volgende doffe dreun zorgde dat hij zijn aandacht weer op De Bruut richtte. De brand op de muur was aan het doven, maar had aanzienlijke schade aan het steenwerk aangericht. Metselwerk kwam in brokstukken naar beneden en de bolle, metalen ramskop verdween diep in het gat dat hij gemaakt had. Bij elke nieuwe dreun werd de wond breder, want de ram werd voetje voor voetje naar rechts verplaatst zodat steeds een nieuw stuk muur verpulverd werd. Inmiddels trilde de hele muur zichtbaar onder elke vernietigende klap.

Weer lieten de Joden een kussen zakken, opnieuw riep een man op de muur aanwijzingen. Maar dit tweede beschermingsmechanisme was niet zo stevig als het eerste en ook lieten ze het deze keer minder nauwkeurig zakken, want in hun haast om het ding op zijn plek te krijgen kwam het scheef te zitten en begon te slingeren. Met een volgende daverende klap en een huivering in de pas gemetselde verhoging van de muur stortte een stuk direct boven De Bruut in, waardoor de man die aanwijzingen had gegeven zijn evenwicht verloor en te midden van vallende brokstukken op het dak van de stormram terechtkwam. Hij rolde over de steile, met olie besmeurde huiden en viel op de grond, zijn hoofd werd verpletterd door een puntig stuk steen. De mannen bij De Bruut juichten om zijn dood, want ze zagen het als bewijs van de effectiviteit van hun wapen. Nog harder begonnen ze aan de touwen te trekken en steeds meer delen van de haastig gebouwde verhoging van de muur begonnen naar beneden te komen.

Stenen en pijlen vlogen nog altijd over hun hoofd heen toen Titus aan de mannen van de eerste cohort van zijn legioen het bevel gaf om naar voren te gaan omdat zij de eer hadden om als eerste de bres te bestormen. Ze gaven hier maar al te graag gehoor aan, geleid door de formidabele Urbicus, primus pilus van de elite-eenheid van het legioen. De man was gepokt en gemazeld in de strijd en had talloze blinkende *phalerae* op zijn borst, toegekend vanwege betoonde moed. Zijn helm werd bekroond met de dwars geplaatste witte pluim van paardenhaar waaraan zijn mannen zijn positie konden herkennen. Urbicus trok langs Vespasianus, die zich vlak achter De Bruut bevond, en toonde het enthousiasme van een zeeman die na een lange zeereis een bordeel in het oog kreeg. Hij brulde een bevel en direct vormde de eerste centurie van de eerste cohort een testudoformatie. Ook het oude deel van de muur was inmiddels zo ver aan het afbrokkelen dat de bres groot genoeg was om de legionairs door te laten. Urbicus zette zijn mannen rechts van De Bruut, terwijl de tweede centurie hetzelfde aan de linkerkant deed. De rest van de cohort stond achter hen klaar. Geen acht slaand op de projectielen die van boven werden gegooid wachtte Urbicus tot de gigantische ram uit de scheur in Jotapata's muur zou komen. De twee torens stonden inmiddels tegen de muur en De Bruut werd naar achteren getrokken, voet voor voet, terwijl een centurie boogschutters naar voren kwam en vanonder het dak van huiden pijl na pijl door de bres pompte om te voorkomen dat er een muur van schilden kon worden gevormd of een uitval kon plaatsvinden die het gevecht tot buiten de muur bracht. Maar Urbicus en zijn mannen waren vastbesloten dat laatste te voorkomen. Zodra de ruimte tussen de ramskop en de muur breed genoeg was om een man door te laten sprong Urbicus naar voren met een oerkreet die uitklonk boven de kakofonie van de strijd, waar Vespasianus lang geleden al aan gewend was geraakt. Direct daarna volgde de centurio van de tweede cohort zijn meerdere door de bres; de spijkersandalen zochten houvast, de schouders rolden, de lippen grauwden en de twee centuriones lieten hun beenspieren werken om zo snel mogelijk de puinberg in de bres te beklimmen. Stof en rook maakten het moeilijk iets te zien, maar met getrokken zwaard en geheven schild baanden ze zich een weg. Zonder aarzelen stormden hun mannen achter hen aan, vastbesloten zich waardig te betonen aan hun plek in de twee belangrijkste centuriën van het legioen.

Vol trots keek Vespasianus toe terwijl Urbicus zijn mannen door de rook en het stof de bres in leidde en met angst en trots zag hij Titus uit het zadel springen en achter hen aan gaan. Hij zette zijn gevoelens van zich af, want de twee belegeringstorens lieten met gekraak van hout en gepiep van de katrollen hun loopbrug met een doffe klap op de borstwering vallen. De loopbruggen trilden nog na toen de hoogste centuriones van de aanvalscohorten erop sprongen en naar voren renden. Een met een slinger gelanceerde steen raakte de een. Hij stortte met het hoofd naar beneden de diepte in en was al dood voordat hij de grond raakte. Zijn mannen, woedend over zijn dood en kokend van haat, wilden wraak en vlogen naar voren, terwijl beneden de mannen zich verdrongen om de toren in en de ladder op te kunnen om hun kameraden over de muur te volgen, de stad in die hen zo lang had getart.

Vervuld van tevredenheid en aanzienlijke opluchting zwaaide Vespasianus zijn rechterbeen over de rug van zijn paard en sprong op de grond. Jotapata zou vallen en aan de plundering die zou volgen ging hij plezier beleven.

Er zijn echter mensen die hun nederlaag nooit zullen toegeven, hoe groot de overmacht tegen wie ze moeten vechten ook is, en Rome vond in de Joden van Jotapata een dergelijk slag mensen. Ze hadden alles goed voorbereid en alles verliep volgens plan.

Drie legionairs vielen schreeuwend van de rechtertoren op de grond, op nog geen dertig passen van Vespasianus, die nu een eerste vermoeden kreeg dat er iets mis was. Hij keek omhoog en zag nog twee man van de loopbrug vallen; anderen maaiden met de armen om zich heen in een poging hun evenwicht te bewaren terwijl hun voeten geen houvast meer vonden. Uit de toren kwamen steeds meer mannen de loopplank op gestormd om zich op de vijand te storten en botsten op hun kameraden die alle kanten op gleden op een glad oppervlak en onderuitgingen. Op de muur goten de verdedigers emmers vol met een vettige vloeistof over het hout uit. Meer legionairs vielen in de diepte — twee wisten zich nog even met hun handen aan de brug vast te houden, totdat hun slippende kameraden op hun vingers stonden, voortgeduwd door de mannen achter hen.

In paniek keek Vespasianus naar links, langs De Bruut, en zag hetzelfde tafereel op de tweede toren: legionairs die op de loopplank glibberden en er niet in slaagden houvast op het hout te krijgen en vervol-

125

gens de diepte in stortten. Aangemoedigd door de effectiviteit van hun strategie begonnen de verdedigers nu met lange speren in de chaos te steken, waardoor nog meer hulpeloze soldaten van de aanvalscohorten vielen, tot de loopbrug schoongeveegd was. Het gevaar drong door tot degenen die in de torens wachtten en de aanval over de muur bloedde dood.

Vespasianus rende naar de bres en klom tussen de zwermende legionairs over het puin; aan de andere zijde van de muur woedden verbeten man-tegen-mangevechten, met steeds meer mannen van de eerste cohort die door de bres kwamen. Maar de verdedigers stonden hen op te wachten in de nauwe straten en vormden een linie van nog geen honderd passen, en blokkeerden zo de bredere straat die langs de muur liep. Door de beperkte ruimte telde hun numerieke minderheid minder zwaar en bovendien waren ze goed beschermd met de buitgemaakte schilden en borstpantsers. Ze vochten fanatiek tegen de elite van de beroepssoldaten tegenover hen, waarbij hun weigering om een nederlaag toe te geven hun de kracht gaf die ze nodig hadden.

De Joodse linie hield stand.

'Hier,' schreeuwde Vespasianus naar een centurio die zijn mannen in rotten van vier over het puin naar beneden leidde. De man hoorde het bevel van zijn generaal en voegde zich bij hem. 'We nemen die flank.' Vespasianus wees naar de rechterkant van de gevechtslinie, waar de Romeinen op de straat langs de muur stonden, niet ver van de stenen treden die omhoog naar de weergang leidden. De onmiskenbare pluim op Titus' helm ging op en neer in het gewoel. 'We moeten jullie legaat helpen een doorbraak te forceren naar die trap om de muur schoon te vegen zodat de mannen via de toren weer de muur op kunnen.'

De centurio knikte en begreep precies wat er van hem en zijn mannen werd verwacht. Hij keek over zijn schouder en met zijn zwaard in de lucht zwaaiend gaf hij zijn centurie het bevel om op te rukken, langs het bebloede lichaam van Urbicus, die met ogen die niets meer zagen naar de loopbrug van de belegeringstoren staarde, dertig voet boven hem.

Rennend naast de centurio vertrok Vespasianus zijn gezicht vanwege de steken in zijn zij, terwijl hij naar adem hapte. Hij voelde zijn zevenenvijftig jaar zwaar op hem drukken en benijdde de relatieve jeugd van de centurio naast hem. Misschien wogen de jaren zwaarder dan hij wilde toegeven, zowel aan zichzelf als aan Caenis. Hij zag haar voor zich en in een flits was hij zich bewust van zijn sterfelijkheid en de mogelijkheid dat hij haar misschien niet meer zou zien. Hij zette alle twijfel van zich af en sprong over een gevallen legionair. Op tien passen van hem woedde de strijd op de rechterflank met de hevigheid van bittere vijanden die geen genade kenden of verwachtten. Hier wierp Vespasianus zich in het strijdgewoel om zijn zoon te steunen en de wankelende aanval te redden. Met de woede van een man die de prijs die hij al in handen meende te hebben door zijn vingers zag glippen drong Vespasianus door de achterste rijen legionairs, brullend dat ze plaats moesten maken voor de verse troepen achter hem. De legionairs weken opzij om hem door te laten, terwijl hij zijn zwaard op schouderhoogte klaarhield. Met een gewelddadige stoot van zijn schild in de borst van een met bloed bespatte jongeman met maniakale ogen drong Vespasianus door de voorste Romeinse linie. Een korte steek in de keel en de jongen, die door de stoot al wankelde en naar adem hapte, viel achterover in een fontein van bloed dat uit de gapende wond spoot. Razernij overviel Vespasianus, hij stapte met zijn linkervoet naar voren en liet zijn schild zakken om een lage stoot met een speer te blokkeren. Hij voelde de centurio naast hem tegen zijn linkerschouder drukken, terwijl diens mannen de vermoeide legionairs van de eerste en tweede centurie aflosten. De verse krachten zorgden voor een nieuwe impuls, terwijl de Joden, die geen reserves hadden, met steeds zwaardere armen tegen de verse krachten moesten vechten. Vespasianus liet zijn zwaard spreken, steeds weer, slag na slag deelde hij uit in zijn streven de trap te bereiken, gesteund door de centurie die hij had meegenomen; elke man had hetzelfde doel voor ogen. De verdedigers moesten stap voor stap wijken voor het verhitte geweld; ze waren moe en verzwakt na de anderhalve maand van ontberingen van het beleg. Maar al moesten ze achteruit, ze wankelden niet en hun formatie bleef solide.

'Daar zijn ze!' riep Vespasianus toen de treden in zijn blikveld kwamen in de beperkte maar gewelddadige wereld waartoe zijn bestaan op dat moment beperkt was. 'Kom op, nog even!'

Met verdubbelde inspanning hakten de zwaarden van de Romeinse linie in reactie op de oproep van hun generaal in op de tegenstander, de schilden werden nog harder naar voren gestoten. Ze drongen naar voren, het doel kwam dichterbij; een Jood viel dood neer aan de voet van de trap en een andere deed een pas naar achteren, over zijn gevallen volksgenoot heen, zichzelf verdedigend tegen de genadeloze aanvallen van een ervaren legionair. De man ging verder naar achteren en omhoog, voortgedreven door de soldaat, die van geen ophouden wist. Vespasianus volgde in hun voetsporen de trap op en moedigde de veteraan aan om het karwei af te maken. Maar hoe hoger ze kwamen en hoe meer ze boven het strijdgewoel uitstegen, hoe kwetsbaarder ze werden voor een nieuw gevaar. De Joodse slingeraars en boogschutters hadden aan deze kant van de muur niets gedaan uit angst hun eigen mensen te raken en hadden hun inspanningen beperkt tot doelwitten aan de andere kant van de muur. Nu zagen ze vijanden geïsoleerd binnen de stad, een makkelijk doelwit, en ze grepen hun kans. Met zeker vier pijlen die hem gelijktijdig troffen tuimelde de veteraan van de trap op de verdedigers beneden, waardoor de Joodse linie brak en er een gat ontstond, waar de centurio, gevolgd door zijn mannen, in sprong. Vloekend om zijn kwetsbare positie besteeg Vespasianus verder de trap, hopend dat de man achter hem zijn schild boven hem zou houden. Hij deed een uitval naar de zich terugtrekkende Jood en hakte in diens kuit, waarna hij de man, die schreeuwend op één been hinkte, van de trap duwde. De weergang was nu vlakbij en Vespasianus stormde verder, hij voelde de aanwezigheid van zijn mannen achter zich. Met een brul van triomf nam hij de laatste treden, terwijl pijlen en stenen vanuit alle hoeken langs hem suisden. Opeens schoot er een verzengende pijn door zijn rechterbeen, hij wankelde en viel. Zichtbaar voor iedereen kwam hij op zijn knieën terecht. Er ging gejuich op uit de rangen van de verdedigers toen ze de Romeinse generaal zagen neergaan, en kreten van bezorgdheid bleven steken in de kelen van de legionairs die zich omdraaiden en de vijand op hun gevallen aanvoerder af zagen stormen.

Vespasianus keek naar zijn voet: er was een pijl doorheen gegaan en er stroomde bloed uit zowel de plek waar de pijl naar binnen was gedrongen als waar de punt weer naar buiten was gekomen. 'Help me overeind!' schreeuwde hij naar de dichtstbijzijnde legionair. 'Ik kan niet meer lopen.'

De soldaat stak zijn zwaard in de schede en greep Vespasianus' hand, terwijl zijn kameraden hun schilden boven hun generaal hielden. Met behulp van zijn goede been duwde en trok Vespasianus zich overeind en sloeg een arm rond de schouder van de legionair. Met de beschermende schilden trillend onder de inslagen van pijlen en stenen hinkte Vespasianus de trap af.

'Bent u in orde, vader?' vroeg Titus, die zich door het gedrang had geworsteld om Vespasianus te helpen.

Hij vertrok zijn gezicht van de pijn. 'Het komt wel goed, denk ik. Haal nu de jongens hier weg, zonder de torens hebben we de muur niet, en zonder de muur zitten we in de val. Hoe vervelend het ook is om het toe te geven, we hebben vandaag opnieuw gefaald.'

HOOFDSTUK VI

'Ik ga me niet terugtrekken en ik bied ze ook geen voorwaarden voor overgave aan, want dan halen ze het kunstje ergens anders nog een keer uit.' Vespasianus was onvermurwbaar; de pijn die hij ondervond van de verzorging van zijn wond door de arts droeg alleen maar aan zijn felheid bij.

'Dat heb ik ook helemaal niet gezegd,' zei Magnus zo sussend als hij met zijn bruuske manieren kon. 'Ik zeg alleen dat u moet heroverwegen wat u hier doet, maar dan in de zin van "hoe pak ik de situatie hier aan" en niet van "moet ik hier wel zijn".'

Vespasianus kreunde toen de arts de twee wonden schoonmaakte, al was deze pijn niets vergeleken bij de pijn die hij had gevoeld toen de pijlschacht uit zijn voet werd getrokken; hij had bijna Caenis' en Titus' hand fijngeknepen, die hem hadden vastgehouden. 'Goed dan, maar hoe heroverweeg je de inname van een stad als die vol zit met religieuze fanaten, waardoor verraad geen optie is, ook al omdat ze de enige drie spionnen die we binnen hadden gestenigd hebben?'

'Maar nu is het wél een optie, vader,' informeerde Titus hem vanuit zijn stoel in de hoek van Vespasianus' persoonlijke vertrek.

Vespasianus trok zijn wenkbrauwen op, geïnteresseerd in Titus' woorden. 'Ga door.'

Titus nam een slok van zijn verwarmde wijn en rolde de beker tussen zijn handen. 'Een van mijn dubbelspionnen is door de bres naar buiten geglipt toen we ons terugtrokken.'

'Een van je dubbelspionnen?' Vespasianus wuifde het nieuws met een kribbig gebaar van zijn hand weg. 'Wat hebben we daaraan? Hij zal ons verraden, je kunt hem net zo goed opspijkeren, misschien voelen we ons dan wat beter.'

'Nee, vader, hij is veel te nuttig. Hij denkt dat hij de meeste kans op overleving heeft als hij zich aan mijn genade overlevert, die hij, als het klopt wat hij zegt, ook zal krijgen.'

'Wat zegt hij?'

'Ik laat hem halen zodra de arts hier klaar is met je humeur verpesten.'

'En je weet zeker dat hij de waarheid spreekt?' vroeg Vespasianus aan Titus nadat ze geluisterd hadden naar Hormus' vertaling van de woorden van de deserteur.

Titus keek onzeker, met hangende schouders. 'Ik denk het, maar hoe kun je bij deze mensen ooit ergens zeker van zijn? Maar kijk, het klopt wel als je het sommetje maakt. Toen we hier aankwamen kregen we te horen dat er tussen de drie- en vierduizend verdedigers in Jotapata waren en bedenk dan hoe makkelijk ze hun eigen leven opofferden. Het is niet onaannemelijk dat ze vandaag alle overgebleven mannen hebben moeten inzetten om ons tegen te houden, met de ene helft in een linie die ze tot een breedte van honderd passen wisten te beperken, en de andere helft op de muur.' Titus wees op de deserteur. 'Hij beweert dat Josef vanochtend de helft van de mannen die hij nog overhad naar buiten had gestuurd om De Bruut aan te vallen, en die zijn allemaal dood. Het is dus heel goed mogelijk dat er niet meer dan vierhonderd strijdbare mannen over zijn in de stad. Hooguit.'

'En de vrouwen en kinderen?' vroeg Caenis. 'Als wat je me verteld hebt klopt, kunnen ze even dodelijk zijn als de mannen.'

'Met slingers van een afstandje misschien wel, ja.' Titus keek naar Hormus. 'Vraag het hem.'

Er volgde een kort gesprek in het Aramees, waarna Hormus antwoordde: 'Hij schat dat er nog hooguit twaalfhonderd vrouwen en kinderen over zijn. Velen zijn de stad via de geul uit geglipt voordat we die route ontdekten om zo de druk op de voorraden te verminderen.'

Vespasianus dacht even na, zijn net verbonden voet bestuderend. 'En hij is zeker wat betreft de uitputting, dat geen van de wachten de hele nacht wakker kan blijven door ondervoeding en een gebrek aan slaap?'

'Kijk naar hem, vader; zijn uiterlijk lijkt me voor zich spreken.'

Vespasianus moest toegeven dat de deserteur de indruk maakte dat hij elk moment dood kon neervallen. Uitgemergeld, bleek en met donkere, uitgezakte wallen onder zijn ogen zag de Jood er nog erger uit dan hij rook, en dat wilde heel wat zeggen. 'En die onbewaakte deur die volgens hem een achteringang de citadel in is, geloof je daar echt in?'

'Dat ontdekken we wel als we daar zijn, nietwaar? We nemen hem met ons mee en als het niet precies is zoals hij zegt zal hij sterven.'

Een besluit nemend keek Vespasianus zijn zoon aan. 'We gaan aan het begin van het twaalfde uur van de nacht.'

Titus keek verward. 'Wij?'

'Ja, wij. Ik leid de aanval.'

'Vader, u kunt nauwelijks lopen, u zult niet alleen niet kunnen meevechten, maar een van de mannen zal u de hele tijd moeten helpen. En bovendien, hoe kan de langzaamste man van de eenheid vooropgaan zonder de hele operatie ernstig te vertragen?'

'Het lukt me.'

'Nee, niet, liefste,' zei Caenis met een beslistheid die Vespasianus verraste. 'Ik begrijp dat vandaag als een aanslag op je waardigheid voelde en als een belediging voor het Romeinse leger in het algemeen, en dat is ook zo, maar die deuk in je trots geeft je nog niet het recht je als een dwaas te gedragen.'

'Me als een dwaas gedragen, mens! Ik? Hoe durf je zo tegen me te praten?' Vespasianus sprong op en had daar onmiddellijk spijt van; met vertrokken mond liet hij zich weer op de bank zakken.

'Ik durf het omdat iemand het moet zeggen,' snauwde Caenis. 'Kijk naar jezelf, je bent praktisch kreupel en dan wil je in het donker een centurie leiden bij een aanval: over muren klimmen, langs slapende wachten sluipen en vervolgens de citadel innemen voordat de Joden wakker zijn, terwijl de rest van het legioen bij de eerste ochtendschemering door de bres stroomt. Gebruik alsjeblieft je verstand.'

Vespasianus smoorde een bijtende opmerking waarvan hij waarschijnlijk spijt zou krijgen en keek naar de mensen om hem heen. Afgezien van de knielende gevangene, die geen Latijn sprak, werd hij omringd door degenen die het dichtst bij hem stonden: zijn oudste zoon, zijn oudste vriend, zijn minnares en zijn vrijgelatene. Degenen die het meest van hem hielden; hij hoefde zijn gezicht niet te redden tegenover Titus, Magnus, Caenis en Hormus. Hij schaamde zich meteen voor zijn belachelijke gedrag. Natuurlijk kon hij de aanval niet leiden. Opnieuw vervloekte hij de koppigheid van de Joden en van Josef ben Matthias in het bijzonder, want elke keer als de overwinning binnen handbereik had geleken hadden ze wanhopig stand weten te houden. 'Gekookte fenegriek!' grauwde hij. 'We zijn verdomme verslagen door gekookte kutfenegriek. Ik wist niet eens dat gekookte fenegriek onmogelijk glibberig wordt. Stel je voor wat er gebeurt als ik aan Rome rapporteer dat ik twintig man heb verloren door gekookte kutfenegriek. Ik zal het lachertje van de stad zijn.'

'U zult ook het lachertje van Rome zijn als u een nachtelijke aanval hinkelend op één been leidt,' drukte Magnus hem met de neus op de feiten. 'En bovendien wil ik er heel wat onder verwedden dat u dan een dood lachertje bent.'

Vespasianus bond in. 'Je hebt gelijk, jullie hebben allemaal gelijk: ik gedraag me als een idioot omdat ik erbij wil zijn en wraak wil nemen op die klootzakken die me de afgelopen... hoeveel dagen hebben weerstaan?'

'Vandaag zesenveertig dagen,' zei Caenis.

'Is het zesenveertig dagen? En morgen vlak voor zonsopkomst gaan we naar binnen, op de zevenenveertigste dag; het lijkt erop dat Josefs voorspeling toch gaat uitkomen.'

'Daar zal ik voor zorgen, vader,' zei Titus, glimlachend van opluchting omdat zijn vader zijn koppigheid had laten varen. Ik neem de eerste centurie van de eerste cohort om de klus te klaren. Ze staan te popelen om Urbicus te wreken, al had geen van hen veel reden om persoonlijk van hem te houden.'

'Dat mag ik hopen. Legionairs die hun centuriones mogen kunnen we niet hebben, en zeker niet de primus pilus. Wie is zijn vervanger?'

'Labinus van de derde centurie, want centurio Fabius van de tweede is zijn rechterhand kwijt.'

'Ik neem aan dat Labinus maar al te graag een goede greep op zijn nieuwe manschappen wil krijgen, en dit is de ideale gelegenheid ervoor. Ik zal vol ongeduld wachten op je berichten.' Vespasianus knipoogde naar zijn zoon. 'Je mag me dan verboden hebben met de nachtelijke aanval mee te doen, maar ik kan je verzekeren dat ik erbij ben als de rest van het legioen door de bres gaat, ook al moet ik mijn trots doorslikken en me door Magnus en Hormus laten dragen.'

'U zult zeker iets moeten doorslikken als u me vraagt u te dragen,' mopperde Magnus. 'En ik kan u verzekeren dat het niet uw trots zal zijn.' Hij grijnsde vals naar Vespasianus. 'Het zal míjn trots zijn, als u begrijpt wat ik bedoel.'

Voor Vespasianus kon zeggen of hij wel of niet begreep wat Magnus bedoelde verscheen de centurio van de wacht bij de ingang en ging in de houding staan.

'Wat is er, Plancius?'

'Herodes Agrippa is er, generaal!'

'Herodes Agrippa? Wat komt die hier doen?'

'Hij zegt dat hij hier op uw uitnodiging is, generaal!'

Vespasianus voelde een steen op zijn maag toen hij zich realiseerde dat de gluiperige oosterling hem zijn mislukking kwam inwrijven, maar hem toegang weigeren zou getuigen van lafheid. 'Laat hem binnen.'

'En dus, mijn beste generaal,' fleemde Herodes Agrippa, 'vastbesloten als ik was om uw vriendelijke aanbod aan te nemen om met u in Jotapata het avondmaal te gebruiken, heb ik me opgedoft, zoals u kunt zien, en mijn mooiste kleding aangetrokken.' Hij gebaarde naar het lange gewaad van delicaat linnen met borduursel in zilver- en gouddraad, waaromheen een ceintuur van gouden schakels zat. Over zijn schouders hing een mantel met witte en zwarte patronen, het werk van vele uren ingewikkeld breiwerk. Een tulband bezet met edelstenen en kalfsleren muilen met vergulde punt completeerden het geheel. Hij keek vriendelijk naar Caenis. 'Helaas, mijn lieve vrouwe, u kunt zich mijn consternatie voorstellen toen ik Jotapata naderde en beschoten werd. Ondanks Vespasianus' bewonderenswaardige vertrouwen vanochtend lijkt de stad nog steeds in handen van de rebellen te zijn.' Hij spreidde zijn armen in een gebaar van verwondering over de situatie.

Vespasianus onderdrukte de aandrang om een dolk tussen de ribben van de vazalkoning te steken en trok in plaats daarvan zijn zoetste, meest valse glimlach. 'Het spijt me erg om u in deze vervelende situatie te hebben gebracht, Herodes Agrippa. Ik begrijp dat het een grote verrassing voor u moet zijn geweest dat we er vandaag niet in zijn geslaagd de stad in te nemen. U bent immers een belangrijk man die in beslag wordt genomen door de vele gewichtige staatszaken die zich in uw uitgestrekte domein afspelen, zodat u niet gemerkt zult hebben wat er vandaag aan de hand was, ofschoon u in naam het bevel voert over een fors deel van mijn leger.' Hij gebaarde naar de bank naast hem. 'Gaat u toch liggen en drink een beker wijn. Ik weet zeker dat mijn kok snel het eten zal serveren.'

Herodes glimlachte al even hol terug en nog onoprechter toen hij Vespasianus' aanbod aannam. 'Dat is heel attent van u, generaal. Mijn zuster is net in het kamp aangekomen, kan ik haar een boodschap sturen om haar te vragen zich bij ons te voegen?'

'Het zal me een waar genoegen zijn om haar te ontmoeten, ik stuur haar meteen een uitnodiging.'

'Erg vriendelijk van u, generaal. Misschien zou u intussen als man met zoveel ervaring in oorlogszaken aan iemand met weinig oorlogservaring zoals ik kunnen uitleggen wat er vandaag misging.'

Vespasianus gaf Hormus een teken om de Joodse deserteur, die nog altijd op de vloer knielde, weg te brengen. 'En vertel de kok om het eten direct als hij klaar is te serveren en neem meer wijn mee als je terugkomt, Hormus.' Hij wendde zich weer tot Herodes. 'U vraagt wat er misging. Ik zal zeggen wat er misging, Herodes: er ging niets mis. In feite verloopt alles volgens plan, want morgen is de zevenenveertigste dag van het beleg, de dag waarop Jotapata volgens de voorspelling van Josef zal vallen. En jullie Joden en jullie voorkeur voor profetieën kennende meende ik hem een plezier te moeten doen.'

Het maal verliep gespannen omdat Herodes botweg weigerde over de mislukte inname van de stad op die dag op te houden. Hij kwam voortdurend op het onderwerp terug, op alle mogelijke manieren. Vespasianus reageerde door de verandering van onderwerp te negeren en een gesprek te beginnen met Caenis, Titus of Magnus, of door Herodes expres verkeerd te begrijpen en zich te excuseren omdat hij hem niet had uitgenodigd persoonlijk mee te doen aan de actie en door hem en zijn mannen de eer aan te bieden de volgende ochtend als eerste de bres te bestormen.

'Opnieuw moet ik bedanken voor uw vriendelijke aanbod, generaal,' zei Herodes, zijn stem vervuld van spijt toen hij Vespasianus' derde uitnodiging om de aanval te leiden – dit keer met als argument dat die vanwege zijn wond uitgeschakeld was en dat de vazalkoning daarom zijn plaats maar moest innemen – afsloeg. 'Ik weet dat het profijtelijk voor het leger zou zijn als een man van mijn rang en belangrijkheid het zou leiden, maar ik ben bang dat mijn gebrekkige militaire kennis op de een of andere manier zou afleiden van mijn andere kwaliteiten.'

'Dan, mijn beste Herodes Agrippa,' zei Vespasianus, zijn stem melodramatisch ernstig, 'is dit een ideale gelegenheid om die kennis te vergroten.'

'Helaas, dat denk ik niet; als u vanmiddag maar niet gefaald had bij de aanval op de stad, dan had dit hele gesprek niet plaatsgevonden. Zonde, en u was er zo zeker van dat het zou lukken, nietwaar? Het geeft niet, maar het moet door uw hoofd spoken.' Herodes schudde spijtig zijn hoofd en schepte nog een stuk gezouten vis op. 'Maar ik overweeg wel een rol op me te nemen bij de herovering van Tiberias, dat zou geloof ik precies bij mijn talenten aansluiten.'

'Bedoelt u niet uw geldbuidel, Herodes?' zei Titus, die met moeite zijn afkeer voor de vazalkoning wist te verbergen. 'U zou graag een flink aandeel hebben in de opbrengst van de verkoop van de gevangenen.'

Herodes keek volkomen onschuldig terwijl hij in zijn gezouten vis prikte. 'De financiële overwegingen hebben er helemaal niets mee te maken, mijn beste Titus. Tiberias was, of is, mijn hoofdstad. De verwoesting van mijn paleis daar vormde het begin van de opstand. Al mijn kunstwerken en beelden werden vernietigd, omdat de religieuze fanatici het verbod op afbeeldingen erg letterlijk nemen. Al die kunst en schoonheid verwoest uit naam van een godsdienst.'

Vespasianus liet een vreugdeloos lachje horen. 'Al die kunst en schoonheid die u ongetwijfeld tegen hoge kosten wilt vervangen zodra u uw paleis hebt herbouwd tegen nog veel hogere kosten. Ik veronderstel dat de opbrengst van de verkoop van slaven bijzonder welkom is, ook al hebt u niets gedaan om het te verdienen.'

'Wij kunnen het ons veroorloven om óns paleis te herbouwen, generaal Vespasianus,' klonk een gebiedende vrouwelijke stem.

Alle aanwezigen keken naar de ingang, waar een vrouw was verschenen, een late dertiger van verbazingwekkende elegantie en grote schoonheid.

'Generaal! Ze weigerde te wachten, generaal!' rapporteerde Plancius over haar schouder.

De vrouw kromp ineen door de harde stem bij haar oor, maar ze negeerde de bron ervan volkomen, zo ver beneden haar waardigheid achtte ze de centurio kennelijk.

'Het is al goed, Plancius,' zei Vespasianus, wetend wie de nieuwe gast was. 'Je kunt gaan.'

'Ja, generaal!' Plancius bracht een groet uit en draaide bruusk linksom om weg te marcheren.

Vespasianus keek naar Herodes. 'Ik geloof dat het aan u is om ons voor te stellen, mijn beste Herodes.'

Herodes kwam overeind, zijn ogen begerig gericht op de verschijning van vrouwelijke perfectie. Hij liep op haar af en kuste haar op de lippen, vervolgens pakte hij haar bij de hand en stelde haar aan het gezelschap voor. 'Dit is mijn zuster, koningin Berenice.'

Ze leek een visioen met haar donkere haar, lichte huid en volle figuur gecombineerd met glinsterende edelstenen en een opmaak waar uren aan besteed moesten zijn. Ze droeg niet de traditionele saaie en vormeloze jurken van de Jodinnen, maar had een veel minder verhullend gewaad aan, dat duidelijk veel duurder was dan haar broers kleding.

'Generaal Titus Flavius Vespasianus, commandant van het leger van het oosten,' zei Herodes, wijzend op Vespasianus.

Vespasianus onderdrukte de neiging om Berenice te vragen waarvan ze dacht koningin te zijn en knikte haar toe. 'Het is een waar genoegen u te ontmoeten, Berenice. Vergeef me als ik niet opsta.' Hij gebaarde naar zijn verbonden voet en zei maar niet dat hij geen enkele intentie had om op te staan met of zonder wond.

Berenice keek langs haar geprononceerde neus naar Vespasianus, haar lichtblauwe ogen namen hem met duidelijke teleurstelling op. 'Ik had gedacht dat u…'

'Dat ik wat?' onderbrak Vespasianus haar, die vanwege de manier waarop ze naar hem keek onmiddellijk een afkeer voelde voor deze hooghartige nepkoningin. 'Gedistingeerder was, misschien? Minder het uiterlijk had van een Sabijnse boer?'

Berenice vermande zich. 'Nee, generaal, dat is niet wat ik bedoelde, wat ik bedoelde was…'

'Ik zou maar niet zeggen wat u bedoelde, lieve,' zei Caenis, die opstond en op Berenice af liep. 'Het zou verkeerd begrepen kunnen worden en dan zouden we allemaal kunnen zeggen dat we een beleefdere vrouw hadden verwacht.' Ze stak haar hand uit en glimlachte met wat Vespasianus oprechte warmte leek.

Het duurde een moment voordat Berenice Caenis' hand nam. 'U moet Caenis zijn, de voormalige slavin van Antonia de Jongere.'

Caenis bleef glimlachen. 'Die ben ik, al zie ik mezelf liever als de vrijgelaten Antonia Caenis, echtgenote in alles behalve naam van de machtigste man in het oosten. Men zou hem bijna als een koning kunnen beschouwen, wat mij koningin zou maken. Waarvan was u ook alweer koningin, lieve? Zover ik weet stierf uw tweede echtgenoot, koning Herodes van Chalcis, twintig jaar geleden en hebt u uw derde echtgenoot, koning Polemon van Pontus, kort na het huwelijk verlaten. U bent toch niet met uw broer getrouwd, mag ik hopen?' Berenices hand stevig vasthoudend leidde Caenis haar naar de ligbank. 'Wilt u zich niet bij ons voegen? We zijn pas bij de derde gang.'

Vespasianus voelde een diepe liefde voor Caenis, die de kokende Berenice hielp op de bank naast de hare te gaan liggen. Hij keek even naar Titus om te zien of die ook zo van de demonstratie had genoten. Maar de blik die hij op zijn zoon wierp zorgde voor een schok, want hij kende de uitdrukking op Titus' gezicht, hij kende die maar al te goed, want ook hij had ooit zo gekeken. Dat was al die jaren geleden op de dag dat hij voor het eerst naar Rome ging. Het was de dag waarop hij Caenis voor het eerst zag.

Eén blik op Titus' open mond, glanzende ogen en schuin gehouden hoofd en Vespasianus wist dat zijn zoon hopeloos verliefd was, al was hij minstens tien jaar jonger dan Berenice.

'Let goed op, Titus,' zei Vespasianus toen de eerste centurie van de eerste cohort van de Vijftiende Apollinaris zich opstelde in de donkere Via Principalis aan het begin van het elfde uur van de nacht, twee uur voor zonsopkomst. 'Als de deserteur loog en ze binnen waakzaam zijn, trek je je onmiddellijk terug. Neem geen onnodige risico's.'

'Vader, hou op u als een moederkloek te gedragen,' antwoordde Titus, terwijl achter hem centurio Labinus en zijn optio zwijgend in het licht van een brandende fakkel hun mannen telden. 'Ik ben vast van plan om levend terug te keren. Ik heb me zelfs nog nooit zo levend gevoeld.'

De glans in Titus' ogen vertelde Vespasianus precies wat zijn zoon zich zo levend deed voelen. Vespasianus had gezien hoe Titus tijdens de laatste paar gangen van de maaltijd aanvankelijk aarzelend en later makkelijker een gesprek met Berenice had gevoerd en hoe hij elk woord dat ze zei gretig opzoog en overdreven enthousiast instemde met alles wat ze over de voortgang van de oorlog zei. Hij had ook met belangstelling opgemerkt dat Berenices broer meer op haar begon te letten naarmate ze meer aandacht voor Titus had. Maar bovenal had hij de zachte streling over Titus' arm gezien die Berenice hem schonk toen ze zich voor de nacht terugtrok en de vreugde die de aanraking hem duidelijk bezorgde; zozeer zelfs dat Vespasianus merkte dat zijn zoon zijn hand steeds op de desbetreffende plek legde. 'Ze is elf jaar ouder dan jij, ze wordt volgend jaar veertig. Ik heb het bij Caenis na-gevraagd.'

Titus keek zijn vader verbaasd aan. 'Wat bedoelt u?'

'Ik bedoel dat niet-koningin Berenice elf jaar voor jou is geboren. Ze is drie keer getrouwd geweest en heeft twee volwassen zoons. Ze is Joods – toegegeven, niet van het fanatieke soort – en is, als de geruch-ten die Caenis heeft opgevangen geloofd mogen worden, een regelma-tig en enthousiast bezoekster van haar broers bed. Ook is ze niet vies van relaties minder dicht bij huis. Hij is, zoals je weet, niet getrouwd en is dat ook nooit geweest. Alles bij elkaar is ze volgens mij een vol-komen ongeschikte vrouw voor je, en ik raad je dan ook aan om haar te vergeten.'

'Waarom zegt u dat?'

Vespasianus legde zijn hand om zijn zoons schouder. 'Titus, ik heb gezien hoe je haar met je ogen verslond, je zat bijna te kwijlen, doe nou niet alsof je niet weet waar ik het over heb. Cupido heeft een pijl recht in je hart geschoten en het is mijn taak om je te overtuigen hem er weer uit te trekken, want je zult alleen maar verdriet kennen als je van die vrouw houdt.'

'Ze is mooi, vader.'

'Dat geldt voor talloze andere, veel geschiktere vrouwen; vrouwen die je kinderen kunnen schenken, een erfgenaam. Berenice is waar-schijnlijk te oud om gezonde kinderen te kunnen baren, en zelfs als ze dat deed, is ze nog Joods en Joods zijn wordt via de moeder doorgege-ven. Wil je dat je kinderen Joods zijn? Kijk even om je heen, kijk naar waar we tegen vechten, wil je dat je nakomelingen bij dit alles horen?'

'Ze zouden Romeins worden opgevoed, met Romeinse goden.'

'Ah, je hebt er dus al over nagedacht, hè? Dat was snel. Nou, laat me je iets vertellen: of je je kinderen nu als Romein grootbrengt, met respect voor de Romeinse goden, of niet doet er niet toe, want jij zult een groot deel van je leven elders doorbrengen in dienst van Rome, terwijl Berenice, als je dom genoeg bent haar de moeder van je nageslacht te maken, veel meer tijd met ze zal doorbrengen en wie weet wat voor vergif ze dan in hun oren giet. Nee, zoon, je kunt een dergelijke vrouw niet vertrouwen. En in het onwaarschijnlijke geval dat ze van je houdt, al zal het eerder zijn dat ze doet alsof ze van je houdt, kan ik je garanderen dat ze het uit zelfzuchtige motieven doet. Ze zal je gebruiken om haar eigen doelen te bereiken.'

'Waar zou ze me voor kunnen gebruiken, vader? Ik ben niet meer dan de legaat van een legioen.'

'Nu nog wel, maar je bent ook de zoon van de man die het leger van het oosten commandeert in een tijd waarin het westelijk deel van het rijk steeds onstabieler lijkt te worden. Denk daar maar eens over na als je de citadel hebt veroverd en vraag je dan het volgende af: als het westen in brand staat en de keizer wordt afgezet, hoeveel legioenen kan een oostelijk leger dan inzetten als het een rol wil spelen in de machtsstrijd die onvermijdelijk zal volgen?' Vespasianus leunde op zijn twee krukken en gaf zijn zoon een kus op het voorhoofd. 'Ga nu en pas op jezelf. Ik zie je weer als Jotapata eindelijk in onze handen is. En pak als het even mogelijk is Josef levend.'

'We denken dat hij daarbeneden is, vader,' zei Titus, wijzend naar de ingang van de cisterne, terwijl Vespasianus op zijn krukken over een kleine agora naar hem toe hobbelde. Hijgend van de klim naar de citadel en in gezelschap van Magnus met zijn honden en Hormus, rook Vespasianus de stank van de dood. In de eerste zonnestralen lagen overal om hen heen de gevolgen van de verrassingsaanval: lijken, sommige intact, andere niet, ingewanden, rondslingerende wapens, stenen en pijlen, opengebroken deuren en luiken waar men verstopplaatsen had vermoed, en over dat alles dreef rook van branden die nog woedden of net geblust waren. Legionairs schuimden de straten af op zoek naar buit, zoals hun recht was na het innemen van een stad. Het huilen van kinderen en geschreeuw van verkrachte vrouwen vulde de lucht, want de winnaars van de belegering wilden hun pleziertjes, waarbij het feit dat er zo weinig levende vrouwen waren aangetroffen hun beproeving verlengde.

'Weet je zeker dat het 'm is?' vroeg Vespasianus, die even op adem moest komen voordat hij voorover leunde en door de opening in de grotachtige ruimte probeerde te kijken. Fakkels flakkerden vaag en er klonken stemmen, maar er was geen mens te zien.

Titus haalde de schouders op en raakte onwillekeurig zijn arm weer aan op de plek waar Berenice hem gestreeld had. 'We hebben zijn lichaam niet gevonden en Malichus heeft me verzekerd dat niemand door de omsingeling is geglipt die zijn Arabieren rond de voet van de heuvel hebben gelegd, dus dan moet hij óf hier liggen óf op een andere plek, die we nog niet hebben ontdekt. Maar ik denk dat hij hierbeneden is, met nog een twintigtal mannen.'

Vespasianus grijnsde. 'We hebben ze echt verrast, hè?'

Titus glimlachte terug. 'We waren de muur over en de citadel in zonder enige tegenstand te ontmoeten; de deserteur had gelijk, ze waren te moe om wakker te blijven en de deur zat precies op de plek die hij genoemd had, onbewaakt en niet op slot.'

'Ja, de rest van de cohort ontmoette vrijwel geen tegenstand bij de bres, er waren enkel wat wachten, van wie de meesten doezelden. Gek, niet? Na zevenenveertig dagen van de moeilijkste belegering die ik ooit heb meegemaakt valt de stad vrijwel zonder slag of stoot in onze handen.' Vespasianus keek weer de cisterne in en wenkte Hormus. 'Luister en probeer te verstaan wat ze daarbeneden zeggen.'

De vrijgelatene knielde en hield zijn oor boven de opening, terwijl hij zijn ogen sloot. 'Ze ruziën, meester,' zei Hormus na enkele ogenblikken en luisterde verder. 'Het lijkt erop dat er drie standpunten zijn. Eén groepje staat erop dat ze naar buiten gaan om zich dood te vechten om nog zo veel mogelijk van ons om te brengen. De tweede groep vindt dat te riskant omdat ze het gevaar lopen gevangengenomen en vernederd te worden en daarom willen ze direct zelfmoord plegen. En dan is er een derde standpunt, dat kennelijk door slechts één man wordt ingenomen, en dat is dat ze zich moeten overgeven en op uw genade vertrouwen, want als militair zult u toch zeker respect hebben voor de dapperheid die ze hebben betoond en daarom denkt hij dat u ze genade zal betonen als de ene soldaat aan de andere.'

Magnus liet een grimmig lachje horen. 'Wie het ook is, hij kent u niet echt goed.'

Vespasianus was het met dat oordeel eens. 'Precies, de mannen worden allemaal gekruisigd en de vrouwen en kinderen gaan naar de slavenmarkten van Delos.'

Hormus stak zijn hand op en probeerde beter te luisteren. 'Ik denk dat het Josef is, meester; alle anderen schreeuwen nu tegen hem, ze beschuldigen hem ervan dat hij ze naar de ondergang heeft geleid en nu aan het einde geen eer toont.'

'Ik zou zeggen dat ze de spijker op de kop slaan.'

'Nu zegt hij dat als ze niet meer willen vechten vanwege het risico gevangengenomen te worden en als ze zich niet aan uw genade willen overleveren, de enige overgebleven optie is om zelfmoord te plegen. Maar zelfmoord is, zegt hij, een zonde in de ogen van hun god.'

Vespasianus schudde zijn hoofd. 'Deze mensen blijven me steeds weer verbazen.'

'Hij zegt dat ze om de beurt iemand van hun eigen groep moeten doden en dat degene die als laatste overblijft het risico van de toorn van hun god moet nemen door zichzelf te doden.'

'Ah! Die Josef is een sluwe klootzak,' zei Vespasianus. 'We zullen wel eens zien hoe goed zijn sommetje uitpakt.'

Magnus fronste en trok zijn honden weg van een homp vlees van dubieuze herkomst. 'Wat heeft rekenen ermee te maken?'

Vespasianus stak een vinger op om hem het zwijgen op te leggen zodat Hormus weer kon luisteren.

'Hij zegt dat ze met zijn drieëntwintigen zijn. Josef heeft het zwaard aan de man twee plaatsen rechts van hem gegeven, de derde man dus, en die moet de man twee plaatsen verder doden, de vijfde man. De zesde man doodt op zijn beurt de man twee plaatsen verder, de achtste dus enzovoort. Ze hebben ermee ingestemd.'

Vespasianus rekende snel het sommetje uit. 'Ik begin met tegenzin respect voor deze Josef te krijgen. Hij heeft het zo bedacht dat hij samen met de tiende man overblijft.'

'Hoe kunt u respect hebben voor iemand die zo overduidelijk een lafaard is?' vroeg Titus. 'En bovendien een eerloze lafaard aangezien hij de kameraden verraadt met wie hij de afgelopen anderhalve maand schouder aan schouder heeft gevochten.'

'Laten we afwachten wat hij te zeggen heeft als hij naar buiten komt voor we een oordeel over hem vellen,' zei Vespasianus, terwijl het geluid van het eerste lichaam dat tegen de grond sloeg uit de cisterne opsteeg, begeleid door het gemompel van talrijke gebeden.

'Laat een touw zakken,' riep een stem uit de cisterne. 'Ik wil me aan de genade van Titus Flavius Vespasianus overleveren.'

'En wie ben je?' vroeg Vespasianus, die het antwoord al heel goed wist.

'Ik ben Josef ben Matthias, priester van de eerste rang en de Joodse gouverneur van Galilea.'

'Wat een verrassing,' mompelde Vespasianus voordat hij weer naar beneden schreeuwde: 'En hoe zit het met de tiende man?'

Even heerste er stilte. 'De tiende man?'

'Ja, degene die zou overblijven bij de procedure die je had gekozen. Erg slim zou ik zeggen.'

'We hebben een afspraak gemaakt, ook hij leeft.'

Vespasianus knikte naar een wachtende legionair om een touw te laten zakken. 'Dan moeten jullie beiden maar naar boven komen.' Hij wendde zich tot Titus. 'Breng Josef bij me in het kamp. Ik wil hem in het openbaar in de principia spreken; ik wil dat de manschappen horen wat deze Jood voor zichzelf te zeggen heeft.'

Een bittere en haveloze stoet van meer dan duizend jammerende gevangenen werd de omheining binnengeleid, die gebouwd was om hen onder te brengen tot ze beoordeeld, gecategoriseerd en verkocht waren aan de vele slavenhandelaren die samen met kooplieden en hoeren het leger volgden. De meeste vrouwen waren naakt nadat ze uitgekleed waren tijdens hun ontering; omdat ze daardoor hun kleren niet konden verscheuren klauwden ze met hun nagels in hun vlees en trokken hun haar uit, waarna ze snel geboeid werden om te voorkomen dat hun waarde daalde. Enkelen waren erin geslaagd hun kinderen te wurgen om te voorkomen dat ze een leven in slavernij moesten doorbrengen en daarom waren de vrouwen van hun kroost gescheiden, als voorzorgsmaatregel tegen een dergelijk onnodig financieel verlies.

Vespasianus stond naast Magnus en bekeek het tafereel. Hij berekende hoeveel het hele stel bij elkaar waard zou zijn en welk percentage daarvan hij voor zichzelf kon houden. 'Ze gaan niet veel opbrengen,' klaagde hij. 'Er zit nauwelijks vlees op door het lange beleg.'

'Daar kunt u alleen uzelf de schuld van geven,' vertelde Magnus hem, 'aangezien u het commando hebt.'

Vespasianus wierp een blik opzij op zijn vriend. 'Meen je dat nou?'

'Natuurlijk. U kunt niet klagen over de toestand van de gevangenen als u ze al die tijd hebt gegeven om zo te worden. Ik raad u aan om het de volgende keer sneller te doen. Al denk ik dat zoals de zaken nu liggen uw onvermogen om een beleg snel af te ronden eerder een geluk is.'

Vespasianus schudde zijn hoofd in ongeloof. 'Je bent echt bezig in een chagrijnige ouwe man te veranderen, Magnus. De laatste tijd lijkt niets je goedkeuring te kunnen wegdragen.'

'Jaja, geef mij de schuld maar, terwijl ik naar deze uithoek van het rijk ben gesleept zonder een kloot te doen te hebben.'

'Niemand heeft je gevraagd mee te gaan, hoor.'

'En niemand heeft me gevraagd te vertrekken.'

Vespasianus rechtte zijn rug. 'Is dat wat je wilt? Dat ik je vraag om te vertrekken?'

'Nee. Ik zeg alleen dat ik me verveel en als ik me verveel raak ik geïrriteerd. Ik bedoel er niets mee. Maar u moet toegeven dat ik een punt heb. Als u wilt dat de gevangenen in een betere conditie zijn, moet u ze gevangennemen voordat ze de tijd hebben om naar de bliksem te gaan. En vergeet niet dat u binnenkort wel eens geld nodig zou kunnen hebben, een hoop geld en al heel snel.' Magnus' goede oog nam een sluwe uitdrukking aan. 'En doe nou maar niet alsof u geen idee hebt waarover ik het heb. Ik ken u en ik weet dat u altijd geobsedeerd bent geweest door al die voortekenen die u uw hele leven hebt gezien: het teken bij uw geboorte waar niemand iets over wil zeggen; het orakel van Amphiaraus; Thrasyllus' voorspelling dat een senator die de feniks in Egypte ziet de stichter zal worden van de volgende dynastie van keizers, en ik was erbij toen u in Siwa de hergeboorte van de vogel zag en Siwa mag dan wel geen deel uitmaken van onze provincie Egypte, het was ooit onderdeel van het koninkrijk Egypte. Al dat soort dingen, en zelfs Antonia die u haar vaders zwaard naliet na haar zelfmoord, terwijl iedereen wist dat ze het aan de kleinzoon wilde geven die volgens haar de beste keizer zou zijn, hebben u het idee gegeven dat misschien, heel misschien... Als u begrijpt wat ik bedoel.'

'Tja, natuurlijk zou het gezien de toestand in het westen dwaas van me zijn om niet alle mogelijkheden te bekijken. Caenis heeft weliswaar niets meer gehoord over de plannen van Vindex of Galba, maar er zijn zeker aanwijzingen voor groeiende onvrede met het huidige bewind en dan, tja, wie weet.'

'Ik weet het. Ik weet dat het idioot zou zijn om uw leger op te geven gezien de geruchten die we uit het westen krijgen. Daarom zeg ik ook dat het misschien een goede zaak is dat dit langer duurt dan u gehoopt had.'

Vespasianus dacht even na over de woorden van zijn vriend. 'Het is me de afgelopen dagen enkele keren door het hoofd geschoten; maar het probleem is dat hoe langer de opstand blijft woeden, hoe erger die wordt en hoe langer het duurt voordat hij neergeslagen is, en dat kon wel eens betekenen dat ik daardoor niets anders kan doen met dit leger, als je begrijpt wat ík bedoel.'

'Dat begrijp ik zeker. Mijn advies is dan ook om niet langer te klagen over de toestand van de gevangenen maar te zorgen dat u er meer maakt en dat de campagne lang genoeg duurt. Niemand zou haast moeten hebben om een leger op te geven.'

'Je klinkt net als Malichus. Hij ziet ook graag dat het allemaal zo lang mogelijk duurt, zodat hij er een maximale winst uit kan slepen.'

'Dan is hij een verstandig man.'

'Nou ja, ik neem aan dat het een troost is om geld te verdienen aan een slechte zaak.' Vespasianus kreeg de laatste twee gevangenen in het oog die de omheining in werden gebracht. 'En daar is de man met wie het allemaal begon. Dit wordt een interessant gesprek, ik ga me ervoor kleden.'

Legionairs verdrongen elkaar om een glimp op te vangen van de man die hun in de afgelopen zevenenveertig dagen en eerder zoveel ellende had bezorgd. Het was immers Josef geweest die opdracht had gegeven voor de verwoesting van Herodes' paleis in Tiberias en die daad had Galilea aangezet om zich bij de opstand aan te sluiten, die daarvoor beperkt was gebleven tot Judaea en dan vooral rond Jeruzalem.

Josef ben Matthias liep ondanks zijn ketenen rechtop en trots door de scheldende menigte. Hij liet zijn ogen ronddwalen en toonde niets dan minachting voor hun geschimp, ook al riep menigeen om zijn dood.

145

Vespasianus zat op een curulische zetel die op een podium in het midden van de principia was gezet, de voornaamste plaats van bijeenkomst in het kamp, met aan een zijde het praetorium. Gekleed in zijn toga en met de eretekens die hij in Britannia had verdiend om de waardigheid van zijn ambt te benadrukken keek hij toe terwijl de gevangene werd voorgeleid. Iedereen viel stil toen Josef bij het trappetje naar het podium kwam en vervolgens op de knieën ging om zijn nederlaag te erkennen, maar zonder zich kruiperig te gedragen. Ook op zijn knieën straalde hij trots uit en hij keek Vespasianus direct in de ogen, het toonbeeld van een dapper man die in een eerlijk en open gevecht is verslagen.

Vespasianus keek peinzend naar de leider van de Joden in zijn voetboeien en ketenen, knielend voor hem. Hij moest denken aan hoe Caratacus, de opstandige koning van Britannia, zich had gedragen toen hij voor Claudius was gebracht. Er waren heel wat overeenkomsten tussen de twee mannen, zo meende hij: niet het minst de waardigheid waarmee ze hun nederlaag droegen. 'Zo, Josef ben Matthias, we ontmoeten elkaar weer, maar nu in heel andere omstandigheden,' zei Vespasianus na even te hebben nagedacht. 'Omstandigheden die niet erg in je voordeel lijken te zijn, omstandigheden die je door je eigen daden over je hebt gebracht. Ik ben benieuwd hoe je die daden wilt rechtvaardigen.'

Josef haalde diep adem. 'Titus Flavius Vespasianus, ik heb niet meer gedaan dan elke andere man die aan zijn vrijheid hecht zou doen. Nu ik die vrijheid kwijt ben, treur ik er niet om, want ik heb haar niet opgegeven zonder te vechten met alle kracht die ik bezit. Uiteindelijk waren het de priesters in Jeruzalem die me niet te hulp kwamen die verantwoordelijk zijn voor mijn nederlaag; ik spuug op ze.'

Deze woorden raakten een snaar bij de toekijkende legionairs, want ze begrepen de krijgshaftige instelling erachter en ze hadden gezien met hoeveel vastberadenheid Josef had gevochten. Gemompelde instemmingen klonken op en de stemming tegen de gevangengenomen rebel begon te verzachten.

Vespasianus bemerkte de verandering in sfeer en hij deelde de gevoelens: wie zou zich niet verzetten tegen onderwerping? 'Wat verwacht je dat ik met je doe, Josef ben Matthias?'

'Ik verwacht Romeinse rechtvaardigheid, aangezien ik me aan Rome heb overgegeven.'

Vespasianus moest een glimlach onderdrukken, het was een slim antwoord, dat moest hij toegeven. Romeinse rechtvaardigheid kon in dit geval twee dingen betekenen: een directe executie op zijn bevel of de gevangene werd naar Rome gestuurd om voor de keizer te verschijnen, en Vespasianus kon wel raden waar Josef om zou vragen. Hij liet zijn blik langs de gezichten van zijn mannen glijden, die hem allemaal aankeken, wachtend op zijn beslissing; hij kon zien wat zij wilden. 'Goed dan, Josef ben Matthias, je krijgt je Romeinse rechtvaardigheid. Ik stuur je naar Rome om de caesar over je lot te laten beslissen.'

De legionairs braken in een uitgelaten gejuich uit, dat in volume toenam met het verspreiden van het nieuws naar de achterste rijen. Vespasianus stond op, zijn gewicht op zijn goede been, en strekte een arm uit naar de menigte die hem toejuichte. Voor langer dan hij gewoonlijk veilig had geacht liet hij zijn mannen applaudisseren en hij zag dat Titus vragend zijn wenkbrauwen optrok over de lengte van de ovatie. Maar hij had het gevoel dat hij de lof verdiend had en hij wachtte nog een paar ogenblikken voordat hij zijn mannen het zwijgen oplegde. 'Jullie kunnen hem meenemen, en bewaak hem goed,' vertelde hij Josefs cipiers.

'Voordat u me opsluit, Titus Flavius Vespasianus,' zei Josef terwijl hij opstond. 'Mag ik om het privilege van een persoonlijke audiëntie vragen?'

Vespasianus keek naar de Jood die zo precies de val van Jotapata had voorspeld en zijn nieuwsgierigheid hoe dat mogelijk was kreeg de overhand. En wat had hij tenslotte te verliezen? 'Goed.'

'Wat je ook te zeggen hebt,' begon Vespasianus, die zag hoe Josef naar Caenis, Titus en Magnus keek, eveneens aanwezig in Vespasianus' persoonlijke vertrekken, 'kun je ook voor deze mensen zeggen. Niet dat je een keus hebt, natuurlijk, want je bent mijn gevangene.'

Josef knikte ten teken van instemming en keek Vespasianus vervolgens weer recht in de ogen, alsof hij met een gelijke sprak. 'U mag denken, generaal, dat u met mij niet meer dan een gevangene in handen hebt, maar ik kom als een boodschapper van de grootheid die u wacht. Ik kom van God zelf. Ik ken de Joodse wet en ik weet hoe een verslagen Joodse generaal hoort te sterven; maar ik heb het in de cisterne zo aangepakt dat ik niet zou sterven. U zegt dat u me naar de caesar zult sturen, maar hoezo als ik hem hier voor me zie?'

Vespasianus' handen klemden zich om de armleuningen van zijn stoel. Josef had zijn volle aandacht.

'Denkt u,' ging Josef verder, 'dat Nero nog lang aan de macht blijft? Denkt u dat de weinigen die hem zullen opvolgen voordat het uw beurt is langer dan enkele maanden zullen regeren?' U, Titus Flavius Vespasianus, bent caesar en keizer, u en uw zoon hier. U was degene die was voorspeld: de messias die uit het oosten komt en de wereld zal redden.'

Dat was te veel voor Vespasianus. 'Messias! Ik? Onzin! Nu is het wel duidelijk dat je maar wat zegt om je leven te redden.'

'Sla me dan in de zwaarste boeien die u hebt en hou me voor uzelf; u zult zien wat er gebeurt, want ik zeg het u: u bent de meester van land en zee en van het hele menselijke ras – en dood me dan als blijkt dat ik Gods naam ijdel in de mond heb genomen.'

Vespasianus dacht enkele ogenblikken na, terwijl zijn hart als een gek tekeerging. 'Hoe wist je dat Jotapata op de zevenenveertigste dag zou vallen?'

'Wie heeft u verteld dat ik dat voorspeld heb? Ik heb het alleen in een brief geschreven.'

'We hebben de brief onderschept.'

'O, ja, natuurlijk.'

Vespasianus leunde naar voren in zijn stoel. 'Hoe wist je het?'

'Ik kan het. Ik kan zien.'

'Waarom ben je dan naar Jotapata gegaan,' vroeg Titus, 'als je al had gezien dat de stad zou vallen en jij gevangen zou worden genomen?'

'Ik heb altijd gezegd dat ze na zevenenveertig dagen zou vallen en ik heb ook gezegd dat ik levend gepakt zou worden en nu zeg ik dat u keizer zult worden.'

'Centurio!' riep Vespasianus naar de ingang.

'Generaal!' schreeuwde Plancius, die het vertrek betrad en salueerde.

'Neem deze man mee en bewaak hem goed.'

'Ja. generaal, hij moet goed bewaakt worden.'

'Maar hij moet goed behandeld worden, heb je dat begrepen?'

'Ja, generaal, hij moet goed behandeld worden.'

'Mooi, je kunt gaan.'

Met militaire precisie marcheerde Plancius voorwaarts, pakte Josef bij de arm, draaide zich om en voerde hem het vertrek uit, waarbij hij luidkeels de passen riep.

'Tja, wat denkt u ervan, vader?' vroeg Titus toen Plancius ver genoeg was om weer ongestoord te kunnen praten.

Vespasianus was afwijzend. 'Ik denk dat hij een slimme kerel is die ziet wat er in het rijk aan de hand is en die bij mij in het gevlij wil komen door een gok te wagen.'

'Maar u zei vanochtend min of meer hetzelfde tegen mij.'

'Ja,' kwam Magnus ertussen, 'en u weet heel goed dat het idee al een tijdje in uw hoofd speelt.'

'Maar ik ben niet zeker,' zei Vespasianus, 'in ieder geval niet zo zeker als Josef lijkt te zijn.'

Caenis legde haar hand op Vespasianus' arm. 'Dan, liefste, is het misschien tijd dat je zeker wordt. Als het onvermijdelijke gebeurt en Nero wordt afgezet, wijst alles, zowel de voorspellingen als vooral ook praktische zaken, op jou.'

Vespasianus haalde diep adem en blies de lucht langzaam uit, schuddend met zijn hoofd, alsof hij het idee niet kon bevatten. 'Ik kan het niet geloven, ik kan niet zeker zijn. Niet alles wijst er toch op dat ik de… de…' Maar net als wijlen zijn oom Gaius Vespasius Pollo, al die jaren geleden toen Vespasianus zijn vermoedens met hem deelde, kon hij zich er niet toe zetten het woord uit te spreken.

DEEL II

꙰ ꙰

JUDAEA, JULI 68 TOT JULI 69 N.C.

HOOFDSTUK VII

'We schatten dat het er ongeveer vijftienduizend zijn,' rapporteerde tribuun Placidus aan Vespasianus, die op de muren van Jericho stond en naar het oosten keek, richting de Jordaan, die op slechts zes mijl afstand stroomde. Tussen de rivier en de stad bevond zich een massa mensen, een vlek in het goed geïrrigeerde landschap, dat vertrapt werd door hun vlucht.

Vespasianus bestudeerde de menselijke kudde die richting de rivier werd gedreven door vier alae hulpcavalerie en zes cohorten infanterie, zowel Romeinse legionairs als hulptroepen. Naar hij hoopte was dit de laatste stap in het neerslaan van de opstand buiten Jeruzalem.

Sinds de val van Jotapata was er een jaar verstreken en op elke dag van dat jaar was er bitter gevochten. Zijn mannen waren inmiddels gewend aan het fanatisme en de excessen van de opstandige Joden en doodden zonder berouw of mededogen. Zelfs vreedzame dorpelingen, die buiten hun eigen schuld in het conflict verzeild waren geraakt, wilden ze niet meer sparen, want menig rebel deed zich als eenvoudige boer voor, om onder die dekmantel dood en verderf te zaaien onder de Romeinen. In hun ogen kon geen enkele Jood vertrouwd worden en de gewelddadigheid waarmee Vespasianus en zijn legioenen de oorlog voerden droeg alleen maar bij aan de wreedheid ervan.

Op de relatief makkelijke inname van Tiberias was een lange lijst van belegeringen gevolgd, te beginnen met Gishala, waar Johanan ben Levi de verdediging leidde. Titus had hier het bevel gevoerd en had de fout gemaakt in te stemmen met het verzoek om de stad niet op de Joodse sabbat binnen te trekken. Hij had gehoopt dat dit gebaar in het hele land gezien zou worden als bewijs dat de Romeinen rekening hielden met Joodse gevoeligheden. Maar Johanan had gebruikgemaakt van Titus' gebaar van goede wil en was 's nachts met honderden volgelingen weggeglipt. De vergissing werd nooit meer begaan. Tarichaea, Gamala, Gadara, de lijst groeide met de onderwerping van eerst Galilea, dan Peraea en vervolgens Idumaea in het zuiden. En nu was Vespasianus eindelijk in Judaea, en als hij afgerekend had met de vluchtelingen van Gadara bleef alleen Jeruzalem nog over.

Alleen Jeruzalem.

En terwijl Vespasianus zich bezighield met het moeizame en onsmakelijke proces van het doden of als slaaf verkopen van alle Joden die zich niet aan Rome wilden onderwerpen, inmiddels al ruim een kwart miljoen naar zijn schatting, speelde Jeruzalem voortdurend door zijn hoofd. Hoe moest hij Jeruzalem aanpakken?

Jeruzalem. Na zijn ontsnapping uit Gishala was Johanan ben Levi direct naar de stad van de Joden gegaan en daar had hij gedaan wat Vespasianus en Titus gehoopt hadden dat hij zou doen: verdeeldheid onder de bevolking zaaien. Hij had zelfs zo effectief verdeeldheid gezaaid dat naar schatting van een van Titus' spionnen meer dan de helft van de bevolking gedood was. Johanan had de handen ineengeslagen met andere radicalen en had de inwoners van Idumaea, het Joodse koninkrijk ten zuiden van Judaea, opgeroepen hen te hulp te komen. Twintigduizend hadden gehoor aan de oproep gegeven en stroomden de stad in. Ze behandelden de lokale bevolking als vijandig en plunderden, verkrachtten en moordden. Met barbaarse wreedheid baande de alliantie van zeloten en Idumaeeërs zich al vechtend een weg door de stad tot in de tempel zelf, waarna ze een bloedbad in het complex aanrichtten.

De buit die het plunderen van de gewone mensen had opgeleverd stelde hen niet tevreden en dus richtten ze hun aandacht op de priesters en aristocratie, ze vermoordden iedereen van hen die ze te pakken kregen en verrijkten zich met de bezittingen. De ochtend na de bestorming van de tempel onthulde het eerste ochtendlicht vijfentachtighonderd lijken, achtergelaten in een heiligschennis die aantoonde hoe ver de overname van de stad was afgedwaald van religieuze principes. Ananus was vermoord omdat hij contact met Vespasianus zou hebben gehad, iets waarvan Vespasianus wist dat het niet waar was. In zijn plaats werd een marionet als hogepriester geïnstalleerd, een man die niets van de rituelen wist. De rebellen stelden een schrikbewind in, gebaseerd op een extreme interpretatie van de Joodse geschriften, zodat de stad algauw onder angst gebukt ging. Degenen die beweerden in naam van de Joodse god te vechten genoten van de macht die ze naar zich toe hadden getrokken en deden waar ze zin in hadden.

De opstandelingen deden met andere woorden zijn werk voor hem en Vespasianus meende dat hij hen voorlopig maar beter hun moordzuchtige gang kon laten gaan. Maar tegelijkertijd bood Jeruzalem Rome nog altijd het hoofd en op een gegeven moment moest de stad ingenomen worden en de tempel, dat monumentale symbool van religieuze intolerantie, moest met de grond gelijk worden gemaakt. In Vespasianus' ogen was het van vitaal belang om aan te tonen dat de onzichtbare god van de Joden niet alleen onzichtbaar was, maar ook niet-bestaand, doordat hij de verwoesting van de tempel en de vernietiging van zijn volk niet kon voorkomen.

'Wat zijn uw bevelen, generaal?' vroeg Placidus, die Vespasianus uit zijn mijmeringen wekte.

Vespasianus keek weer naar de duizenden vluchtende Joden van Gadara en voelde geen medelijden met hen. 'Dood iedereen die zich niet in slavernij wil schikken. Geen medelijden, niet nu; daarvoor is het al te ver gekomen.'

Placidus salueerde en ging weg om de bevelen uit te voeren, terwijl Vespasianus naar het oosten bleef kijken, zijn handen rustten op de oude muren van Jericho, een stad die bijna zo oud was als Arbela, waar hij ruim vijftien jaar geleden twee jaar gevangen had gezeten. Hij dacht terug aan die tijd, waarin hij in de kerkers van die oude stad had gezeten, zonder licht en met weinig eten en nog minder hoop. Maar zelfs in de wanhoop die hij toen voelde had hij zich aan het leven vastgeklampt, in tegenstelling tot deze mensen, die zonder morren hun leven weggooiden voor de een of andere god wiens bestaan onmogelijk te bewijzen was. De fanatici die Joshua vereerden, de Jood die net als zoveel van zijn landgenoten gekruisigd was, hadden in ieder geval nog iets tastbaars om in te geloven, aangezien Joshua bestaan had. Vespasianus wist dat met zekerheid, want zijn broer Sabinus had de leiding gehad bij de kruisiging van de man, hier in Judaea.

Nee, het werd tijd om een einde aan de opstand te maken en het fanatisme uit de Joden te slaan. Het werd tijd dat ze verstandig werden en net als de rest van de mensheid respect hadden voor alle goden en tolerant waren voor degenen die op een andere manier goden vereerden. Het werd tijd, en Vespasianus voelde zich sterk na zo lang gevochten te hebben tegen een geloof dat hij niet kon begrijpen.

Hij draaide zich om en liep langs de oude verdedigingswerken van de stad die eerst de vluchtende opstandelingen toegang had geweigerd en vervolgens de poorten had geopend voor de achtervolgende Romeinen in een onmiskenbaar teken dat de opinie in Judaea ten gunste van Rome was gekeerd. De gewone mensen begonnen genoeg te krijgen van de fanatici die hun leven hadden bedorven en hun land aan verwoesting hadden overgeleverd. Ja, de onderwerping van Jericho was een teken dat de tijd was gekomen.

Ze stonden tien rijen dik langs de westoever van de Jordaan, gevangen tussen de rivier, gezwollen door hevige regenbuien, en de zwaarden van hun achtervolgers. Een luid gejammer klonk op uit de monden en velen scheurden hun kleding of trokken aan hun haar, want de onmogelijkheid om de anders zo kalme rivier over te steken zagen ze als een teken dat hun god hen had verlaten. En na alle gruweldaden die de Joden in naam van hun god hadden gepleegd verbaasde het Vespasianus niet dat hij hen in de steek had gelaten – als die god al bestond, peinsde hij terwijl hij met zijn staf een heuveltje op reed om de vernietiging van de laatste opstandelingen buiten Jeruzalem gade te slaan.

Placidus verspilde geen tijd met boodschappers die een zinloze poging tot onderhandelen zouden doen; geen van beide kampen verwachtte dat nog. Hoewel de rebellen met drie keer zoveel waren toonde Placidus geen angst voor wat niet meer dan armzalig bewapend en slecht geleid gepeupel was. Aan beide zijden van de Romeinse formatie trokken twee alae cavalerie in draf op, terwijl de centrale infanteriecohorten, in vierkanten geformeerd, zwijgend voorwaarts marcheerden.

Vele van de ingesloten Joden, zowel mannen als vrouwen, vielen op hun knieën en smeekten hun afwezige god om verlossing, maar de meesten beheersten zich, trokken hun wapen en wachtten grimmig op wat zou komen: de dood.

De dood vond hen ook snel. Met nog vijftig passen te gaan begon de cavalerie een charge. De tegenstand bestond enkel uit een rafelige linie met nauwelijks boogschutters; de paarden hielden dan ook niet in, maar galoppeerden door. De flanken van de Joodse linie wankelden en braken, de cavaleristen sneden erdoorheen en overweldigden de vijand. Menige Jood werd vertrapt onder de hoeven van de onstuimige paarden, terwijl de anderen terugweken om te ontkomen aan de stekende en zwaaiende zwaarden boven hen. Ze ondergingen het onvermijdelijke lot van infanterie die overweldigd werd door cavalerie. Het centrum begon ook te wijken omdat ze hun kameraden aan weerszijden voelden bezwijken, waarmee hun flanken kwetsbaar dreigden te worden voor de oprukkende Romeinse oorlogsmachine. De cohorten marcheerden zwijgend voorwaarts, hun afgemeten pas was van een onontkoombare en dreigende regelmaat, tot het moment waarop duizenden pila richting tegenstander werden gelanceerd, waarna de legionairs in looppas overgingen. Met de schilden vooruit wierpen ze zich op de desintegrerende linie van de opstandelingen. Het kon nauwelijks een gevecht worden genoemd, zo constateerde Vespasianus tevreden toen de Joden naar achteren weken door de kracht van de aanval. Maar ze konden nergens heen dan de rivier in, die achter hen kolkend en snel stroomde, en wie niet door speren of zwaarden viel, werd met huid en haar verslonden. Het water trok hen aan hun lange gewaden de diepte in, ook al probeerden ze met ongeoefende slagen te blijven drijven. Zelfs de paar die konden zwemmen worstelden om hun hoofd boven te houden tussen de massa lichamen, dood en levend, die dicht op elkaar werden gestuwd in de snelle stroming. De Romeinen stonden op de oever en lachten en hakten in op degenen die het water uit probeerden te komen, zodat ze gedwongen werden terug te gaan naar een zekere dood in een rivier die al vol lijken was, maar altijd naar meer verlangde.

'Dat is dat, heren,' zei Vespasianus tegen zijn staf en hij keerde zijn paard. Hij had genoeg gezien. 'Als de Jordaan al die lichamen in de Dode Zee uitbraakt, zullen ze daar dagenlang ronddobberen zodat iedereen ze kan zien, dat zal ze in Jeruzalem iets geven om over na te denken. Ik ga terug naar Caesarea. Stuur orders naar alle legioenen en hulpcohorten die geen garnizoensdienst hebben om daar samen te komen als de vollemaan is bereikt. En stuur een bericht aan Mucianus in Antiochië om te vragen of hij geraadpleegd wil worden, en ook aan Tiberius Alexander in Egypte. En dan, heren, als we allemaal bij elkaar zijn, gaan we kijken wat we met Jeruzalem gaan doen.'

'Hoe ging het?' vroeg Magnus door de stoom toen Vespasianus het warme bad betrad van de thermen in het gouverneurspaleis, gelegen aan de moderne haven van Caesarea.

'Ik dacht al dat ik je hier kon vinden,' zei Vespasianus en hij legde een handdoek op de stenen bank naast Magnus, waarna hij ging zitten. Warm water druppelde van het koepelplafond, dat versierd was met mozaïeken van woeste zeewezens die in hun felblauwe omgeving met elkaar streden. 'Het was zoals ik verwacht had: een zinloze verspilling van levens, en aangezien ze vastbesloten leken om hoe dan ook te sterven hoop ik dat ze tevreden zijn. Ik was er in ieder geval wel tevreden over. Placidus heeft er geloof ik nog een paar duizend levend weten te pakken, dus dat moet ons nog wat geld opleveren.'

'Niet zoveel als vorig jaar, want u hebt de slavenmarkten op Delos overspoeld met verse aanvoer, en in het westen gebeurt hetzelfde met Gallische gevangenen na de mislukte opstand van Vindex een paar maanden geleden.'

Vespasianus veegde het zweet van zijn kale kruin en dacht na over het recente nieuws uit Gallië. Vindex, de Gallische gouverneur van Gallia Lugdunensis, was in opstand gekomen tegen Nero's belastingbeleid en had zijn steun voor Galba als keizer uitgesproken. Maar de opstand was niet aangeslagen, slechts drie van de vierenzestig Gallische stammen hadden zich erbij aangesloten. Geen enkele andere gouverneur had met zijn legioenen steun toegezegd, want het leek niet meer dan een Gallische revolte te zijn, met Galba als onwaarschijnlijk boegbeeld. Nero reageerde op het nieuws door voorbereidingen te treffen om naar het noorden te gaan. Hij wilde voor de opstandelingen verschijnen en in huilen uitbarsten, waarna hij een lofzang op zijn overwinning zou aanheffen omdat zijn tranen hun hart had doen smelten. Maar Lucius Verginius Rufus, de gouverneur van Germania Superior, had het rijk behoed voor het schouwspel van Nero's nieuwe militaire tactiek door Vindex te verslaan, die prompt zelfmoord had gepleegd.

Wat onzeker was, hier in Judaea aan de andere kant van het rijk, was Galba's positie, want de berichten over hem en zijn acties waren vaag. Wel gingen er geruchten dat hij een tweede legioen op de been had gebracht naast het legioen dat hij al onder zijn commando had in de provincie Hispania Tarraconensis. Er werd gezegd dat hij het de Zevende Galbiana had genoemd, wat al het nodige over zijn bedoelingen zei. Maar meer dan dat wist Vespasianus niet, ondanks de pogingen van Caenis om informatie te verzamelen.

Wat echter zeker was, was de forse prijsdaling van slaven vanwege het grote aantal gevangenen dat gemaakt was bij het neerslaan van de opstanden aan beide uiteinden van het rijk. Vespasianus bleef echter stoïcijns onder de gevolgen van de marktwerking. 'Daar valt niets aan te doen, ik zit er niet mee. Ook al krijg ik dertig procent minder per slaaf, het feit dat ik er zoveel verkoop betekent dat ik toch niet minder heb verdiend dan ik verwacht had.'

'Natuurlijk, als u het zo bekijkt, maar vergeet niet dat als u zo doorgaat er geen Jood meer in Judaea overblijft.'

'En is dat een slechte zaak? We kunnen het land aan veteranen geven of aan redelijke mensen, zoals Malichus en zijn Nabatese Arabieren; zo wordt het weer regeerbaar.'

'En de Joden?'

'Wat is er met de Joden?'

'Er zullen er nog duizenden, honderdduizenden in leven zijn in alle hoeken van het rijk.'

'Maar dat zijn slaven.'

'Alleen degenen die u gevangen hebt genomen; niet degenen die in de grote Joodse gemeenschappen in Alexandria, Antiochië en Rome wonen, om er maar een paar te noemen. Van wat ik ervan heb begrepen is dit land heilig voor de Joden, omdat ze geloven dat hun onzichtbare god hier woont en dat zij zijn volk zijn. Als u dat van ze afpakt, wat gebeurt er dan? Ze zullen het terug willen; ze zullen het terugeisen, dat denk ik.'

'Tja, maar ze krijgen het niet terug.'

'Op een dag lukt het ze misschien wel, u hebt zelf gezien hoe koppig ze zijn. En wat gebeurt er dan met al die mensen die we hiernaartoe hebben gehaald, Malichus en zijn Arabieren? Ze zullen vechten om te behouden wat ze als van hen beschouwen, dat gaat er gebeuren, en dan hebben we een nieuw probleem.'

Vespasianus zuchtte diep en liet met zijn ellebogen op zijn knieën zijn hoofd hangen, genietend van de hitte, terwijl hij over de woorden van zijn vriend nadacht. 'Ik weet het niet, Magnus,' zei hij uiteindelijk. 'En om eerlijk te zijn kan het me ook niet schelen, want het zal het

159

probleem van iemand anders zijn. Ik heb mijn portie gehad en nu moet ik ook nog Jeruzalem aanpakken.'

'En wanneer gaat u dat doen?'

'Ik weet het nog niet, maar ik heb een raad bijeengeroepen om de zaak te bespreken; over drie dagen komen we bij elkaar.'

'Mijn instinct zegt me dat we niet onmiddellijk een grootschalig beleg van Jeruzalem moeten beginnen zolang ze onderling nog vechten, maar heren, het probleem is complex en de inzet is zo hoog dat ik graag jullie mening hoor.' Vespasianus liet zijn blik langs de grote ronde tafel gaan, die precies in het midden stond van de ruime, lichte kamer in de gouverneursresidentie. Hoge, open ramen met witmarmeren omlijstingen boden uitzicht over de haven, waar vele schepen lagen. De zee glinsterde in de hete middagzon van augustus. Gordijnen wapperden in het zachte, warme briesje dat door de ramen naar binnen woei en de geluiden en geuren naar binnen voerde van de vismarkt op de zuidkade, de civiele kant van de haven. De triremen waarmee Mucianus uit Antiochië en Tiberius Alexander uit Alexandria waren gekomen dobberden tussen de vele andere schepen die Vespasianus ter beschikking stonden in het noordelijk deel van de haven, het militaire deel.

Een tijdlang zei niemand iets, terwijl Vespasianus de aanwezigen een voor een aankeek. De genotzuchtige Mucianus, die te oordelen naar zijn kleurige, flamboyante gewaad in de achttien maanden die hij er nu zat zich goed had aangepast aan zijn post als gouverneur van Syria, trommelde met zijn vingers op tafel en keek net iets te lang naar Titus. Naast Titus zat Tiberius Alexander, een van de drie Joden in het vertrek, al hadden er slechts twee een plaats aan tafel. Hij had een donkere huid en een knap, ruig gezicht. Met zijn geoliede zwarte haar en baard leek hij niet op een Romeinse prefect van Egypte, maar Vespasianus vermoedde dat dit zijn geheim was om het delicate evenwicht tussen de Griekse, Joodse en inheemse gemeenschappen te bewaren. Malichus krabde met zijn ene hand in zijn volle baard en wuifde zich met zijn andere koelte toe. Hij zat naast de prefect, met Herodes Agrippa aan zijn linkerzijde. Vespasianus had de vazalkoning om persoonlijke redenen niet willen uitnodigen, maar Caenis had hem overgehaald zijn persoonlijke antipathie opzij te zetten omdat Herodes van nut kon zijn als er met Jeruzalem onderhandeld moest worden in het onwaarschijnlijke geval dat zoiets nog mogelijk was. Om die reden was Josef ook aanwezig, die naast de deur stond, nog altijd een gevangene en nog altijd in boeien. Josef had nuttige achtergrondinformatie gegeven bij de inlichtingen die Titus in het afgelopen jaar van zijn diverse bronnen had ontvangen. Vespasianus was sympathie voor hem gaan opvatten en zag hem als zijn favoriete Jood. Hij had besloten hem bij zich te houden in plaats van hem naar Rome te sturen.

Ook de legaten van de andere twee legioenen waren aanwezig, Trajanus en Vettulenus – Titus commandeerde nog altijd de Vijftiende Apollinaris. En ten slotte zaten de zes prefecten van de hulptroepen aan tafel, onder wie Placidus. Niemand in het rijk, zo besefte Vespasianus, wist meer van Judaea en de Joden dan deze mannen. Als zij niet met goede raad konden komen, kon niemand dat – maar ja, dan nog, wie kon iets zinnigs zeggen over dit onzinnige land?

'We moeten aanvallen, vader,' zei Titus toen duidelijk werd dat niemand zijn mening zou geven voordat Vespasianus' zoon en tweede in de bevelstructuur iets zou zeggen. 'Ze zijn zwak en verdeeld, volgens mijn bronnen zijn de Idumaeërs tien dagen geleden plunderend door de stad getrokken, waarbij ze iedereen die ze te pakken kregen hebben vermoord. De bevolking zal zeker in opstand komen tegen de zeloten en Idumaeërs als we aanvallen.'

'Dat is iets wat nooit zal gebeuren,' zei Tiberius Alexander met stelligheid. 'Het doet er niet toe welk onrecht de ene Jood de andere aandoet, ze zullen de handen ineenslaan tegenover een niet-Joodse vijand. Als we Jeruzalem gaan belegeren vechten we tegen de vrijwel voltallige bevolking.'

'Vrijwel?' vroeg Vespasianus en hij leunde voorover.

'Er zullen er altijd een paar zijn die niets van religieus fanatisme moeten hebben en Rome als de oplossing daarvoor zien; het gaat dan vooral om verstandige kooplieden uit welgestelde families, maar veel zullen het er niet zijn.'

'Dan moeten we misschien proberen contact met ze te leggen. Herodes Agrippa, kun jij boodschappen de stad in en uit krijgen?'

Herodes dacht hier lang genoeg over na om duidelijk te maken hoe moeilijk een dergelijke gunst zou zijn. Vespasianus onderdrukte zijn irritatie door achterover te leunen in zijn stoel en de elegante manoeuvres te bestuderen van een trireem die de haven in voer, waarbij de zeilen werden gestreken en het schip met behulp van de riemen verder voer.

'Het is mogelijk,' zei Herodes, waarna Vespasianus zijn ogen van het tafereel losmaakte. 'Ik heb contacten met de nodige leden van het priesterschap en de adellijke families, al zijn de meesten inmiddels vermoord. Ik zal nadenken over wie open kan staan voor onderhandelingen.'

'Dat is buitengewoon vriendelijk van u,' zei Vespasianus zonder een spoortje ironie in zijn stem. Hij wendde zich weer tot Tiberius Alexander. 'Als we aanvallen leidt dat er volgens u dus alleen maar toe dat we een verdeeld volk verenigen. Dat zou bijzonder dwaas zijn, aangezien ze het nu zo druk hebben met elkaar te vermoorden zonder dat er ook maar één Romeins leven verloren gaat. Het lijkt me verstandig om ze nog een tijdje ons werk voor ons te laten doen. Maar we kunnen natuurlijk niet toestaan dat ze Rome het hoofd blijven bieden, de vraag is dus: hoe lang laten we ze elkaar nog afmaken?'

De prefect van Egypte hoefde niet lang over de vraag na te denken. 'Het is nu augustus, de zeloten en Idumaeërs hebben de tempel en de beneden- en bovenstad al bijna een jaar in handen. Als onze ruwe schattingen kloppen, dan zijn er na de velen die de stad zijn ontvlucht en degenen die zijn gedood nog hooguit honderdduizend mensen in de stad. De oogsttijd nadert; leg een los kordon om de stad en snijd de aanvoer van levensmiddelen af.'

'Geen volledig beleg, alleen een blokkade,' zei Vespasianus, bijna voor zichzelf, terwijl de trireem aanlegde en de meertouwen uitwierp. 'Ja, zodra duidelijk wordt dat we alle goederen die naar de stad gaan in beslag nemen, zal de stroom snel opdrogen en begint de honger.' Vespasianus keek naar Josef. 'Wat gaan ze dan doen?'

'De zeloten zullen de stad plunderen op zoek naar voorraden en die voor zichzelf houden,' zei Josef. Zijn ketenen rammelden bij elke beweging. 'Ze vinden dat ze het werk van de Heer doen door de tempel tegen ons te beschermen en vinden daarom dat ze recht op eten hebben. De gewone mensen moeten volgens hen de wet zoals zij die interpreteren gehoorzamen en verder hun mond houden.'

'En wat zullen de gewone mensen doen als ze honger beginnen te krijgen?'

'Ze zullen proberen te vluchten, maar de zeloten zullen dat verhinderen.'

'Waarom zouden ze dat doen?'

'Volgens hun ideologie kunnen ze de mensen niet toestaan om een vrije wil te hebben. U moet begrijpen dat het allemaal om de interpretatie van onze religie draait. Als ze zeggen dat de gewone mensen honger moeten lijden opdat zij kunnen eten om sterk te zijn en Gods huis te beschermen, dan staat dat gelijk aan een religieus gebod van de Heer zelf.'

Vespasianus zag wat dat betekende. 'Als ze dus proberen te ontsnappen keren ze zich tegen God en de enige straf daarvoor is in hun ogen de dood.'

Josef maakte een afwerend gebaar met zijn handen, de ketenen rinkelden. 'De straf voor de meeste dingen die ze als een zonde beschouwen is de dood.'

'Tja, daar lijkt het wel op.' Vespasianus wendde zich tot Mucianus. 'Gouverneur, hoe is de toestand langs onze grens met Parthië? Hebben ze gebruikgemaakt van het feit dat we drie legioenen met hulptroepen naar Judaea hebben overgebracht?'

Mucianus tuitte de lippen even terwijl hij het antwoord in zijn hoofd formuleerde. Er was niets over van de atletische militaire tribuun die Vespasianus in zijn tijd bij de Tweede Augusta had gekend, de man die een belangrijke rol had gespeeld in het redden van het legioen in de nacht waarop Caratacus een verrassingsaanval had uitgevoerd. Aan de ronde tafel zat een heel andere man, elegant gekapt en stijlvol gekleed in oosterse gewaden: dit was een man die liefde voor genot en verlangen naar macht ademde. Ooit had Vespasianus zijn leven aan deze man toevertrouwd en zijn vertrouwen was beloond, maar kon hij dat nog steeds?

'Er zijn nauwelijks incidenten langs onze grens geweest,' zei Mucianus met zijdezachte stem en een serene gezichtsuitdrukking. 'Vologases is tevreden met de afspraken over Armenia en zijn aandacht is momenteel op het oosten gericht, waar enkele lastige satrapen de Armeense oorlog hebben aangegrepen om zich los te maken van de Grote Koning. Ik geloof dat een van die satrapen is gestorven terwijl hij wilde dat hij zich los kon maken van de staak die in zijn anus was gestoken. De andere is naar India gevlucht. Vologases zal pas weer deze kant op kijken als hij klaar is in het oosten, op zijn vroegst volgend voorjaar.'

'Dan weten we hoeveel tijd we hebben,' zei Vespasianus. 'We beginnen direct met de blokkade en houden die de hele winter vol. Als het nieuwe campagneseizoen begint gaan we over tot een volledig beleg van de verzwakte stad. We moeten proberen Jeruzalem binnen twee maanden in handen te hebben, voordat Parthië kansen ruikt.' Hij keek de tafel rond, maar niemand probeerde hem tegen te spreken.

'En in de tussentijd,' vroeg Titus, 'wat hebt u in gedachten voor het leger?'

'Afgezien van het in stand houden van de blokkade alleen het gebruikelijke: strafexpedities, garnizoensdienst en in het algemeen de bevolking aan onze aanwezigheid herinneren. Hoezo?'

'Er is in de afgelopen dagen nog een probleem bij gekomen, ik heb er vanochtend over gehoord. Een andere groep fanatici, die de Sicariërs worden genoemd, naar het gebogen mes dat ze gebruiken om iedereen te doden die het niet met ze eens is, heeft gebruikgemaakt van de komst van de Idumaeërs naar Jeruzalem om het bergfort Massada in te nemen. Ze zitten er met zeker duizend man plus hun vrouwen en kinderen. Volgens mijn spionnen hebben ze alle omliggende dorpen overvallen en alle voorraden die ze konden vinden meegenomen. Door het land af te schuimen hebben ze genoeg voedsel om het er zeker een jaar uit te houden.'

'Wat voor schade kunnen ze daar op die bergtop uitrichten?'

'Geen, maar vroeger of later moeten ze aangepakt worden, dus waarom niet vroeger?'

Vespasianus twijfelde. 'Ik heb Massada gezien, het is bijna onneembaar. Een leger kan de vesting alleen veroveren door een hellingbaan naar de top aan te leggen; stel je eens voor hoeveel grond daarvoor nodig is en hoeveel slaven om het te versjouwen. Nee, we wachten tot we Jeruzalem hebben en dan gebruiken we de gevangenen die we daar maken om met Massada af te rekenen. Tot dan laten we ze op hun berg zitten.'

'Leggen we er een blokkade omheen net als bij Jeruzalem?'

Vespasianus schudde zijn hoofd. 'Wat is de zin ervan? Het zou verspilde moeite zijn: laat ze maar zoveel voedsel aanslepen als ze willen. Als we de hellingbaan bouwen nemen we het fort binnen de kortste keren in. Hun buiken zullen gevuld zijn als we ze doden.'

Caenis kwam binnen met een rol in haar handen en maakte zo een einde aan het gesprek. 'Het spijt me dat ik jullie beraadslaging onderbreek, heren, maar er is net een schip uit Rome binnengelopen met nieuws dat naar mijn mening niet kan wachten.'

Alle ogen waren op Caenis gericht. Vespasianus gebaarde dat ze kon spreken, maar ze wees op Josef.

'Verlaat de ruimte,' beval Vespasianus.

De deur ging dicht en het gerammel van Josefs kettingen stierf weg. Caenis rolde het perkament uit en keek naar Vespasianus. 'Het is een brief van je broer. Hij schrijft dat Nymphidius, een van de prefecten van de praetoriaanse garde, de garde heeft overgehaald om trouw aan Galba te zweren, die zichzelf sinds Vindex' mislukte opstand tot legaat van de Senaat heeft benoemd. Dat heeft de Senaat de moed gegeven om Nero tot staatsvijand uit te roepen.' Ze zweeg even en keek de kamer rond, allemaal hielden ze hun adem in. 'Nero heeft zelfmoord gepleegd.'

Iedereen ademde luidruchtig uit en dacht aan de ingrijpende gebeurtenissen die zouden volgen nu Nero zonder mannelijke erfgenaam was gestorven.

Caenis' ogen boorden zich in die van Vespasianus; ze gloeiden van opwinding. 'Het is begonnen, liefste. Servius Sulpicius Galba eist het purper op en marcheert op Rome. De Senaat heeft ingestemd, Galba is de nieuwe keizer van Rome.'

HOOFDSTUK VIII

Er heerste stilte, want iedereen probeerde de eigen positie te bepalen. Het geroep van de handelaren op de vismarkt, vermengd met de geluiden van een drukke haven, dreef door het raam naar binnen, want het leven van de gewone mensen ging door, onberoerd door het nieuws – het was weinig waarschijnlijk dat de prijs van de vis werd beïnvloed door het feit dat een oude man van wie de meesten nog nooit gehoord hadden keizer was geworden. Vespasianus benijdde hen; uit welke richting de politieke wind ook blies, hun leven bleef hetzelfde. Hij moest nu nadenken hoe hij de veiligheid van zichzelf en zijn familie het beste kon zekerstellen.

Vespasianus doorbrak de stilte. 'Weten we nog meer?' vroeg hij aan Caenis.

'Marcus Salvius Otho, de gouverneur van Lusitania, heeft zich aan de zijde van Galba geschaard; niet dat hij soldaten heeft, maar zijn langdurige banden met Nero, voor ze ruzie over Poppaea Sabina kregen, geven een zekere legitimiteit aan Galba's zet.'

Vespasianus keek over de tafel naar Mucianus. 'Wat denkt u ervan?'

'Het lijkt me duidelijk,' zei Mucianus met een klein lachje. 'Galba is kinderloos en tweeënzeventig jaar oud; Otho is een aristocraat met veel connecties en is pas zesendertig, jong genoeg om zijn zoon te kunnen zijn…' Mucianus liet de rest van de gedachte onuitgesproken.

'Dat is wat ik ook dacht.' Vespasianus liet zijn ogen langs de aanwezigen glijden. 'Dus, heren, waar staan wij?'

Herodes Agrippa duwde zijn stoel van de tafel en stond op. 'Ik twijfel er niet aan waar ik sta. Ik ga onmiddellijk naar Rome om de nieuwe keizer te feliciteren en persoonlijk mijn trouw aan hem te zweren.'

Zonder op een antwoord te wachten draaide hij zich om en verliet het vertrek.

Vespasianus stond zichzelf een dun glimlachje toe. 'Ongetwijfeld hoopt hij met de nodige snelle vleierij Galba over te halen hem meer gebied toe te kennen. Tja, Herodes heeft zijn eigen belangen, net als ieder van ons hier. Niettemin, heren,' hij keek naar Caenis en gebaarde dat ze in de vrijgekomen stoel van Herodes moest gaan zitten, 'en dame, wij vertegenwoordigen de echte macht in de oostelijke provincies. Het lijkt me dat een gezamenlijke reactie voor ons allemaal beter zal uitpakken dan als we individueel handelen.'

'Waarom bent u daar zo zeker van?' vroeg Trajanus.

Caenis wierp een blik op Vespasianus, die toestemmend knikte, en nam het woord. 'Omdat, legaat, Galba de vier belangrijkste machtsconcentraties buiten Rome zal willen opsplitsen: de Rijnlegioenen, de Donaulegioenen, de Britannische legioenen en het oostelijke leger. Sabinus schreef in zijn brief over een gerucht dat Galba onmiddellijk Rufus, de gouverneur van Germania Superior, heeft vervangen, ook al was hij degene die Vindex heeft verslagen. Rufus' legioenen riepen hem tot keizer uit, maar hij sloeg de titel af. Galba kan Rufus niet laten aanblijven, ook al weigerde hij de kans op macht die het leger hem bood.'

'Wie is zijn vervanger?' vroeg Mucianus.

'Dat was nog onduidelijk toen Sabinus de brief schreef, veertien dagen geleden. Hij zegt dat er geruchten en tegengeruchten uit Galba's omgeving komen en omdat de nieuwe keizer nog niet vanuit Gallië Italië is binnengetrokken weet niemand wat hij moet geloven. Hij schrijft echter wel dat Aulus Vitellius heel snel uit Rome is vertrokken om naar Galba te gaan en zijn trouw aan hem te zweren.'

Mucianus bekeek zijn goed gemanicuurde hand. 'Een vette vreetzak zonder militaire ervaring en een kont zo flubberig als de buik van een zeug: een ideale keus in Galba's ogen om de veiligheid van de Rijngrens aan toe te vertrouwen.' Hij bleef zijn nagels bestuderen om Caenis niet te hoeven aankijken terwijl hij het woord tot haar richtte. 'Dus als we een brief sturen met onze gezamenlijke groet en een verklaring van loyaliteit namens ons allen, dan zal hij zich volgens u wel twee keer bedenken voordat hij een van ons zal ontheffen van onze bijzonder lucratieve posten?'

'Ja, Galba weet dat Syria, Egypte en het leger van het oosten als ze willen hun eigen kandidaat voor het purper naar voren kunnen schuiven, en daarmee de burgeroorlog ontketenen die maar net vermeden was door Rufus' weigering om de wens van zijn manschappen in te willigen. Aangezien we in Egypte een groot deel van Romes graanvoorraden controleren is dat geen positie waarin Galba zich wil bevinden. Het is dus veel makkelijker voor hem om een verenigd oosten met rust te laten, dat dan gewoon verdergaat met het neerslaan van de Joodse opstand en het op afstand houden van Parthië. Maar als jullie allemaal individueel reageren, krijgt hij de kans om jullie een voor een uit te schakelen.'

Niemand betwistte deze analyse van Caenis, want alle aanwezigen kenden haar scherpe politieke inzicht, ook al was ze niet meer dan een vrijgelatene.

'Tiberius Alexander?'

'Zo denk ik er ook over; een van de eerste dingen die hij zal doen is proberen mij te vervangen door een vertrouweling. Ik kan dat alleen voorkomen door een verbond met u te sluiten, Vespasianus, en u, Mucianus. Wij drieën moeten ons als één opstellen, zodat Galba geen andere keus heeft dan onze aanstelling te bekrachtigen. Ik keer terug naar mijn provincie, laat mijn twee legioenen trouw aan de nieuwe keizer zweren en zorg dat de graanvloot op tijd uitvaart. Ondertussen sturen we een gezamenlijke boodschap aan Rome waarin we onze eeuwige loyaliteit aan de nieuwe keizer betuigen en onze steun uitspreken aan Otho, mocht Galba hem als erfgenaam willen adopteren.'

Mucianus knikte en legde zijn handen op tafel, kennelijk tevreden met de staat van zijn nagelriemen. 'En ik ga terug naar Antiochië en blijf regelmatig verslagen sturen dat het goed gaat met ons marionettenregime in Armenia; dat de Grote Koning ver in het oosten van zijn rijk is en dat Vespasianus goed werk aflevert in Judaea. De keizer zal beseffen dat hij zich geen zorgen hoeft te maken over het oosten.'

Vespasianus feliciteerde zichzelf met de verzoenende brief die hij het vorige jaar aan Mucianus had geschreven. Dat beetje nederigheid was een goede investering geweest, want Mucianus stond nu zonder rancune aan zijn kant. 'En wat mijn deel betreft,' zei Vespasianus, 'ik laat mijn leger onmiddellijk de eed van trouw zweren zodat wie de brief ook brengt dat met eigen ogen heeft gezien. Daarna ga ik verder met het neerslaan van de opstand.' Hij grinnikte. 'In onze brief aan Galba zeggen we dat alles op de oude voet doorgaat. De vraag is: wie heeft er voldoende statuur om hem af te leveren?'

Titus trok de aandacht van zijn vader. 'U komt duidelijk niet in aanmerking, evenmin als Mucianus en Tiberius Alexander...'

'Nee, jij gaat niet,' onderbrak Vespasianus hem. 'Ik heb je hier nodig. Bovendien wil ik het risico niet lopen dat Galba je gijzelt; hij kan me dan terugroepen door met jouw executie te dreigen.'

Titus fronste. 'Ik wilde mezelf helemaal niet voorstellen, vader; ik wilde zeggen dat de drie legaten van de legioenen, waarvan ik er een ben, niet gemist kunnen worden vanwege de opstand. Daarom moeten we verder kijken. We zouden Herodes Agrippa de brief kunnen meegeven, maar ik vermoed dat hij het zo zal draaien dat het lijkt alsof hij het oosten persoonlijk in Galba's handen legt en daar een grote beloning voor verdient.'

'Dat denk ik ook,' kwam Caenis ertussen. 'Het enige waar we bij hem zeker van kunnen zijn is dat hij aalglad is. Hij zal politieke munt uit de missie slaan door te suggereren dat niet alles is wat het lijkt in het oosten en dat Galba er verstandig aan doet om hem meer invloed op het bestuur te geven.'

'En als hij met een groter territorium terugkomt kan hij het ons allemaal moeilijk maken,' observeerde Vespasianus.

'Precies,' zei Titus. 'Daarom stel ik voor dat we koning Malichus hier vragen om de brief af te leveren.'

Vespasianus keek naar de Nabatese koning in zijn wijde witte gewaad en kon zich niemand voorstellen die er minder Romeins uitzag. Malichus leek het idee prachtig te vinden.

Titus zag de verwarring op zijn vaders gezicht. 'Hij is perfect, vader. Hij is een Romeins burger met de rang van eques. Hij is een koning van een volk dat loyaal aan ons is en dat willen we zo houden, want zijn koninkrijk is een goede buffer tussen ons en Parthië. En bovendien zal hij de brief maar al te graag brengen, want daarmee wordt hij met ons geassocieerd en zal Galba eerder geneigd zijn hem zijn koninkrijk te laten.' Titus keek nu Malichus recht in de ogen. 'Maar anders dan Herodes Agrippa zal hij geen politieke spelletjes gaan spelen, omdat hij weet dat zijn belangen het best zijn gediend als hij aan onze zijde staat.'

Malichus stond op en boog zijn hoofd met een hand op zijn borst. 'Ik beschouw het als een eer om de brief namens jullie over te brengen, ik wil ook graag dat de nieuwe keizer me Damascus opnieuw toewijst, al zal het de vijfde keer zijn dat ik dezelfde gift heb gekregen. Als ik jullie brief aflever zal hij veel grootmoediger tegenover me staan, te-meer daar Herodes Agrippa waarschijnlijk zo veel mogelijk herrie gaat maken.'

Vespasianus keek eerst naar Mucianus en toen naar Tiberius Alexander.

'Een elegante oplossing,' zei Mucianus.

Tiberius Alexander knikte. 'Afgesproken.'

Vespasianus legde zijn handen vlak op de tafel. 'Goed, dan denk ik dat we de zaak voor nu hebben afgehandeld, heren.' Hij keek naar de legerofficieren. 'Morgenochtend kom ik met de orders voor de blokkade van Jeruzalem. Jullie kunnen gaan.'

De drie legaten en zes prefecten stonden op en salueerden, waarna ze de kamer verlieten.

Vespasianus wendde zich tot Malichus. 'Zou u zo goed willen zijn in de ontvangstzaal te wachten terwijl wij drieën onze brief opstellen.'

'Met genoegen, generaal,' zei de koning, die opnieuw het hoofd boog. 'Zodra jullie klaar zijn vertrek ik naar Rome.'

'Waarom wilde je niet dat Titus ging?' vroeg Caenis. Zij, Vespasianus en Magnus zaten op een terras op de tweede verdieping van het paleis. Ze dronken gekoelde wijn en keken hoe de gouden weerspiegeling van de zon op de rustig deinende zee langer werd. Een vloot vissersbootjes, begeleid door schreeuwende meeuwen, voer achter een grote, goed be-mande boot door de havenmonding naar buiten. De silhouetten tegen het licht van de ondergaande zon deden Vespasianus denken aan kui-kens die op een vijver achter de moedereend aan zwommen. Publieke slaven maakten de kramen schoon en ruimden het visafval op, terwijl de vissers uitvoeren voor nieuwe aanvoer voor de vismarkt.

'Precies om de reden die ik zei: ik wil Galba geen gijzelaar in handen geven.'

'Galba heeft al een gijzelaar, twee in feite: Sabinus en Domitianus. Dat weet je heel goed, er is een andere reden waarom je Titus niet wil laten gaan.'

Vespasianus pakte zijn beker van de ovale marmeren tafel waar ze aan zaten. 'Hij stelde helemaal niet voor om te gaan.'

'Probeer er niet omheen te praten. Jij hebt gezegd dat hij niet kon gaan, terwijl niemand het had voorgesteld. Hij was een heel goede optie geweest, want het zou Galba tonen dat je zo loyaal aan hem bent dat je hem zonder nadenken een derde gijzelaar stuurt. Dat zou veel meer indruk op de keizer maken dan een Nabatese koning. Zeg het dus maar: waarom wil je niet dat Titus gaat?'

Vespasianus treuzelde met antwoorden; hij nam een slok wijn en keek naar het spel van het zonlicht dat op zee reflecteerde en over de vissersbootjes streek, die buiten de haven de wind in de zeilen kregen. 'Het is er niet veilig voor hem,' mompelde hij uiteindelijk.

'Onzin,' gromde Magnus, 'en dat weet u heel goed. Zeg dus nu de waarheid, anders doe ik het.'

Vespasianus keek naar zijn vriend, verbaasd over diens plotselinge felheid. 'Nou, dan moet je dat maar doen, aangezien je kennelijk zoveel inzicht in mijn motieven hebt.'

'U bent bang.'

'Bang?'

'Ja, bang.'

'Waarvoor?'

'U bent bang dat u in conflict raakt met uw zoon.'

Vespasianus kreunde en richtte zijn blik weer op de bootjes.

Caenis schudde haar hoofd terwijl Vespasianus nadrukkelijk haar blik negeerde. 'Hij heeft gelijk, toch? Natuurlijk, ik had het kunnen weten. Het gaat om een ander soort gijzeling, nietwaar?'

Vespasianus kon haar nog steeds niet aankijken. 'Is dat zo?'

'Ja, het is een zet die Galba's positie een stuk zekerder zou maken, want hij kan dan op de steun van het hele oostelijke deel van het rijk rekenen. Otho staat dan wel dicht bij Nero en is van even hoge geboorte als Galba, maar hij heeft verder niets te bieden. Geen leger en geen macht, terwijl Titus, tja, Titus is veel aantrekkelijker als Galba's erfgenaam: Galba belooft hem keizer te maken en zijn vader, jij, liefste, zit opeens in een situatie waarin hij de nieuwe keizer moet steunen, want dat garandeert dat zijn familie het allerhoogste bereikt.'

'En dat is precies het punt,' zei Magnus. 'De opkomst van zijn familie, niet van hem. Denkt u dat ik niet door u heen kan kijken? U weet dat dit het begin van een reeks gebeurtenissen is die u de kans geeft dat te bereiken wat al zo lang door uw hoofd spookt. Zeg het dan! Zeg waar het u om gaat.'

Vespasianus zei niets en bleef naar de bootjes kijken, terwijl de zon van goud naar rood begon te verkleuren.

'Keizer. Zeg het maar. U bent gaan geloven dat u keizer van Rome kunt worden en eerlijk gezegd denk ik dat ook. En ik ben er zeker van dat Caenis er hetzelfde over denkt.'

'Klopt,' zei Caenis in antwoord op Magnus' vragende blik.

'Maar als Galba Titus adopteert,' zei Vespasianus op zachte toon, 'dan wordt dat erg onwaarschijnlijk. Ik word nog steeds de stichter van de volgende dynastie, zoals Thrasyllus voorspelde over de senator die de wedergeboorte van de feniks in Egypte zou aanschouwen, maar het is mijn zoon die keizer wordt, ik ben dan niet meer dan de vader van de keizer.'

'Tenzij u in opstand komt tegen Titus' adoptievader en hem afzet en daarmee ook uw eigen zoon. Daar zit het probleem, nietwaar?'

Vespasianus zuchtte en dronk het laatste restje wijn op. 'Ja, ja en nee.' Hij keek zijn twee metgezellen aan, zijn ogen stonden zorgelijk. 'Dat is een deel van het probleem, maar slechts een deel. Ja, als jullie het per se willen weten, ik zie Nero's zelfmoord, Galba's greep naar het purper en mijn commando van het oostelijke leger als het begin van een reeks gebeurtenissen die ertoe kan leiden, met de nadruk op *kan*, dat ik de hoogste macht verwerf. Maar als ik toesta dat Titus in een situatie komt waarin Galba besluit hem te adopteren, dan zijn mijn ambities zo goed als afgelopen, tenzij ik tegen mijn eigen zoon zou vechten. Dat is een mogelijkheid, maar er is meer: stel dat ik besluit om geen ambitie voor het purper te hebben en dat alle profetieën er alleen maar op gewezen hebben dat ik de vader van een keizer zal zijn en niet zelf de keizer, wat dan? Moet ik toestaan dat Galba Titus zijn erfgenaam maakt? Natuurlijk niet. Ben ik de enige in het rijk met een leger? Nee, er zijn nog drie andere grote legers en een stel kleinere. Laten we niet de fout maken te denken dat Galba een natuurlijke dood zal sterven en dat zijn adoptiezoon het purper vreedzaam gaat erven. Nee. Nou ben ik geen profeet, maar ik zal jullie mijn voorspelling geven: Galba en wie hij ook als erfgenaam adopteert, of dat nu Otho is of iemand anders, zullen als lijken eindigen op de Gemonische trappen en de moordenaar zal glunderend het purper nemen. Daarom wil ik niet dat Titus in de buurt van Galba komt.' Hij pakte de karaf en schonk zijn beker tot aan de rand toe vol.

Caenis en Magnus dachten over zijn woorden na terwijl hij zijn wijn dronk en met een diepe zucht achteroverleunde.

'Je hebt gelijk,' doorbrak Caenis de stilte. 'Galba zou het doen als hij de kans kreeg. Domitianus is te jong om te adopteren, maar Titus nadert de dertig, een goede leeftijd. Ja, het zou zijn doodvonnis zijn. Ik heb er niet goed genoeg over nagedacht.'

Vespasianus bromde geamuseerd. 'Is dit de eerste keer dat ik een politiek probleem eerder doorzie dan jij, liefste? Ik word kennelijk scherper op mijn oude dag.'

'Ongetwijfeld, maar de fout ligt bij mijn ambitie. Ik heb altijd alleen naar jouw vooruitzichten gekeken in relatie tot de andere mannen met macht in het rijk. Ik heb Titus altijd alleen als je zoon gezien en niet als een mogelijke rivaal. Maar je hebt gelijk, dat is hij ook en van nu af aan zal ik ook zo over hem denken, hoeveel ik ook van hem houd.'

'Ik geef het niet graag toe, maar ik heb het gevoel dat hij er ook wel eens aan denkt. Hij zal zeker beseffen dat hij een kandidaat is.'

'Dat kan wel zijn, maar ik vertrouw hem,' zei Magnus. 'Hij is een goeie jongen en hij begrijp vast wel dat als hij u steunt hij als uw erfgenaam een veel grotere kans heeft op het bereiken van doelen die in die richting gaan. Zoals u zegt is hij nog geen dertig en kijk wat er is gebeurd met de laatste twee keizers die op jonge leeftijd op de troon kwamen. Ik denk dat hij verstandig genoeg is om zijn tijd af te wachten. De veerman staat niet toe dat iemand macht mee aan boord neemt, als u begrijpt wat ik bedoel.'

'Dat doe ik, Magnus, en ik hoop dat Titus dat ook doet.'

Caenis gaf Vespasianus een kneepje in zijn arm. 'Dan moet je het hem vragen, liefste. Je moet zo snel mogelijk dit gesprek met hem voeren, voordat het aan je gaat vreten en dat wat nu een bijzonder goede vader-zoonrelatie is bederft.'

Vespasianus wendde zich tot Caenis, wetend dat ze gelijk had. 'Ik doe het meteen vanavond na de eedaflegging.'

'We zweren dat we zullen gehoorzamen aan alles wat Servius Sulpicius Galba Caesar Augustus beveelt en dat we ons nooit aan zijn dienst zullen onttrekken. Ook zullen we niet proberen de dood te vermijden voor hem en de Romeinse Republiek.' Cohort na cohort zwoer de eed; de legioenen en hulpcohorten deden het maar al te graag, want ze hoopten op een grote gift van de nieuwe keizer, groter dan normaal, want hij kwam niet uit de Julisch-Claudische lijn en zou zijn positie daarom zeker met zilver willen versterken.

Er kringelde rook op van de vele altaren die waren opgesteld op het exercitieterrein buiten het indrukwekkende militaire kamp bij de noordelijke stadsmuur van Caesarea. Golven beukten op het aanliggende strand en sleurden drijfhout heen en weer. In de lucht cirkelden meeuwen op zoek naar hapjes die al die menselijke activiteit toch moest opleveren. Elke cohort wachtte op zijn beurt en marcheerde dan tot voor een van de altaren. Dan werd er een lam geofferd en het hart werd op het vuur gelegd, waarna de hoogste centurio de eed afnam. Als de ceremonie voltooid was marcheerde de cohort weg om plaats te maken voor de volgende.

Zo ging het door, uur na uur. Vespasianus keek toe vanaf een curulische zetel, die op een rostra was geplaatst, met een luifel tegen de brandende zon. Hij had als eerste de eed afgelegd, samen met Mucianus, Tiberius Alexander en Malichus. De drie legaten en de prefecten van de hulptroepen waren gevolgd, en daarna zwoer het voltallige leger zijn loyaliteit aan degene die de macht had gegrepen. Zo eenvoudig was het, dacht Vespasianus toen de volgende groep cohorten het exercitieterrein op marcheerde om hun trouw uit te brullen.

Als de eerste cohort van een legioen het terrein op kwam, begaf de primus pilus zich naar Vespasianus en ging in de houding staan, waarna hij de beeltenis van de nieuwe keizer kreeg om aan de standaard van het legioen te bevestigen. Het was niet meer dan een grove afbeelding van een man van wie maar weinigen wisten hoe hij eruitzag, maar ze was anders dan de beeltenis van Nero, die verwijderd werd, en diende eerbiedig behandeld te worden.

Eindelijk stierf de anachronistische kreet 'Romeinse Republiek' weg en was de ceremonie afgelopen. Vespasianus stond op, legde een arm rond de schouders van Mucianus en Tiberius Alexander en leidde hen van de rostra af. 'We blijven in nauw contact, want we moeten de situatie zorgvuldig in de gaten houden. We moeten eensgezind op de ontwikkelingen reageren, vergeet niet dat we alleen door elkaar te steunen onze positie veilig kunnen stellen. Als een van ons een vals gezicht toont, zal hij met de andere twee ten onder gaan, en ik kan garanderen dat de straf niet zoiets eenvoudigs als verbanning zal zijn.'

'We begrijpen het beiden,' zei Mucianus, die Vespasianus' hand van zijn schouder nam en hem recht aankeek. 'Voordat we gaan is er nog iets wat we met zijn drieën moeten bespreken.'

'Zeg het maar.'

'Als en wanneer de tijd komt, wie van ons moet zijn kans voor het purper grijpen?'

Vespasianus' hart sprong op, de verrassing was duidelijk in zijn ogen te lezen.

'Kom op, mijn beste,' zei Tiberius Alexander, 'uiteraard hebben we er allemaal over nagedacht. Dus wie moet het in uw ogen zijn?'

Vespasianus keek zijn bondgenoten beurtelings aan, maar geen van tweeën liet merken wat hij dacht. Hij haalde diep adem. 'Tja, in alle eerlijkheid vind ik dat ik het moet zijn, als het moment daar is natuurlijk.'

'Als het moment daar is, inderdaad,' zei Mucianus met een vaag glimlachje. 'Dat is dan geregeld. Tiberius Alexander heeft zichzelf uitgesloten omdat hij een Jood is en in Rome nooit geaccepteerd zou worden, en ik heb mezelf uitgesloten omdat ik vanwege mijn voorkeuren geen zoon heb.'

Vespasianus fronste. 'U kunt er een adopteren.'

'Dat zou kunnen, maar dan zouden we weer in dezelfde situatie zitten als nu. Nee, degene die het rijk weer stabiel maakt moet een man met een legitieme erfgenaam zijn, en in het oosten kunt alleen u dat zijn, Vespasianus.' Mucianus pakte Vespasianus' arm beet. 'Als het moment daar is.'

'Wij staan achter u,' bevestigde Tiberius Alexander, die op zijn beurt Vespasianus' arm pakte. 'Ik stel voor dat we aan het einde van het campagneseizoen hier weer bij elkaar komen om de ontwikkelingen in Rome en hoe het er met de Joodse opstand voor staat te bespreken.'

Vespasianus kneep in de onderarm van zijn vriend. 'Dat lijkt me verstandig. Tot november dan, heren.'

Vespasianus keek toe terwijl Mucianus en Tiberius Alexander met Malichus opliepen om hem naar het schip te brengen waarop de koning met hun gezamenlijke brief naar Rome zou varen. Vervolgens wendde hij zich tot de drie legerlegaten en de prefecten van de hulptroepen die nog stonden te wachten. 'Jullie hebben jullie orders, heren; ik verwacht dat Jeruzalem de komende maanden onze greep zal voelen en ik wil dat elke opstandige stad die nog over is, hoe klein ook, weggevaagd wordt, met de inwoners dood of in ketenen. Jullie kunnen je weer bij jullie eenheden voegen.'

De officieren salueerden en draaiden zich om om te vertrekken.

'U niet, Titus Flavius Vespasianus,' zei Vespasianus op formele toon.

Titus draaide zich weer om en keek zijn vader aan.

'Ik wil nog iets met je bespreken, mijn jongen.'

'Ja, vader, maar om eerlijk te zijn denk ik niet dat het nodig is.'

'Hoe bedoel je dat het niet nodig is? Hoe weet je zo zeker wat ik met je wil bespreken dat je me nu al kunt vertellen dat het niet nodig is?'

'Omdat, vader, ik niet dom ben. Ik heb uitgevogeld waarom u me gisteren verbood naar Galba te gaan nog voordat iemand dat had voorgesteld. En daarom kan ik u vertellen dat dit gesprek niet nodig is. Maar omdat u kennelijk van wel vindt, laat ik dan maar beginnen met zeggen dat ik inderdaad heb nagedacht over mijn eigen kansen op de macht als het juiste moment zou komen, maar steeds heb ik het idee verworpen omdat het uit zou draaien op een strijd met u en ik denk niet dat een man die aan de macht is gekomen na zijn vader te hebben gedood erg lang zal meegaan.'

Vespasianus deed een stap naar achteren. 'Is dat de enige reden?'

Titus lachte. 'U had uw gezicht moeten zien. Nee, het is niet de enige reden, en eigenlijk is het helemaal niet de reden. De echte reden is dat alleen een man met uw ervaring kans heeft om keizer te worden en dat wat langer dan een paar maanden te blijven. Ik ben achtentwintig, ik heb nog tijd zat als u eenmaal uw beurt hebt gehad en het harde werk hebt gedaan. Maak u dus geen zorgen om mijn loyaliteit; ik ben met u als de kans zich voordoet, niet tegen u.' Hij pakte Vespasianus bij de schouders en trok hem naar zich toe om hem een kus op de lippen te geven.

Vespasianus keek zijn zoon in de ogen. 'Dank je, Titus. Misschien komt er niets van. We moeten maar afwachten en zien. Ik denk dat we aan het einde van de zomer, begin van de herfst een beter idee hebben van wat we kunnen verwachten.'

'Dat denk ik ook, vader; aan het einde van de zomer, begin van de herfst. Dat wordt onze tijd, als die ooit komt.'

HOOFDSTUK IX

Blaffend en kwijlend en met hun tong uit hun bek hangend renden Castor en Pollux door een olijfgaard, zigzaggend tussen de bomen door zonder vaart te minderen, terwijl ze langzaam terrein wonnen op de twee vluchtende mannen die hun vrijwel uitgeputte paarden tot aan de grens van wat ze nog konden opzweepten. Op steeds zo'n dertig passen achter de honden lieten Vespasianus en Magnus hun paarden rustig draven zodat die nog energie over zouden hebben voor de lange rit terug naar Caesarea. Achter hen was de *turma* Syrische hulpcavalerie uitgewaaierd zodra ze bij de olijfgaard waren gekomen om elkaar niet in de weg te zitten bij het tussen de bomen door slalommen. Uit de neusgaten van hun rijdieren kwam damp, want de lucht was eind november kil.

Vespasianus bukte voor een overhangende tak terwijl zijn paard over een dode tak sprong. Hij had van de jacht op de twee Joden genoten vanaf het moment waarop ze de mannen in een vallei hadden gezien. Ze waren op een jachtpartij in de ruige heuvels landinwaarts van Caesarea en zouden die niet onderbroken hebben ware het niet dat de twee mannen op de vlucht waren geslagen zodra ze Romeinse uniformen zagen. Nu waren ze vier mijl verder en stonden ze op het punt de vluchtelingen te pakken, waarna ze zouden doen wat noodzakelijk was om te weten te komen waarom de mannen zo weinig happig waren om in contact te komen met leden van de bezettende macht.

Met een laatste aanzet stormden Castor en Pollux de olijfgaard uit op nog maar een paar passen van de Joden, wier paarden begonnen te struikelen van vermoeidheid en de wil verloren om te reageren op de afranseling met het plat van het zwaard van hun berijders. Na nog een paar machtige sprongen was Castor bij het achterste paard en met een grom liet hij zijn vergeelde tanden in de bil van het rijdier zinken; het steigerde, de voorbenen sloegen in de lucht en het hinnikte van pijn. Met de wanhoop van een gedoemd man greep de ruiter de manen beet in een poging in het zadel te blijven, maar zonder succes, en terwijl het paard naar achteren viel sprong hij en kwam bij de open muil van Castor op de grond. De hond stortte zich op de onderarm die de man beschermend voor zijn gezicht sloeg, waarna diens schreeuw het geluid van zijn wild trappende paard overstemde. Castor begon woest aan het ledemaat te trekken, terwijl Pollux de tweede ruiter neerhaalde door zijn tanden in diens enkel te zetten en hem van het doodsbange paard te trekken, dat ervandoor ging naar de veiligheid van het struikgewas in de verte.

'Brave jongen,' zei Magnus toen hij bij de honden kwam en van zijn paard sprong. Castor gromde door bebloede tanden heen naar de doodsbange Jood op de grond, die zich niet durfde te bewegen. Hij hield zijn gewonde arm vast. 'Brave, brave jongen, Castor. Magnus was erg boos op je geweest als je hem had opgegeten voordat we een woordje met hem hadden kunnen wisselen. Echt erg boos...' Hij trok aan de dikke leren band rond Castors hals en haalde hem van de gevloerde man. 'Nou, ouwe makker, waarom vond je het nodig ervandoor te gaan terwijl wij, zoals je ziet, vriendelijke mensen zijn?'

Terwijl de *decurio* een stel cavaleristen de tweede man liet halen, stapte Vespasianus af en raapte het weggegooide zwaard van de man op. 'Misschien heeft dit er iets mee te maken, Magnus.'

Magnus wierp een blik op het wapen. 'Oei, een Romeinse spatha, wat een stoute jongen is onze Joodse vriend hier. Alleen dit in je bezit hebben is al voldoende om gekruisigd te worden. Maar misschien is dat te mild voor hem, want hij heeft vast een van onze jongens gedood om hem in zijn bezit te krijgen. We zouden hem naar Griekenland moeten sturen, waar hij stenen kan bikken tot zijn rug kapot is bij het graven van het kanaal door de landengte.'

Vespasianus wendde zich tot de decurio van de hulptroepen. 'Doorzoek ze, bind ze vast en neem ze mee naar Caesarea, ik wil ze persoonlijk ondervragen.'

'Ben je er zeker van, liefste?' vroeg Vespasianus, die niet wilde geloven wat ze hem net verteld had.

'Ik ben bang van wel,' antwoordde Caenis, die olie in zijn schouders wreef. 'Sinds ons gesprek heb ik ondanks zijn verklaring van loyaliteit ervoor gezorgd dat ik op de hoogte ben van wat hij doet, en de afgelopen maand was hij niet bij zijn legioen maar in Tiberias, waar hij Berenices bed deelt.'

'Maar hij stuurt regelmatig rapporten over zijn legioen.'

Caenis pakte de *strigil* en begon de olie van Vespasianus' rug te schrapen, waarbij ze het instrument steeds aan een doek afveegde. 'Dat is niet zo moeilijk: zijn tribunus laticlavius stuurt hem rapporten over hoe het zijn legioen vergaat bij het tegenhouden van de stroom voorraden van Samaria naar Jeruzalem. Hij kruipt vervolgens lang genoeg van Berenice af om zijn rapport aan jou te schrijven en stuurt het terug naar zijn ondercommandant, die het daarna met de gebruikelijke militaire koerier bij jou hier in Caesarea laat bezorgen. Waar het om gaat, Vespasianus, is niet zozeer dat hij achter je rug om naar die vrouw is gegaan nadat hij beloofd had haar op te geven, want dat is iets tussen jou en hem. Mij gaat het niets aan met wie hij slaapt. Wat me wel aangaat is dat Berenice een erg ambitieuze vrouw is, je hoeft maar naar het rijtje vorige echtgenoten te kijken om dat te beseffen. Ze ziet wat er in het rijk gebeurt en ze begrijpt heel goed welke mogelijkheden Titus heeft en wat het haar kan opleveren mocht hij de prijs voor je neus wegkapen.'

'Maar ze is Joods; Rome zou haar nooit accepteren in het onwaarschijnlijke geval dat dat zou gebeuren en Titus mij verraadt.'

'Cleopatra was een Egyptische van Macedonische afkomst; dat hield Caesar niet tegen – en Marcus Antonius ook niet.' Ze verplaatste haar aandacht naar zijn onderrug en billen, olie inmasserend en schrapend, terwijl hij op de leren bank in het caldarium van de paleisthermen lag. 'Maar of Rome haar accepteert of niet is niet van belang, het gaat om het soort gif dat ze in Titus' oren giet als hij haar berijdt.'

'Als ze dat al doet.'

'O, kom op, denk je nou echt dat ze niet iets uit Titus probeert te krijgen? Natuurlijk doet ze dat, ze is een oosterse… nee, geen koningin, maar ze denkt dat ze dat is en ik wil er heel wat onder verwedden dat ze maar al te graag keizerin zou zijn en dat ze vindt dat haar Joodsheid daar geen obstakel voor hoeft te zijn.'

'Maar dat is het wel.'

'Jij en ik weten dat, maar weet zij het ook? Nee.'

Vespasianus kreunde van genot en liet Caenis een tijdje zwijgend begaan. 'Waarom heb je dit niet eerder verteld?' vroeg hij, terwijl ze haar aandacht naar zijn dijen en kuiten verlegde.

'Ik ben er maar net achter gekomen en ik wilde er eerst zeker van zijn voordat ik je ermee lastigviel. Het is al erg genoeg dat je nog niets van Galba in positieve of negatieve zin hebt gehoord, problemen met je eigen zoon kun je momenteel missen.'

Vespasianus kreunde weer terwijl Caenis de laatste hand aan haar werk legde. Hij dacht over de situatie na. Ze had gelijk, hij maakte zich zorgen over het uitblijven van nieuws uit Rome; hij had verwacht dat Galba hem, Mucianus en Tiberius Alexander inmiddels wel in hun functie bevestigd zou hebben of geprobeerd zou hebben hen terug te halen. Maar hij had niets van de keizer gehoord. Wel had Malichus Vespasianus een brief gestuurd met nieuws over hem, en dat voorspelde weinig goeds voor Galba: Malichus had zich laat in augustus bij het keizerlijk gezelschap in het zuiden van Gallië gevoegd en had daar de gezamenlijke brief overhandigd, zonder antwoord te krijgen. Malichus zelf was herbenoemd als koning met recht op de helft van de inkomsten uit Damascus. Galba was langzaam door zijn nieuwe domein getrokken en was in oktober in Rome aangekomen. Daar had hij meer dan duizend legionairs van de Eerste Adiutrix afgeslacht bij de Milvische Brug in een ruzie over keizerlijke erkenning voor het pas geformeerde legioen. Vervolgens had hij de premie die in zijn naam was beloofd afgezegd met de woorden dat hij zijn soldaten koos en niet kocht, waarmee hij de praetoriaanse garde, de stadscohorten en het hele leger tegen zich in het harnas joeg. Hij had ook diverse senatoren en equites laten executeren omdat hij hun loyaliteit in twijfel trok. Er werd inmiddels gezegd dat iedereen Galba de beste keizer had gevonden tot hij het daadwerkelijk werd. Als dat allemaal waar was, dan zou het niet lang duren voordat de strijd om hem te vervangen ging beginnen. Vespasianus wilde niet dat Titus verleid werd om iets stoms te doen door een oosterse nepkoningin die alle charmes van haar, toegegeven, aanlokkelijke lichaam inzette. 'Goed, liefste, zodra ik die twee Joden heb ondervraagd zal ik hem schrijven dat hij uit Tiberias moet vertrekken en zich bij mij moet melden.'

'Deze hadden ze allebei bij zich, generaal, verborgen in hun gewaden.' De decurio hield twee gemeen ogende gekromde messen op.

'*Sicae*,' zei Vespasianus, die het type wapen onmiddellijk herkende en precies wist wat het betekende. Hij keek naar de gevangenen, die vastgebonden op een tafel lagen. Ze waren jong en hadden een volle zwarte baard; ze hadden door de zon gebruinde gezichten en bleke lichamen, daar die altijd bedekt waren. De arm van de ene bloedde nog altijd, de enkel van de ander was verwrongen en bezaaid met tandafdrukken. De donkere, doordringende ogen van de fanatici keken hem met onverbloemde haat aan. 'Ik denk niet dat we iets uit ze krijgen, ook al hakken we hun zaakje eraf.' Hij pakte de besneden penis van de dichtstbijzijnde man beet en keek er nieuwsgierig naar. 'Wat een barbaarsheid.' Hij wendde zich tot de decurio. 'Nee, ik geloof dat we hier een ander soort ondervraging moeten gebruiken. Haal mijn favoriete Jood samen met Magnus en zijn honden.'

De decurio gaf bevel Josef te zoeken, terwijl Vespasianus kil naar de gevangenen glimlachte. 'Decurio, vraag ze, terwijl we toch wachten, waar ze heen gingen en waar ze vandaan komen.'

De decurio haalde de schouders op in het besef dat een ondervraging zonder prikkels om te antwoorden een verspilling van tijd was. Hij formuleerde de vraag in het Aramees en herhaalde die enkele keren, maar de Joden staarden hem alleen maar zwijgend en minachtend aan.

'Laat ze een mes zien,' beval Vespasianus.

De decurio gehoorzaamde en hield beide mannen een sica voor de neus, maakte stekende gebaren naar de ogen en liet het mes langs hun oren glijden, maar de Joden vertoonden geen spoor van angst.

'Laat maar,' zei Vespasianus. 'Het gaat zo beter lukken.'

Magnus kwam als eerste binnen; Castor en Pollux snuffelden in de lucht en begonnen te grommen zodra ze de lucht van hun twee slachtoffers herkenden. De Joden wierpen een blik opzij op de dieren, hun angst viel duidelijk in hun ogen te lezen.

'Dat is al beter,' zei Vespasianus, 'dat zal ze te denken geven.' Er volgde een klop op de deur. 'Kom binnen.'

'Ah, Josef ben Matthias,' zei Vespasianus, elke naam langzaam en duidelijk articulerend.

Er volgde een onmiddellijke reactie: een stroom van Aramese scheld-

182

woorden kwam uit de kelen van de gevangenen, hun woede om in dezelfde kamer als de verrader te zijn was overduidelijk.

Josef deed een stap terug, verrast door het verbale geweld.

'Wat zeggen ze tegen je?' vroeg Vespasianus.

Josef keek naar de twee mannen die hun haat in zijn richting slingerden. 'Ze zeggen dat Shimon bar Gioras me zal straffen voor mijn verraad en dat ik al geëxcommuniceerd ben en dat ik gemeden zal worden als een lepralijder of een zondige vrouw. Geen enkele Jood zal ooit nog vrijwillig binnen zeven passen afstand van me komen, tenzij om me te vermoorden. Ik ben verworpen en zal snel sterven.'

'Het zijn dus volgelingen van Shimon bar Gioras,' mompelde Vespasianus, terwijl de tirade doorging. 'Dat is interessant, aangezien hij nog altijd standhoudt in Massada. Ik vraag me af wat ze zo ver daarvandaan doen. Vraag het ze, Josef. Magnus, ik geloof dat Castor en Pollux ze maar moeten overhalen om te praten.' Met zijn hoofd wees hij op de genitaliën van de mannen, terwijl Josef de vraag stelde.

Magnus moedigde zijn honden aan overeind te gaan staan, met hun voorpoten op de tafel; kwijl droop van de losse lippen en een laag gegrom begeleidde het gesnuffel bij de aangewezen gebieden.

De twee Joden tilden hun hoofd op en staarden versteend naar de twee beesten die hun hals strekten om bij hun kruis te komen.

'Herhaal de vraag, Josef.'

Intussen knikte Vespasianus naar Magnus, die met zijn vingers knipte voor de muil van Pollux, die aan een penis snuffelde; de hond hapte en miste het verschrompelde orgaan op een haar na. Er ontsnapte een stroom Aramees uit de doodsbange Jood; zijn ogen gefixeerd op de hond, die de genitaliën bleef inspecteren en af en toe een likje gaf.

'En?' vroeg Vespasianus nadat de Jood uitgesproken was, zijn borst zwoegend van angst, terwijl zijn kameraad met afkeer naar hem keek.

'Shimon is een paar dagen geleden uit Massada vertrokken, Eleazar ben Ya'ir en zijn volgelingen bewaken het fort. Hij is naar Jeruzalem gegaan; Johanan en zijn leger kwamen naar buiten voor een confrontatie en ze vochten een slag uit waar geen overwinnaar uit kwam. Johanan heeft zich weer binnen de muren teruggetrokken en Shimon is naar het zuiden gemarcheerd om Idumaea binnen te vallen, waar hij de bevolking wil straffen voor wat haar leger het afgelopen jaar in Jeruzalem heeft aangericht.'

Vespasianus bestudeerde de Jood, wiens ogen heen en weer gingen tussen Pollux en Magnus en vervolgens Vespasianus smekend aankeken. 'Hij lijkt niet te liegen, maar wijs hem erop dat hij mijn vraag niet heeft beantwoord. Josef, wat doen zíj zo ver van Shimon?'

'Ze waren op weg naar Caesarea om mij te vermoorden,' vertaalde Josef na een kort gesprek. 'Shimon wil een voorbeeld van me maken, hij wil de Joden laten zien dat iedereen die met Rome samenwerkt zal sterven, zonder uitzondering.'

'Is dat zo?' Vespasianus glimlachte. 'Dan zou je denken dat hij bevel zou geven tot moord op hemzelf, aangezien hij Rome zo goed helpt. Een aanval op Jeruzalem en daarna op Idumaea, dat is een grote hulp voor Rome. Het is ook een grote opsteker voor mijn beleid om alleen een losse blokkade rond Jeruzalem te leggen en ze het onderling te laten uitvechten zonder in te grijpen. Wat een gedienstige mensen zijn de Joden toch. Vraag hem wanneer die slag plaatsvond.'

'Hij zegt dat het gisteren was, ze zijn de hele nacht doorgereden om hier te komen.'

'Waren er veel slachtoffers?'

'Ongeveer tienduizend bij elkaar, aan beide zijden.'

Vespasianus schudde zijn hoofd in verbazing. 'Ze doden elkaar even snel als wij dat doen.'

'Het is verbazingwekkend dat er nog over zijn,' observeerde Magnus, die zijn honden van de gevangenen wegtrok. 'Wat doen we met deze twee?'

Vespasianus keek naar Josef en hield hem een van de Sicariërs voor. 'Ze zijn gekomen om jou te doden, Josef, voor het verraden van je volk; jij moet de beslissing nemen: gebruik het mes tegen jezelf of tegen hen. Als je jezelf doodt, dan laat ik de twee vrij zodat ze de andere Joden kunnen vertellen dat je uiteindelijk berouw had. Als je naar buiten loopt, weet ik dat je volkomen loyaal aan me bent.'

Josef keek naar de twee vastgebonden gevangenen op de tafels en toen naar Vespasianus. Met een kort hoofdknikje pakte hij het mes aan.

Vespasianus verliet samen met Magnus en zijn honden het vertrek; de decurio sloot de deur achter hen.

Algauw ging de deur weer open en kwam Josef met zijn bewaker naar buiten, de decurio volgde.

Vespasianus wierp een blik op de decurio, die knikte en hem het bebloede mes toonde. Hij veegde het schoon, stopte het terug in de schede en overhandigde het. Vespasianus stak het mes in zijn gordel en keek goedkeurend naar Josef. 'Je hebt dus je keus gemaakt en ik zal je belonen met je vrijheid. Wachter, maak zijn ketenen los.'

De wachter pakte een grote sleutelbos van zijn riem en maakte het slot van de hand- en voetboeien los; de ketenen vielen rinkelend op de grond.

Vespasianus pakte Josef bij de schouders beet. 'Je bent nu mijn vrijgelatene; ik zal de benodigde papieren opstellen om aan te tonen dat je een vrijgelaten burger van Rome bent met de naam Titus Flavius Josephus.'

'Hormus!' riep Vespasianus toen hij het atrium van het paleis betrad. 'Hormus!'

Zijn vrijgelatene kwam tevoorschijn uit zijn werkkamer, een klein vertrek aan het atrium naast zijn meesters heel wat ruimere studeervertrek. 'Ja, meester.'

'Ik wil dat je een bewijs van vrijlating opstelt voor Titus Flavius Josephus,' zei Vespasianus, wijzend op zijn nieuwe vrijgelatene.

Als Hormus verbaasd was, liet hij dat niet merken. 'Ja, meester.'

'En schrijf dan een kort briefje aan Titus in Tiberias en zeg dat hij onmiddellijk moet komen, ik wil hem de dag na morgen hier hebben. Kom ze beide voor ondertekening brengen als je klaar bent.'

'Ja, meester. En meester?'

'Wat is er?'

'Er zijn drie boodschappers uit Rome aangekomen; ze hebben het keizerlijke mandaat.'

'Eindelijk. Waar zijn ze?'

'De meesteres ontvangt ze in de binnentuin.'

'Nu zullen we weten hoe ik ervoor sta bij het nieuwe regime,' zei Vespasianus tegen Magnus. Hij draaide zich om en liep weg.

Magnus trok aan de riemen van Castor en Pollux om te voorkomen dat ze Vespasianus volgden. 'Ik hoop dat u nog staat als u het te weten bent gekomen, als u begrijpt wat ik bedoel.'

Dat deed Vespasianus; hij had lang op de boodschap moeten wachten, te lang om zich er prettig bij te voelen.

'Ik adviseer u om precies te doen wat we zeggen, generaal, of anders zal deze dame hier haar laatste ademtocht via een snee in haar keel inhaleren.'

Vespasianus bleef staan en zag de praetoriaanse centurio een dolk tegen Caenis' keel drukken, terwijl hij zijn andere hand over haar mond had gelegd. Twee praetoriaanse gardisten stonden aan weerszijden van hun aanvoerder; bij beiden lag een dode slaaf aan de voeten. 'Wat is de bedoeling hiervan?' Vespasianus hield zijn stem kalm, ook al welde er woede in hem op.

De ogen van de centurio stonden ijskoud. 'Beweeg u niet en hoor de bevelen van de keizer aan, dan blijft ze leven.'

De twee gardisten liepen op Vespasianus af en trokken met een zwierig gebaar hun zwaard; Vespasianus zag zijn dood naderen. 'Is dit het bevel van de keizer? Is mij niet de genade van zelfmoord vergund?'

'Nee, hij was heel duidelijk op dat punt. Noch u, noch Clodius Macer, de gouverneur van Afrika, mag die gunst krijgen... Au!' Hij trok zijn hand van Caenis' mond, er druppelde bloed uit de diepe bijtwond in zijn wijsvinger.

'Verdedig jezelf, liefste!' schreeuwde Caenis, die worstelde om aan de greep van de centurio te ontsnappen. 'Ik zal sterven, wat je ook doet.'

De twee gardisten stopten om naar hun officier te kijken. Een grauwende zwarte flits vloog tegen de een op, die neerging. Vespasianus greep de sica uit zijn riem en stormde richting de centurio, terwijl een tweede flits langs hem kwam.

Caenis schreeuwde, er verscheen bloed op haar keel, maar Castors kaken sloten zich rond het gezicht van de centurio en hij haalde zijn dolk weg van haar vlees om zichzelf te verdedigen, waarna ze op de grond viel. Zonder na te denken plantte Vespasianus zijn mes net onder het borstpantser in de lies van de centurio, die zich van de hond probeerde te ontdoen die zijn gezicht verscheurde. Met zijn drieën stortten ze op de grond, op het lijk van een van de slaven. Achter hen kwam geschreeuw vermengd met dierlijk gegrom. Vespasianus drukte het mes verder naar binnen en naar boven en draaide het met een grotere haat dan hij ooit had gevoeld. De centurio brulde zijn pijn uit tegen de goden. In een laatste daad van geweld bracht de centurio zijn dolk omhoog en liet hem neerkomen op het moment dat Vespasianus wegrolde. Met een doffe klap en een jank verdween hij in de schouder van Castor. Het dier week terug, maar de kaken waren nog gesloten en zo scheurde hij het gezicht van de centurio los, alsof hij het theatermasker van een acteur trok. Vespasianus kwam overeind en keek naar Caenis, liggend, haar keel vasthoudend, er sijpelde bloed tussen haar vingers door. Zijn schreeuw was geluidloos toen hij haar bleker wordende gelaat zag.

'Achter je!' kreunde Caenis.

Vespasianus draaide zich om en wist nog net weg te duiken voor het zwaaiende zwaard van de ene gardist, terwijl Magnus afrekende met zijn toegetakelde kameraad, die hij met blote handen wurgde; tranen stroomden over zijn gezicht bij de aanblik van het levenloze lichaam van Pollux. Vespasianus pakte de arm van de praetoriaan, wiens lichaam doorzwaaide met de mislukte slag, en draaide die achter op zijn rug; met een plotselinge, heftige beweging forceerde hij de schouder en de arm vloog uit de kom. De man gilde en liet zijn zwaard vallen. Vespasianus dwong hem op de knieën en drukte op de ontwrichte schouder. Hij bukte zich en pakte het zwaard van de praetoriaan. Met een woeste vreugde zette hij de punt op de plek waar nek en schouder samenkwamen en zonder aarzelen duwde hij het zwaard diep in de vitale organen van de man en stootte het stuiptrekkende lichaam met walging van zich af.

Vespasianus kwam overeind en wankelde snikkend naar Caenis. Hij knielde naast haar neer en streelde haar wang, niet wetend wat hij moest zeggen of doen.

'Het komt goed, liefste,' zei Caenis, over haar keel wrijvend. 'Het is niet meer dan een vleeswond, Castor had hem net op het moment dat hij het wilde doen; hij heeft mijn leven gered.'

Vespasianus' snikken veranderden in tranen van opluchting. Hij raakte de wond aan en zag dat die niet fataal was; hij legde een arm rond Caenis en drukte haar tegen zich aan. Naast hen lag Castor, zielig jankend.

'Ik help je, jongen,' zei Magnus, die naar de gewonde hond liep en naast hem ging zitten. Hij nam Castors kop in zijn handen en legde hem in zijn schoot, met een bebloede hand over de snuit aaiend; het gezicht van de centurio viel op de grond. 'Ik help je jongen.' Hij legde zijn hand op de dolk van de centurio en trok hem uit Castors schouder, de tranen bleven komen. 'Ik help je, je kunt weer naar Pollux, jongen.'

187

Magnus bukte zich voorover om zijn stervende kameraad te kussen en stak de dolk diep in Castors hart. Na één stuiptrekking werd Castor stil en Magnus liet zich over de dode hond zakken, trillend van verdriet.

'Ik hoorde zwaarden die getrokken werden,' zei Magnus toen Vespasianus terugkeerde naar de tuin nadat hij Caenis in haar kamer in handen van de arts had achtergelaten. 'Ik had sowieso al een slecht gevoel over het hele zaakje, dus ik bleef hangen om te luisteren.' Hij keek naar de twee lichamen van zijn honden en zuchtte, zijn hoofd in ongeloof schuddend, zijn gezicht getekend door verdriet. 'Het geluid is onmiskenbaar en dus liet ik de jongens los en...' Magnus kon niet verder.

'En je redde mijn leven en dat van Caenis,' zei Vespasianus en hij legde een troostende hand op de schouder van zijn vriend.

'Ik heb het niet gedaan,' antwoordde Magnus, die heen en weer keek tussen Castor en Pollux. 'Zij hebben het gedaan.' Hij keek naar het gezichtloze lijk van de centurio en schopte enkele keren tegen het hoofd. 'Klootzak! Geitenneuker! Zakkenwasser! Wat hebben ze gedaan om dit te verdienen, hè? Ze deden niemand kwaad.'

Vespasianus wist dat dat niet helemaal waar was, maar zei er niets van en trok Magnus weg van de man die Galba had gestuurd om hem te doden.

Hormus kwam met Josephus de tuin in.

'Verbrand de lijken hier, zonder ophef, Hormus,' zei Vespasianus, wijzend op de drie praetorianen, 'en stop de resten in een zak en gooi die in zee. Zorg dat niemand in het huishouden je ziet, ik wil geen bewijzen dat ze hier ooit zijn geweest. Als iemand vraagt waarom het hier naar verbrand vlees ruikt, zeg je dat de arme Castor en Pollux aan een ziekte zijn gestorven en dat we ze in de tuin cremeren.'

'Goed, meester,' zei Hormus, kijkend naar het bloederige tafereel. 'En wat doe ik met de twee slaven?'

Vespasianus was hen vergeten. 'Hadden ze familie?'

Hormus boog zich voorover om te kijken wie het waren. 'Nee, ze werkten allebei in de tuin en hadden geen privileges.'

'Goed, verbrand ze ook en zorg voor vervanging. Het moet lijken alsof er niets gebeurd is; die praetorianen zijn hier nooit geweest en als er slaven zijn die hun komst hebben gezien, zorg je dat we van ze af komen.'

'Ja, meester.' Hormus wendde zich tot Josephus. 'Geef de huismeester opdracht alle slaven tot nader order op te sluiten. Niemand mag in de buurt van de tuin komen. Ik ga hout halen.'

'Kom,' zei Vespasianus tegen Magnus toen de twee vrijgelatenen aan het werk gingen. 'We bouwen een brandstapel voor je jongens en betonen ze het respect dat ze verdienen door het opofferen van hun leven voor Caenis en mij.'

Er had zich een rouwend groepje verzameld rond de brandstapel voor de honden aan het einde van de binnentuin. Caenis met haar nek in het verband en weer kleur op het gezicht hield Magnus' hand vast toen hij de fakkel bij het met olie doordrenkte hout hield, waarop de inmiddels stijf wordende lijken van Castor en Pollux lagen.

Vespasianus deed een stap naar achteren en keek naar de groeiende vlammen, terwijl zijn hoofd op volle snelheid werkte aan de vraag wat zijn volgende stap moest zijn. De keizer had mannen gestuurd om hem te doden, dat was de naakte waarheid. Maar waarom? En was hij degene die het ongenoegen van Galba had opgewekt? Toen herinnerde hij zich de woorden van de centurio over de gouverneur van Afrika, Clodius Macer, die eveneens een doelwit was. Hoeveel meer gouverneurs stonden op het dodenlijstje? Mucianus misschien, of Tiberius Alexander, of allebei? Hij besloot spoedboodschappers te sturen zodra hij hier klaar was.

Het vuur bereikte de honden en hun vacht vatte vlam. Langzaam werden Castor en Pollux verteerd. Magnus keek toe terwijl de tranen vrijelijk langs zijn wangen stroomden. Toen het voorbij was liepen ze naar het paleis langs de kuil waar de beenderen van de praetorianen en slaven sisten en stoomden omdat Hormus er water over goot om ze af te koelen en te verzamelen. Ze gingen naar Vespasianus' studeerkamer.

Vespasianus pakte een karaf wijn van een tafel tegen de muur en schonk drie bekers vol, die hij zonder de wijn te verdunnen ronddeelde. 'Ik heb een beker wijn nodig en dan moeten we nadenken over wat we gaan doen.'

'Dus doen alsof er niets is gebeurd?' vroeg Magnus. 'Is dat echt wat u wilt?'

'Ik denk dat we alleen zo veilig verder kunnen,' zei Vespasianus, die zijn derde beker wijn inschonk. 'Als we doen alsof de moordenaars hier nooit zijn geweest, hoef ik mijn eer niet te verdedigen door op te staan tegen de man die ze gestuurd heeft. Ik kan het me op dit moment nog niet veroorloven, het is te vroeg, het westen is nog erg sterk.'

'Hij heeft gelijk, Magnus,' bevestigde Caenis. 'Als Galba hoort dat zijn moordenaars zijn aangekomen maar dat hun opdracht is mislukt, stuurt hij gewoon nieuwe. Vespasianus heeft weinig mogelijkheden. Hij kan naar Parthië vluchten, maar Vologases stuurt hem dan zeker terug naar Galba om een diplomatiek incident te voorkomen; en hij kan met zijn legioenen naar het westen gaan en Galba in een oorlog verslaan, maar dan wordt Vespasianus als agressor gezien. Hij zou geen kans maken, want hoe impopulair Galba ook is, de meeste westelijke legioenen zullen hem steunen.'

'Door niets te doen koop ik in ieder geval nog enkele maanden tijd voordat Galba beseft dat er iets mis is gegaan, en als de helft van de geruchten die uit Rome komen waar is, kan er in die tijd veel veranderen.'

'En hoe zit het met het schip waarop ze zijn gekomen?' vroeg Caenis na een tijdje over het plan te hebben nagedacht.

'Steek het in de haven in brand.'

'En de bemanning?'

Vespasianus haalde de schouders op. 'Als ze het overleven duurt het nog steeds een flinke tijd voor ze weer terug naar Rome kunnen. Er bestaat sowieso een goede kans dat ze niets van de missie van de praetorianen afwisten.'

'Ja, ik denk dat je gelijk hebt: we doen alsof er niets gebeurd is.'

'Vertel dat maar aan Castor en Pollux,' zei Magnus bitter.

'Tja, het spijt me heel erg, Magnus.' Vespasianus schonk de beker van zijn vriend bij. 'Ik ben bang dat je je wraak voorlopig maar aan je voorbij moet laten gaan. Mogelijk zul je zelfs nooit de kans krijgen.'

Magnus keek boos en nam een forse slok.

'In de tussentijd stuur ik waarschuwingen aan Tiberius Alexander en Mucianus zodat ze voorzichtig zijn. Ik zal de havenmeester ook bevel geven geen schepen meer te laten aanleggen voordat hij precies weet wie er aan boord zijn en mij om toestemming heeft gevraagd. Als Galba meerdere groepjes moordenaars heeft gestuurd wil ik dat ze gearresteerd worden zodra ze voet aan land zetten.'

'Besef wel dat als je dat doet, je je tegen de keizer verzet. Het is een daad van rebellie.'

'Ik ben al een rebel, ik probeer dat feit alleen verborgen te houden tot mijn tijd gekomen is.' Vespasianus keek op toen Hormus zijn hoofd om de deur stak. 'Wat is er?'

'Er is bezoek voor u, meester.'

Voordat Vespasianus kon vragen wie het was deed Hormus de deur al volledig open.

'Mijn heer Mithras zij dank dat we op tijd zijn gekomen,' zei Sabinus, die de kamer binnenliep met een grote leren tas over zijn schouder gehangen. Hij werd gevolgd door Malichus, die als altijd straalde. 'Galba heeft moordenaars gestuurd.'

HOOFDSTUK X

'Je bent dus maar net ontsnapt, broer,' zei Sabinus nadat Vespasianus hem had verteld wat er gebeurd was. 'Toen we van de missie hoorden zijn we zo snel mogelijk op weg gegaan in de hoop de moordenaars in te halen, ik was bang dat we niet op tijd zouden komen.'

'Dat zijn jullie ook niet,' stelde Magnus fijntjes vast.

'Het spijt me van je jongens, Magnus,' zei Sabinus.

'Waarom ben jíj gekomen, Sabinus?' vroeg Caenis. 'Malichus alleen was toch voldoende geweest?'

Sabinus dacht even over de vraag na, zijn gezicht stond ernstig. 'Tja, er zijn denk ik twee redenen. Toen Galba begin oktober in Rome aankwam was een van zijn eerste daden om mij te vervangen door Aulus Ducenius Geminus. Ik verwachtte vervolgens wel snel geëxecuteerd te worden, maar desondanks bleef ik in Rome. Tigellinus' onvermogen om niet op te scheppen heeft me gered, want hij liet tegen Malichus los dat de nieuwe prefect van de praetoriaanse garde op bevel van Galba een van zijn centuriones had gestuurd om met jou af te rekenen, zoals hij het formuleerde. Ik besefte dat ik nog niet geëxecuteerd was omdat Galba eerst het nieuws van Vespasianus' dood wilde hebben voordat het mijn beurt was. Hij was bang dat als ik als eerste vermoord werd, jij in opstand zou komen als het nieuws je zou bereiken voordat de moordenaars konden toeslaan. Maar als de moordaanslag zou mislukken, zoals ook gebeurd is, dan zou hij me direct laten doden omdat je sowieso in opstand komt. Het leek dus dom om in Rome te blijven en omdat ik geen prefect meer ben, was ik niet verplicht binnen een straal van honderd mijl rond de stad te blijven. En dus vertrok ik samen met Malichus meteen toen die me het nieuws had verteld.'

192

'Waarom heeft Tigellinus het u verteld, Malichus?' vroeg Vespasianus.

'Ahhh!' Malichus straalde, zijn tanden schitterden als een rij miniatuurmaantjes in zijn volle baard. 'Omdat hij en zijn collega Nymphidius Sabinus de garde tegen Nero hadden opgezet wilde Galba ze uiteraard dood hebben, omdat hij ze niet kon vertrouwen. Nymphidius probeerde bovendien zelf keizer te worden, maar dat mislukte en hij werd aan de voeten van Galba geëxecuteerd. Tigellinus wist echter te overleven door voor Galba en zijn generaal Titus Vinius te kruipen. Hij schijnt beweerd te hebben dat hij Vinius' dochter het leven heeft gered door haar te verbergen toen Nero bevel gaf haar te doden nadat die over Galba's rebellie en Vinius' aandeel daarin had gehoord. De dochter bevestigde het verhaal en hij mocht blijven leven, maar in de garde werd hij vervangen door Cornelius Laco.'

Caenis klopte op de tafel en applaudisseerde waarderend. 'Heel slim, Tigellinus was altijd al een man die op meerdere paarden wedde.'

Malichus straalde nog meer in instemming. 'Ja, hij pochte tegenover mij hoe hij het hem gelapt had en hoe hij, nu hij in de gunst bij de keizer was, hoopte dat Galba hem tot de nieuwe procurator van Judaea zou benoemen, een positie waarvoor hij geknipt is aangezien hij een eques is. Hij zei dat ik maar beter hoffelijk tegen hem kon zijn, want hij kon binnenkort wel eens een positie bekleden waarin hij me het leven behoorlijk zuur kan maken. Ik wees erop dat ik bij u in de gunst stond, Vespasianus, en hij lachte met de woorden dat u binnenkort geen nut meer voor me zou hebben en toen vertelde hij me over de moordenaars.'

'Tigellinus in Judaea, dat zou nog eens een mooi staaltje rechtvaardigheid zijn,' peinsde Vespasianus. 'Ze verdienen elkaar. Heeft Tigellinus ook verteld door wie ik vervangen zou worden?'

Malichus straalde opeens een stuk minder.

'Nou?' drong Vespasianus aan.

Caenis stak haar hand op om Malichus het zwijgen op te leggen. 'Ik kan het wel raden.'

'Kun je dat? Ik niet.'

'Mucianus.' Caenis keek Malichus aan, die knikte.

'Mucianus?' riep Vespasianus uit.

'Natuurlijk, liefste, hij is de voor de hand liggende keus: als jij, hij en Tiberius Alexander samenwerken, kan Galba daar alleen wat aan doen door te zorgen dat een van jullie bij hem in het krijt komt te staan. Zo wordt zijn positie in het oosten iets sterker.'

Vespasianus begreep Caenis' redenering. 'Schakel een van ons uit en geef zijn positie aan een van de anderen, zodat die verbonden is met Galba. De derde moet zich dan wel koest houden en heeft geen andere optie dan samenwerken met zijn machtige collega als hij geen bezoekje wil van een praetoriaanse centurio met een mes. Tja, dat zou werken.' Vespasianus keek beurtelings naar Sabinus en Malichus. 'De vraag is nu: wist Mucianus het?'

Sabinus schudde zijn hoofd. 'Dat heb ik me ook afgevraagd, maar ik denk het niet. Voor Galba was het niet noodzakelijk eerst met Mucianus te praten; als jij dood bent zal Mucianus niet weigeren om jouw positie erbij te nemen, maar als hij van het plan op de hoogte zou worden gesteld, bestaat de kans dat hij met jou gaat samenspannen omdat hij daar meer van verwacht.'

Vespasianus dacht daar even over na. 'Maar we weten het niet zeker. Ik moet een ontmoeting met Mucianus regelen zodat ik in zijn ogen kan kijken om zekerheid te krijgen.'

Caenis stemde in. 'Ja, liefste, je hebt gelijk, we moeten zeker weten of we hem kunnen vertrouwen.'

Vespasianus keek weer naar Sabinus. 'Je zei dat er twee redenen waren om hier te komen, wat is de tweede?'

'Die kan ik hier niet bespreken, niet in aanwezigheid van Caenis, Magnus en Malichus.'

Malichus stond op. 'Ik zal jullie met rust laten.'

Terwijl de Nabatese koning het vertrek verliet gebaarde Sabinus naar Caenis en Magnus.

'O, kom op,' zei Vespasianus, 'je weet heel goed dat je alles kunt zeggen waar zij bij zijn.'

'Dat weet ik, maar dit niet. Ik moet je even onder vier ogen spreken, broer. Ik geloof dat de tijd die onze vader al die jaren geleden voorzag nu gekomen is, en hoewel de eed die hij ons liet zweren op de dag voordat we naar Rome vertrokken me het recht geeft de eed te breken die onze moeder de hele familie zestien jaar eerder liet zweren, staat hij me alleen toe om met jou te spreken. Ik zou de oorspronkelijke eed breken als ik iets zeg over de voortekenen die bij je naamceremonie werden gezien, en het is belangrijk dat je ze nu hoort.'

Vespasianus' hart begon sneller te kloppen. Caenis en Magnus verlieten de kamer, terwijl Sabinus zijn keel smeerde met een volgende beker wijn.

'Nou?' vroeg Vespasianus, die zijn opwinding niet kon verbergen nu hij eindelijk de profetie te weten zou komen waarover hij drieënveertig jaar geleden zijn ouders had horen praten. Het was de dag waarop Sabinus was teruggekeerd van zijn vierjarige dienst als militair tribuun bij de Negende Hispana.

Sabinus keek zijn broer met een warme, broederlijke glimlach aan, iets wat hij in Vespasianus' herinneringen nog nooit had gedaan. 'Goed, broer, de tijd is gekomen; je hebt mijn hulp nodig. Onze vader, moge Mithras zijn ziel warmen met zijn licht, had gelijk toen hij ons samen die eed liet zweren. Het betekent dat ik je nu kan vertellen wat ik me van die dag herinner. Het staat me nog helder voor de geest, al begreep ik toen niet wat het betekende. Maar in de afgelopen tijd is alles samengekomen.'

Vespasianus kon nauwelijks de neiging onderdrukken om Sabinus tot haast te manen toen die even zweeg om zijn beker bij te schenken.

'Weet je de profetie nog die de priester van het orakel van Amphiaraus al die jaren geleden voorlas?'

'Natuurlijk.'

'Hoe luidde die?'

Vespasianus dacht even na en begon te glimlachen toen de woorden terugkwamen.

'"Twee tirannen zullen vlak achter elkaar de macht verliezen, gevolgd door een derde,

In het oosten hoort de koning de waarheid van een broer.

Met een geschenk moet hij de voetstappen van de leeuw in het zand volgen,

Opdat hij weldra van de vierde het westen kan verkrijgen." Of zoiets.'

'Ik herinner me de woorden ook zo. En nu heb ik de betekenis gevonden toen ik nadacht over de merktekens op de levers van de drie offers voor je naamceremonie.'

Vespasianus wilde de beker uit Sabinus' hand slaan toen die zweeg om een slok te nemen.

'Kijk, Galba blijft niet lang, dat is inmiddels wel duidelijk. De mensen noemen hem al een tiran vanwege zijn houding tegenover het leger en potentiële rivalen, en door de premie aan het leger te schrappen heeft hij weinig vrienden over. Hij verving Nero, die door iedereen die bij zijn volle verstand is als een tiran werd gezien. Dus als Galba gauw valt, snel na Nero, dan zal er een derde komen en algauw ook een vierde; en wie dat ook mag zijn, hij is de achtste keizer.'

Vespasianus spitste de oren. 'Ja, dus?'

'Dus, broertje, kijk naar jezelf; hier zit je in het oosten met momenteel een van de grootste legers van het rijk. Je bent benoemd omdat Nero onze achtergrond als te nederig, niet voornaam genoeg beschouwde om een bedreiging voor hem te zijn, maar in werkelijkheid ben jij de macht in het Romeinse oosten, de koning zelfs, en ik ben je broer en kom je de waarheid vertellen.'

Hij zweeg even om zijn gedachten te ordenen, haalde toen diep adem en begon. 'Ik herinner me de uitdrukking van ongeloof op vaders gezicht toen hij als eerste de lever van de ram bestudeerde, gevolgd door die van het wild zwijn en ten slotte die van de os. Hij bleef er maar naar staren en hield ze vervolgens op zodat iedereen ze kon zien. Ik kwam naar voren en zag duidelijk dat er op alle drie iets zat en ik was blij, want ik was jaloers op jou en dacht dat de vlekken op alle drie de levers een teken waren dat Mars je had verworpen. Maar toen keek ik wat beter en zelfs op die leeftijd zag ik wat de eerste, die op de ramslever, voorstelde: het was duidelijk de helft van een arendskop met het oog en de haaksnavel. De andere twee sloeg ik in mijn geheugen op, maar toen zeiden ze me nog niets. Pas toen Galba Rome binnentrok en het duidelijk werd dat hij niet lang keizer zou blijven, schoot het orakel van Amphiaraus me weer te binnen en besefte ik dat het voorbestemd is dat jij de negende keizer zult zijn. Ik kon je die informatie niet onthouden, want met die kennis ga je mogelijk heel anders handelen.'

Vespasianus had het gevoel dat zijn keel was dichtgesnoerd. 'Waarom denk je dat ik de negende zal zijn?'

'Omdat op de tweede lever, die van het wild zwijn, twee tekens zaten in de vorm van drie aderen die aan het oppervlak kwamen; een was een rechte lijn, daarnaast waren de twee andere gekruist: een I en een X. Negen. Een arend, het keizerlijke teken, en een negen. Ik moest het je vertellen.'

Vespasianus strekte zijn hand over de tafel uit en kneep in die van zijn broer. 'Dank je, Sabinus, dank je. Maar vertel me, wat zag je op de derde lever?'

'Die was het moeilijkst: het ging om een licht gebogen verticale lijn met vier of vijf rondjes die er vlak bij elkaar aan hingen. Ik heb er de hele reis over nagedacht en pas aan het einde vond ik een antwoord. Je hebt me ooit verteld dat je na het zien van de wedergeboorte van de feniks naar de tempel van Amon in Siwa werd gebracht en dat de god tot je sprak. Die zei dat je te vroeg was gekomen omdat je nog niet wist welke vraag je moest stellen; je diende terug te komen als je een geschenk had dat zich kon meten met dat wat op de knieën van de god was gelegd.'

'Het zwaard van Alexander de Grote. Ja. De god zei dat een broeder zou weten wat dat was.'

'"Met een geschenk moet hij de voetsporen van de leeuw in het zand volgen." Je moet terug naar Siwa en toen begreep ik wat het teken voorstelde: graan. Op je weg naar het purper moet je Egypte innemen om de graantoevoer naar Rome in handen te krijgen, en als je daar bent, moet je naar Siwa om de god te raadplegen.'

'Maar waar haal ik een gelijkwaardig geschenk vandaan?'

'Dat heb ik meegenomen.'

'Wat is het?'

Sabinus pakte de grote leren tas van de vloer op en overhandigde hem aan Vespasianus. 'Het is iets wat je aan Caligula hebt gegeven: het borstpantser van Alexander dat je uit zijn mausoleum in Alexandria hebt gestolen.'

Vespasianus opende de tas en haalde het borstpantser tevoorschijn; het was precies zoals hij het zich herinnerde: donkerbruin leer, op maat gemaakt voor de spieren die het bedekte en beschermde, ingelegd met een zilveren steigerend paard op elke borstspier. Het was geen protserig paradeharnas met decoraties in reliëf waar speerpunten achter konden blijven haken, maar praktische gevechtskleding die had toebehoord aan de grootste veroveraar die ooit geleefd had. En daar was hij: de vlek aan de linkerkant, de beschadiging die Vespasianus vertelde dat dit het echte pantser was, want de vlek had hij ook aangebracht op de kopie waarmee hij het had verwisseld, die zover hij wist nog altijd op Alexanders gemummificeerde lichaam lag onder het kristallen deksel in zijn mausoleum. 'Waar heb jij hem vandaan, Sabinus?'

'Nadat Caligula in het borstpantser over de brug was gereden moet hij hem verder vergeten zijn; hoe dan ook, Claudius vond hem kort nadat hij keizer was geworden. Hij herkende hem en wilde hem in Rome houden, maar hij hoopte ook een incident te vermijden met bezoekende Alexandrijnen en daarom verborg hij hem in de schatkist. Van mijn tijd als prefect wist ik nog dat hij daar lag en toen ik besefte waar we hem voor konden gebruiken heb ik een van de drie *vigintiviri* die toezicht houden op de schatkist om een gunst gevraagd – die was hij me nog schuldig omdat ik als prefect mijn invloed had gebruikt om hem die positie te bezorgen. Hij stopte hem gewoon in deze tas, liep naar buiten en gaf hem aan mij. Zo zit dat.'

Vespasianus keek weer bewonderend naar het borstpantser en liet zijn vingers over de zilveren ornamenten glijden en rook aan het oude leer. 'Dank je, Sabinus; dit zou de god wel eens kunnen overhalen om weer met me te praten, maar het lost niet het probleem op wat ik hem moet vragen opdat ik "weldra van de vierde het westen kan verkrijgen". Aangenomen dat dat gaat gebeuren natuurlijk.'

'Dat moeten we maar gewoon aannemen, Vespasianus: de feniks, Amon, Amphiaraus, de levers, Antonia die je haar vaders zwaard schonk terwijl ze altijd gezegd had dat ze het aan de kleinzoon zou geven die volgens haar de beste keizer zou zijn. Toen je me dat verhaal vertelde, zei ik: "En waarom niet?" Ik had altijd een vermoeden in mijn achterhoofd, daarom wilde ik de profetie van Amphiaraus ook niet horen.'

'Ik herinner me het nog, je zei dat je niet op de tweede plaats wilde komen.'

'Ja, en dat meende ik toen ook. Als jij zou horen wat de priester te zeggen had, zo vreesde ik, dan zou het vermoeden tot een zekerheid uitgroeien en ging je mij overvleugelen, de oudere broer, terwijl ik op de tweede plaats zou komen. Ik kon die gedachte niet verdragen. Weet je nog hoe jaloers ik op je was? Dat ik je altijd "kleine etterbak" noemde? Dat veranderde na Amphiaraus, toen je kwaad op me werd en erop stond dat de priester de voorspelling zou voorlezen. Ik zag toen een sterke wil in je en vanaf die dag begon ik je te respecteren.'

'En begon je je angst om op de tweede plaats te komen te verliezen?'

Sabinus glimlachte. 'Jij kleine etterbak, ja, als je het per se wilt weten. Die is afgenomen over de jaren, ik kan ermee omgaan, vooral nu ik begrijp dat je me onvermijdelijk gaat overvleugelen en ik genoegen zal moeten nemen met de tweede plaats.'

'Ik ga je niet overheersen, Sabinus. Als wat jij gelooft, en ik misschien ook, daadwerkelijk gaat gebeuren, dan zul jij altijd de prefect van de stad zijn, van mijn Rome. Maar hoe dan ook bevestigt niets van wat je gezegd hebt mijn lot met absolute zekerheid.'

'Wat wil je nog meer? En dan is er natuurlijk nog Myrddin, de onvergetelijke druïde van Britannia, die beweerde jouw toekomst te hebben gezien, een toekomst die hem angst aanjoeg omdat je op een dag de macht zou hebben maar er niet in zou slagen om een einde te maken aan wat volgens hem de ware religie zal vernietigen.'

'Dat betekent niet dat het mijn lot is om keizer te worden.'

'En wat betekent het dan wel? Hij deed er alles aan om je uit je eigen vrije wil naar de plek te laten komen die hij voor je dood had uitgekozen; omdat je dan vrijwillig had gekozen om te sterven zou de profetie die hij had gezien teniet worden gedaan. Maar wat je ook van Myrddin vindt, alles wijst naar jou. Dus als ik jou was, broer, zou ik maar plannen gaan maken voor wat je gaat doen als er een machtswisseling op de Palatijn komt, want dat gaat snel gebeuren.'

'Dat heb ik al gedaan.'

Sabinus was zichtbaar verrast. 'En net zei je dat niets van wat ik je verteld heb het absoluut zeker maakt dat je keizer zult worden?'

'Klopt. Maar dat wil nog niet zeggen dat ik het niet mogelijk acht. Mucianus, Tiberius Alexander en ik hebben een afspraak: als de legioenen van het oosten tegen het westen oprukken, word ik het boegbeeld, want Tiberius Alexander is een Jood en Mucianus is... tja, die heeft geen zoon. Plannen maken is iets anders dan geloven dat het ook zal gebeuren. Aanspraak maken op de macht is een van de gevaarlijkste dingen die iemand kan doen, het eindigt vaak met de dood van niet alleen degene die het doet, maar ook van zijn hele familie. Je herinnert je Sejanus natuurlijk nog. Ik had de leiding over het wurgen van zijn kinderen. Weet je nog? Het brengt ongeluk om een maagd te executeren en daarom moest ik de cipier bevel geven het zevenjarige meisje te verkrachten. Herinner je je dat nog, Sabinus?'

Sabinus' blik verduisterde bij de herinnering. 'Zeker, broer, en ik denk niet dat je er trots op bent of er graag aan terugdenkt.'

'Twee keer goed geraden. Maar ik zag toen met eigen ogen wat een mislukte greep naar de macht kan betekenen. Ik herinner me ook nog de raad die Sejanus me gaf vlak voordat hij stierf: hij zei dat als ik ooit in een positie kwam om de macht te grijpen, ik die kans met beide handen moest pakken. Wacht niet tot je de macht aangeboden krijgt, want intussen kan iemand anders toeslaan en dan zullen ze je doden omdat je zo dicht bij wat zij nu hebben en begeren was.'

'Dat was een goed advies.'

'Ik weet het en daarom zal ik ernaar handelen. Ik zal zorgen dat ik niet in een positie kom waarin de macht voor het oprapen ligt zonder dat ik dat besef, zodat iemand anders zijn kans kan grijpen. Ik wil niet de oorzaak van de ondergang van onze familie zijn, Sabinus. Of ik maak onze familie onsterfelijk of ik blijf een onopvallende nieuwe man zonder opmerkelijke afkomst en zonder ambitie om verder te komen dan de eerlijk gezegd verrassende hoogte die ik nu al heb bereikt. Een veilig bestaan, met andere woorden. Vespasianus de muildierfokker met zijn Sabijnse accent en de manieren van een boertje, zo zien veel mensen me; Corvinus wreef het me bij elke gelegenheid weer in. En zo zal ik blijven, tenzij er een goede kans komt om de mensen te verrassen door iets heel anders te worden.'

'Titus Flavius Vespasianus Caesar Augustus bijvoorbeeld.'

'Ssst, Sabinus, zeg dat niet, dat brengt ongeluk. Maar inderdaad, zoiets. Ik moet wel eerst weten dat ik het ook echt kan en dat ik de mensen om me heen kan vertrouwen. Mucianus bijvoorbeeld, wist hij van de moordenaars? En Titus?'

'Titus? Maar hij is je zoon.'

'Ja, maar hij heeft zich laten inpalmen door een erg ambitieuze oosterse vrouw, hoewel ze elf jaar ouder is en uit een familie komt die mij niet goedgezind is sinds ik haar vader Herodes Agrippa diverse malen heb dwarsgezeten, zoals je je nog wel herinnert, want je was er een paar keer bij betrokken. Dus wat doet ze anders bij Titus dan haar eigen ambities nastreven omdat ze beseft dat hij wel eens een kandidaat voor het purper zou kunnen zijn als we volgend jaar met een burgeroorlog zitten?'

'Dat zou hij toch niet doen?'

'Hij zei van niet, maar ik ben er niet meer zo zeker van. Ik weet niet wat hij denkt nu hij daar bij Berenice is. Maar wat ik wel weet is dat ik van hem op aan moet kunnen als ik besluit naar Rome te gaan. Hoe ik het ook aanpak, ik moet iemand achterlaten die ik kan vertrouwen om hier met de drie legioenen de opstand te beëindigen, Jeruzalem in te nemen en de tempel eens en voor altijd te verwoesten. En de enige man die ik kan vertrouwen om dat te doen is Titus.'

'Of mij.'

Nu was het Vespasianus' beurt om verrast te zijn. 'Daar had ik nog niet aan gedacht.'

'Nu ik niet langer prefect van Rome ben is er geen reden waarom ik je niet zou kunnen helpen als Titus niet de zoon blijkt te zijn die je dacht te hebben.'

'Ja, dank je, maar laten we hopen dat het niet zover komt. Ik heb een boodschapper naar hem gestuurd, hij kan elk moment hier zijn. Intussen moeten we Caenis vragen om te helpen een lijst op te stellen van senatoren en equites die aan onze kant zouden kunnen staan en welke legioenen mij tot...' Hij liet de rest van de zin in de lucht hangen.

'Dat zal niet veel tijd kosten.'

'Ja, dat zal wel, maar er zijn er toch wel een paar die bij ons in het krijt staan.' Vespasianus legde zijn hand op Sabinus' schouder. 'Net zoals ik bij jou sta, broer, dank je dat je gekomen bent.'

'Je moet vertrouwen in jezelf hebben, Vespasianus,' zei Caenis nogmaals.

'Dat heb je me de afgelopen dagen nu al minstens tien keer gezegd, liefste, en door iets te herhalen wordt het nog niet noodzakelijkerwijs waar. Het is niet een kwestie van vertrouwen.'

'Wat voor kwestie is het dan?' Caenis sloeg uit frustratie op de balustrade.

Vespasianus deed alsof hij het niet zag. Hij stond op het terras en keek naar de haven, naar de uitgebrande resten van het schip waarop de praetoriaanse moordenaars waren gekomen. 'Het is een kwestie van cijfers, liefste, een eenvoudig rekensommetje. En daar ben ik erg goed in. Er zijn twee legioenen in Egypte: de Derde Cyrenaica en de Tweeëntwintigste Deiotariana; en hier heb ik drie legioenen: de Vijfde, Tiende en Vijftiende.'

'Jaja, dat weet ik, en dan zijn er nog de drie legioenen van Mucianus in Syria.'

'De Zesde Ferrata en de Twaalfde Fulminata, of wat daarvan over is, want ik weet niet in hoeverre die alweer op sterkte is. En dan nog mijn oude legioen, de Vierde Scythica, dat uit Moesia is overgebracht. En tot slot zijn er de Moesische legioenen: de Derde Gallica is onlangs vanuit Syria overgeplaatst, zodat de legionairs naar verwachting nog loyaal zijn aan hun kameraden in het oosten. En dan heb je verder de Zevende Claudia en de Achtste Augusta. Dat is elf in totaal. Sinds Galba een nieuw legioen heeft gevormd, net als Clodius Macer in Afrika, en de vlootsoldaten tot de Eerste Adiutrix zijn omgevormd, zijn er bij elkaar eenendertig legioenen in het rijk, dus reken maar uit.'

'Ik heb het sommetje gemaakt, kwelgeest, we hebben het de afgelopen dagen samen voortdurend gemaakt, net zoals we berekend hebben dat er zo'n tachtig senatoren zijn die banden hebben met jouw familie of die van Mucianus en van wie we dus kunnen verwachten dat ze welwillend naar jouw kandidatuur kijken. En zeg me nou niet dat ik het sommetje over moet doen, want dan ga ik gillen en je slaan. Ik weet heel goed dat er nog ruim vijfhonderd senatoren in leven zijn. Echt, ik weet het!'

'En je wilt dus dat ik vertrouwen in mezelf heb en dat ik daarmee beschermd ben tegen de cijfers? Kom op, Caenis, jij bent degene die me aanraadde voorzichtig te zijn.'

'Voorzichtig ja, maar niet passief. Als we een geloofwaardige belofte uit Titus krijgen als hij er eindelijk is, dan moet je beginnen met voorbereidingen. En een van de dingen die je moet doen is Malichus als afgezant naar Vologases sturen om een toezegging van hem te krijgen dat hij onze oostgrens met rust laat gedurende de burgeroorlog. Je kent de man, je bent bij hem te gast geweest. Jullie mogen elkaar, het is heel goed mogelijk dat hij het voor jou wil doen. En als hij toezegt, dan kun je meer troepen uit Syria meenemen dan anders verstandig zou zijn.'

'En Armenia?'

'Armenia zorgt voor zichzelf als Vologases je zijn woord geeft, tenslotte is koning Tiridates Vologases' jongere broer en hij heeft bovendien een eed aan Rome gezworen.'

'En moet ik Vologases' woord geloven?'

Het werd Caenis te veel; ze begon te schreeuwen, de kin naar voren en haar gebalde vuisten in haar zij.

'Het spijt me, liefste,' zei Vespasianus op verzoenende toon. 'Ik weet dat de Grote Koning nooit zou liegen omdat zijn religie hem dat verbiedt: de leugen bestrijden met de waarheid, zo zei hij het tegen me. Dus goed, als hij me zijn woord geeft, moet ik daarop vertrouwen. Maar de omvang van deze onderneming begint me duidelijk te worden en die is angstaanjagend.'

'De beste manier om daar iets aan te doen is om jezelf door elkaar te schudden en iets te doen in plaats van de hele tijd aan de omvang van de zaak te denken.'

'Je bedoelt vertrouwen in mezelf hebben ondanks het rekensommetje?'

'O, rot toch op met je klotesommetje!' Caenis kneep haar ogen stijf dicht en haalde diep adem.

Vespasianus keek haar verbluft aan, hij had haar nog nooit eerder horen vloeken, in ieder geval niet zover hij zich kon herinneren, en zeker niet met zoveel overtuiging.

'Ja, je hebt me zover gekregen dat ik vloek, Vespasianus. Ik heb mijn zelfbeheersing verloren, kun je het geloven?'

'Ik probeer het te geloven.'

'Dat bewijst wel hoe onmogelijk je bent. Luister, dat sommetje komt wel goed als alles in gang is gezet. Denk nou even na: als het orakel van Amphiaraus klopt, dan komen er nog twee keizers voor jou, de zevende en achtste; Galba's legioenen zullen de achtste steunen want ze zullen de zevende verantwoordelijk houden voor de dood van hun leider. De legioenen van de zevende keizer zullen om dezelfde reden jou steunen: de achtste keizer zal verantwoordelijk worden gehouden voor de dood van de zevende. Dus je ziet dat de cijfers uiteindelijk jouw kant op komen; dus hou op met rekenen en stuur Malichus onmiddellijk naar Vologases. Je moet het antwoord op zijn laatst volgend voorjaar binnen hebben.'

Vespasianus draaide zich om en nam haar in zijn armen. 'Goed dan, liefste, ik doe wat je voorstelt.' Hij drukte haar stevig tegen zich aan en bleef zo enkele hartslagen staan. 'Ik ben doodsbang,' gaf hij toe terwijl hij de druk verminderde. 'Absoluut doodsbang.'

'Ik weet het, liefste, dat ben ik ook. Maar we moeten handelen nu alles op zijn plaats valt, en een regeling in het oosten is nu van groot belang.'

'Malichus zal morgen vertrekken.'

Hij omhelsde haar opnieuw, net toen Hormus discreet in de deur-opening verscheen. Magnus stond achter hem. 'Meester?'

'Wat is er, Hormus?'

'Ik heb net bericht uit Tiberias gekregen.'

'Mooi, wanneer komt Titus?'

Hormus zweeg even en keek Vespasianus nerveus aan.

'Zeg op, wat is er?'

'Hij komt niet, meester.'

'Hij komt niet? Waarom komt hij niet?'

'Ik weet het niet, meester, hij heeft niet persoonlijk geantwoord. Toen mijn boodschapper aankwam om de brief af te geven was hij er niet, hij was een paar dagen eerder afgereisd.'

'Afgereisd? Waarheen?'

Caenis kwam naar voren om te antwoorden. 'Ik ben bang, liefste, dat er maar één mogelijke verklaring is: hij en die Joodse trut Berenice zijn naar Rome afgereisd om Galba eer te bewijzen.'

'Wat weten we nog meer?' vroeg Vespasianus toen hij over de eerste schok heen was.

'Niet veel, meester,' zei Hormus, handenwringend alsof het allemaal zijn schuld was. 'Het lijkt erop dat Herodes Agrippa kwam en vervolgens binnen een dag weer terugging naar Rome, samen met Titus en Berenice.'

'De klootzak! Wat heeft hij tegen Titus gezegd, weten we dat?'

'Nee, meester, meer is de boodschapper niet te weten gekomen.'

'Het is een val, liefste,' zei Caenis, die weer aan tafel ging zitten. 'Galba gebruikt Herodes Agrippa om Titus naar Rome te lokken in ruil voor uitbreiding van diens domein, zoiets moet het zijn.'

'Maar wat kan hij tegen hem hebben gezegd dat hij zo roekeloos werd om te gaan?'

'Er is maar één ding dat hij kon zeggen om Titus te overtuigen dat het veilig en juist is om te gaan.'

Vespasianus kon het niet geloven. 'Dat Galba hem ging adopteren? Titus begrijpt toch wel dat dat een doodvonnis is?'

'Waarom? Heb je dat tegen hem gezegd?'

Vespasianus dacht terug aan het gesprek met zijn zoon. 'Nee, niet met zoveel woorden.'

'Misschien had je dat wel moeten doen.'

'Maar iedereen begrijpt dat het een doodvonnis is.'

'Misschien niet, niet als hem verteld is dat het aanbod van Galba én de Senaat komt. Titus heeft het rijk aangeboden gekregen op een manier die hem de kans geeft om het te houden zonder in conflict met jou te komen. In zijn ogen is het een verstandige beslissing, want hij denkt dat het oosten veilig is omdat jij nooit tegen hem zou optrekken, ten eerste uiteraard omdat je zijn vader bent, en ten tweede omdat hij legitimiteit heeft door de steun van de Senaat.'

'De stomme idioot! Waarom heeft hij mij niet geraadpleegd?'

'Omdat hij weet dat je hem zou verbieden het aanbod te accepteren en hij dan tegen jouw wil in zou gaan en daarmee een breuk met jou zou veroorzaken.'

'En door achter mijn rug om te gaan gebeurt dat niet?'

'Rustig, liefste, het is nu niet het moment om je op te winden. Titus is voorgelogen en Herodes Agrippa wist dat het leugens waren, hij weet dat Galba hem gebruikt om Titus naar Rome te lokken. Galba gaat er natuurlijk van uit dat je inmiddels dood bent. Titus gaat nu recht op zijn ondergang af, aangemoedigd door Berenice, die geen weet heeft van het dubbelspel van haar broer. Titus moet gered worden, niet beschimpt.'

'Dan kan ik maar beter meteen vertrekken,' zei Magnus tot verbazing van de anderen.

'Jij? Wat bedoel je?'

'Logisch toch? U kunt niet weg zonder tegen uw orders in te gaan, en dat is precies wat Galba zou willen zodra hij ontdekt dat u nog in leven bent; het geeft hem of degene die hem opvolgt een geldige reden om u uit uw functie te ontheffen omdat u uw post in de steek laat om achter uw zoon aan te rennen, en niemand zal enig begrip hebben, niemand in Rome en niemand in de legioenen hier. En dus moet ik gaan.'

'Jij? Jij bent veel te oud voor zoiets. Je kon gisteren nauwelijks op je paard komen.'

'Ik ga,' zei Sabinus. 'Als senator kan ik me veel vrijer en sneller bewegen, en bovendien moet degene die Titus vindt hem in het bijzijn van Herodes en zijn zuster overhalen terug te keren.'

'En dat zou ik niet kunnen?'

Vespasianus negeerde Magnus, want het antwoord was duidelijk. 'Dank je, broer.'

'Ik vertrek onmiddellijk.'

'Maar je bent net aangekomen, blijf in ieder geval hier slapen om goed uit te rusten.'

'Ik kan op het schip slapen. Als ik nu ga ben ik niet meer dan drie of vier dagen achter Titus, dan heb ik nog een kans. Ik breng hem binnen een maand terug, Vespasianus, dat beloof ik.'

Vespasianus omhelsde Sabinus voor het eerst van zijn leven en tot zijn verbazing sloeg ook Sabinus zijn armen om hem heen en drukte hem tegen zich aan. 'Dank je, broer, je bent een echte vriend voor me geweest.'

Sabinus deed een stap naar achteren en hield Vespasianus bij de schouders beet. Hij glimlachte, de ogen wijd open en nieuwsgierig, alsof hij voor het eerst iets zag. 'En jij, broer, bent altijd een kleine etterbak voor me geweest. Ik zie je snel weer en dan zullen we er samen voor zorgen dat de voortekenen bij je geboorte ook uitkomen.' Hij kuste Vespasianus op de wang, draaide zich om en liep de kamer uit.

Vespasianus keek hem na, blij dat na al die tijd en alle dingen die tussen hen gebeurd waren ze eindelijk met genegenheid met elkaar konden praten.

HOOFDSTUK XI

'Ik zweer dat ik zal gehoorzamen aan alles wat Marcus Salvius Otho Caesar Augustus beveelt en dat ik me nooit aan zijn dienst zal onttrekken. Ook zal ik niet proberen de dood te vermijden voor hem en de Romeinse Republiek.' Vespasianus' stem was hoog en helder, om gehoord te worden door alle mannen van de twee legioenen en vier hulpcohorten die stonden te luisteren terwijl hij de eed aflegde, de eerste man in Judaea die dat deed.

En hij had hem snel afgelegd. Sabinus had hem in een brief uit Corinthus geschreven over de moord op Galba en de troonsbestijging door Otho. Vespasianus besefte onmiddellijk dat een eedaflegging de beste tactiek was, want zijn broer had gelijk gehad: Galba was half januari vermoord, net twee maanden nadat Sabinus had voorspeld dat hij snel dood zou zijn en dat een zevende keizer zijn plaats zou innemen. Ook deze zou niet lang meegaan. 'Zweer trouw aan Otho,' zo had Caenis hem gezegd, 'en als hij dood is, dan steunen zijn aanhangers degene die het opneemt tegen de man die Otho ten val heeft gebracht.' De naam van die man was inmiddels bekend en Vespasianus was er niet verbaasd over geweest: Aulus Vitellius, of liever gezegd Aulus Vitellius Germanicus Augustus, zoals hij zichzelf noemde sinds het Rijnleger op de calendae van januari geweigerd had de eed aan Galba te hernieuwen en Vitellius de volgende dag tot keizer had uitgeroepen. Nu marcheerde dat leger naar het zuiden om Italië namens Vitellius binnen te vallen, ook al liep het toen Sabinus dat alles opschreef pas tegen het einde van februari.

Als Vespasianus het rijk wilde hebben, moest hij met Vitellius afrekenen, dat stond hem steeds duidelijker voor ogen. Uitgerekend Vitellius, Tiberius' schandknaap, die Vespasianus voor het eerst op Capri had gezien en die was uitgegroeid tot een hedonistische vreetzak die nooit iets voor de publieke zaak had gedaan, anders dan Otho, die als een competent gouverneur was beschouwd tijdens zijn tienjarige verblijf in Lusitania. Nee, het was duidelijk dat van de twee Vitellius het minste het purper waardig was en degene die de meeste tegenstand zou ondervinden. Een man tegen wie Vespasianus meende een kans te hebben. En dus stond hij hier, voor het leger van Judaea, dat zich in cohorten had opgesteld onder een woud van standaards. Zijn leger, dat een eed aflegde aan een man die ruim twintig jaar jonger was dan hij; een man die, als Sabinus gelijk had, binnen enkele maanden gedoemd was te sterven.

Terwijl de laatste woorden van zijn eed weergalmden, besefte Vespasianus dat als Sabinus' brieven aan Mucianus en Tiberius Alexander waren aangekomen, zij nu hetzelfde deden als hij. Bij zijn terugkeer in Rome kon Sabinus dan Otho vertellen dat hij het oosten voor hem had gewonnen, waarmee zijn veiligheid gegarandeerd was en hij mogelijk weer als prefect van Rome zou worden aangesteld. Sabinus had namelijk besloten naar Rome terug te keren, want nu Galba dood was en een burgeroorlog onvermijdelijk, leek het hem het beste om als openlijke aanhanger van de jonge nieuwe keizer terug te keren. Titus was niet met hem meegegaan.

Sabinus had in december voor het eerst aan Vespasianus geschreven, nadat hij Titus, Berenice en Herodes Agrippa in Corinthus had gevonden, waar ze op beter weer zaten te wachten om hun reis voort te kunnen zetten. Sabinus had Titus er niet van kunnen overtuigen dat hij zich beter niet bij Galba en de Senaat kon melden. Hij geloofde niet dat Herodes tegen hem loog. Berenice, onwetend de medeplichtige van haar broer in diens leugens, was veel overtuigender dan hij, zo schreef Sabinus, al was hij er niet zeker van dat het alleen de kracht van haar woorden was. Hij had Titus niet weten over te halen naar Judaea terug te keren.

Ze stonden op het punt om naar Rome te vertrekken toen het nieuws van Galba's dood Corinthus bereikte. De waarheid van wat Sabinus tegen Titus had gezegd werd vervolgens duidelijk, want niet alleen Galba was vermoord, maar ook Piso Licinianus, de man die Galba als erfgenaam had geadopteerd. Titus begreep dat hij misleid was. Nu het dubbelspel van Herodes Agrippa onthuld was, ging de vazalvorst er onmiddellijk vandoor, want hij vreesde Titus' wraak. Berenice had met recht volgehouden dat ze niets afwist van haar broers verraad en hield haar plaatsje in Titus' bed. Volgens Sabinus was haar tong bepaald nog niet stilgevallen, maar Titus besteedde er nu minder aandacht aan. Daar was Vespasianus dankbaar voor, maar hij zou nog tevredener zijn geweest als hij wist waar Titus was. Sabinus had tegen het einde van februari het nieuws van Galba's dood gemeld en Vespasianus had de brief ontvangen op de idus van maart, gisteren, en als een brief zo snel kon arriveren, dan kon een mens dat ook. Ondanks alles wat er gebeurd was had Vespasianus nog niets rechtstreeks van zijn zoon gehoord. En dus zat Vespasianus, terwijl de legioenen hun eed aan de zevende keizer zwoeren, zich zorgen te maken dat hij de campagne zou moeten beginnen zonder Titus aan zijn zijde en met de knagende twijfel of hij zijn eerstgeborene wel volledig kon vertrouwen.

'De Vijftiende Apollinaris heeft de eed afgelegd, generaal,' meldde Silius Propinquus, Titus' tribunus laticlavius en vervangend commandant in diens afwezigheid. Zijn weke stem verraadde een jeugd met een overmaat aan rijkdom en privileges.

'Dank je, tribuun,' zei Vespasianus, die uit zijn gepeins opschrok. 'Leid ze terug naar het kamp. Morgen marcheren we op het tweede uur naar Herodium. Zorg dat ze dan klaarstaan. Ik wil geen vertragingen want we moeten tweeëntwintig mijl per dag afleggen om er in twee dagen te zijn, zodat we ze met wat geluk verrassen.'

'En vervolgens gaat het zo verder: "Nu ik het leger van Judaea de eed van trouw aan u heb laten afleggen, princeps, wat ze met groot enthousiasme deden nadat ik het voorbeeld had gegeven, ga ik weer verder met de campagne tegen de Joden. Die was stil komen te liggen in de verwarrende periode waarin Galba aan de macht was. Tenzij u me natuurlijk beveelt de campagne te staken. Ik meen dat we de twee laatste steden die standhouden, Herodium en Machaerus, snel kunnen innemen. Daarna zullen we het beleg voor Jeruzalem opslaan, dat inmiddels zo verzwakt is door interne strijd en een gebrek aan voorraden dat ik verwacht dat de stad voor het einde van het campagneseizoen zal vallen. Vervolgens is alleen nog het fort van Massada in het zuiden over, dat vanwege zijn ligging op een plateau met slechts een geitenpad als toegang alleen ingenomen kan worden door de aanleg van een hellingbaan. Naar mijn mening moeten we daarmee wachten tot Jeruzalem in onze handen is, want de wintermaanden zo ver in het zuiden zijn warm en er valt dan weinig regen, zodat het een goede tijd is voor het zware werk dat daar nodig is. Bovendien hoop ik tegen die tijd voldoende mankracht voor de taak te hebben doordat de legioenen dan aangevuld kunnen worden met de slaven die ik in Jeruzalem zal maken. Ik zou graag uw advies horen, princeps, want alleen u kunt met uw overzicht van de gebeurtenissen en uw wijsheid een oordeel vellen over mijn voorstellen. U kunt verzekerd zijn van mijn vertrouwen en loyaliteit." Caenis liet de rol zakken en sloeg haar ogen op. 'En?'

'Tja, ik denk dat dit hem evenzeer vleit als geruststelt, liefste,' zei Vespasianus, terwijl een slaaf het stof van zijn voeten waste. 'Heel goed dat je de brief begint met lof over zijn prestaties in het verleden en hoe terecht het is dat hij het purper heeft. Je hebt ook helemaal gelijk om niets over Vitellius te zeggen. En om advies over de campagne te vragen, dat was stroopsmeerderij van het hoogste niveau. Oom Gaius zou trots zijn geweest. Laat de klerk een mooie kopie maken, dan onderteken ik hem en kan hij morgen de deur uit.'

Caenis rolde de brief op en bond er een lint omheen. 'Weet je zeker dat het verstandig is om de campagne weer op te pakken zonder uitdrukkelijke toestemming van de keizer?'

Vespasianus hief zijn handen in een gebaar van hulpeloosheid. De slaaf haalde inmiddels het bekken weg en begon zijn voeten te drogen. 'Wat kan ik doen? Als we ervan uitgaan dat ik op een gegeven moment een leger naar het westen moet sturen om mijn aanspraken te onderstrepen, dan kan ik het me niet veroorloven om een onrustig Judaea achter te laten, temeer daar ik niet weet wat Vologases van plan is.'

'Malichus kan elk moment terug zijn, hij is al bijna vier maanden weg.'

'Ik hoop het. Nee, ik moet de campagne nu voortzetten, ik heb niet de tijd om op Otho's toestemming te wachten. En hoe dan ook, als Vitellius vroeg is opgebroken kan hij zodra de sneeuw is gesmolten de Alpenpassen overtrekken, en als het weer hem gunstig gezind is, zou dat al heel snel kunnen zijn. De eerste slag van deze oorlog kon wel eens in april worden uitgevochten, liefste, ergens rond de tijd dat deze brief Otho bereikt; misschien leest hij hem wel nooit – hij zou dan al dood kunnen zijn.'

Caenis knikte langzaam instemmend terwijl ze nadacht. 'En als Titus niet terugkomt, wat dan?'

Vespasianus liet zijn voeten in de sloffen glijden die de slaaf klaarhield. 'Dan zit ik met het probleem wie ik de leiding in Judaea moet geven om de verwoesting van Jeruzalem te voltooien. Mogelijk kan ik het risico om te vertrekken dan niet nemen tot ik het zelf heb gedaan.'

'Is dat echt een slechte zaak? De keizer die in het oosten is uitgeroepen slaat de Joodse opstand neer en verwoest hun tempel. De vechtende keizer, een daadkrachtig man.'

'Ik stel liever Rome veilig door Egypte in bezit te nemen en een leger naar het noorden te sturen, naar Italië. Dat wil zeggen, als ik me in het spel om het purper meng.'

'Natuurlijk doe je dat, na alles wat Sabinus je heeft verteld is het duidelijk dat je moet.'

'Jij zegt het en ik begin het te geloven, maar het is nog steeds een angstaanjagend vooruitzicht en zolang ik niet volledig zeker ben van Titus' loyaliteit is mijn positie minder zeker. Ik heb hem nodig.'

'De Vijftiende Apollinaris weigert aan te treden voordat u een delegatie van ze hebt ontvangen,' vertelde Silius Propinquus Vespasianus de volgende ochtend bij zonsopkomst, op een toon alsof het hem niets aanging.

Vespasianus bedwong de neiging om van achter zijn schrijftafel op te springen om de vlegel een klap te verkopen. 'En hoe kan het dat je het tot het randje van muiterij hebt laten komen, tribuun? Welk onderdeel van commando voeren begrijp je niet? Jij beveelt, zij gehoorzamen, dat lijkt me toch niet zo moeilijk.'

Propinquus' kaak verstrakte in een poging de belediging door te slikken van een man die in zijn ogen uit een familie ver beneden de zijne kwam. 'Het is geen muiterij, ze willen u alleen spreken voor ze aantreden.'

'Ga ze maar vertellen dat ik niet met ze praat voordat ze aangetreden zijn.'

'Marcus Ulpius Trajanus vraagt u te spreken, meester,' zei Hormus, die in de deuropening verscheen.

'Laat hem binnen,' snauwde Vespasianus, die zijn boosheid op zijn vrijgelatene afreageerde. Hij had er onmiddellijk spijt van.

Trajanus kwam binnen en groette ontspannen.

Vespasianus reageerde kortaf. 'En?'

'De Tiende Fretensis heeft me gevraagd u te verzoeken een delegatie te ontvangen.'

'En zij weigeren ook om aan te treden?'

'Ik heb ze nog geen bevel gegeven om aan te treden, generaal. Het leek me beter dat nog niet te doen, want gezien hun stemming kreeg ik de indruk dat ze zouden weigeren, en ik wilde het niet op een confrontatie laten aankomen.'

Vespasianus keek naar Propinquus. 'Kijk, je kunt iets leren van je meerdere. Trajanus hoeft geen van zijn mannen te straffen, maar jij moet dat wel doen.'

Uit Propinquus' uitdrukking bleek duidelijk dat hij Trajanus niet als zijn meerdere beschouwde, omdat de Ulpii niet hoger geplaatst waren dan zijn familie.

Vespasianus zuchtte, sloeg met vlakke handen op de tafel en leunde achterover in zijn stoel. Hij keek de twee officieren aan. 'Hoe groot zijn die delegaties?'

'Tien voor mijn legioen,' antwoordde Trajanus. 'Een voor elke cohort.'

'En hetzelfde aantal voor de Vijftiende,' zei Propinquus.

'Hebben jullie enig idee wat ze willen?'

Trajanus en Propinquus wisselden een snelle blik uit en schudden vervolgens ontkennend het hoofd.

Vespasianus zag dat ze stilzwijgend een afspraak maakten en besloot dat hij het er beter bij kon laten zitten. 'Goed dan. Ik zal ze in het praetorium ontmoeten, alleen.'

'Ik wil dat een van jullie voor allemaal spreekt,' zei Vespasianus toen hij het praetorium betrad, waar twintig legionairs wachtten. Het viel hem direct op dat er geen centuriones of optiones bij zaten, en zelfs geen standaarddragers, het waren allemaal gewone legionairs. 'En snel een beetje, dan vergeet ik jullie brutaliteit misschien.'

Vespasianus zat achter een schrijftafel en wachtte terwijl de delegaties onderling haastig en gedempt overlegden.

Uiteindelijk kwam er een man naar voren. Hij was getaand, had een

212

scheve neus en een stierennek, en was halverwege zijn diensttijd. Hij ging in de houding staan en salueerde. 'Opius Murena, generaal! Eerste centurie, eerste cohort van de Vijftiende Apollinaris, generaal!'

'Goed, Murena, wat is er zo belangrijk dat je een bevel om aan te treden weigert tot jullie met me gesproken hebben? Ik kan je laten executeren voor het weigeren van een bevel, zoals je ongetwijfeld heel goed weet.'

Murena vertrok geen spier bij het horen van het dreigement. 'Het gaat om ons allemaal, generaal! Beide legioenen, plus de Tiende in het zuiden en alle hulptroepen, generaal!'

Vespasianus moest inwendig glimlachen en vroeg zich af waarom deze man geen centurio was, daar hij er heel handig op had gewezen dat het hele leger van Judaea schuldig was en dat dus elke man het risico op executie liep. 'En wat is er dat jullie allemaal zo van streek heeft gemaakt, Murena?'

'Het gaat om het volgende, generaal. We weten allemaal wat er in het westen aan de hand is. Gisteren heb u ons een eed aan Otho laten zweren, maar we weten dat die zakkenwassers aan de Rijn achter Vitellius aan lopen en we kennen wel raden waarom.'

'En wat kennen we raden?'

'We kennen het raden omdat iedereen het weet: alle jongens die onlangs in Rome benne geweest kennen het u vertellen, generaal.'

'En jij bent in Rome geweest, neem ik aan, Murena.'

'Ik was er zes maanden geleden met verlof, generaal! En zoals alle jongens die terug zijn ging ik zuipen met jongens van andere legioenen die ook in Rome met verlof waren. Nou, het is altijd hetzelfde met die zakkenwassers van de Rijn, hun zeggen steeds dat het niet lang duurt voor hun legioenen naar het oosten worden overgeplaatst en dat het onze beurt is om onze kloten eraf te laten vriezen terwijl we die harige klotewilden in de gaten houden die aan de andere kant van de rivier in hun donkere bossen verstopt leggen. En daar hebben we geen zin in, generaal, nee, daar hebben we echt geen zin in.'

'Ik geloof je graag, Murena, maar wat heb ik daarmee te maken?'

'Nou, generaal, die Rijnzakken willen Vitellius keizer maken en hun gaan dan om een beloning vragen en we weten wat hun zullen vragen en we denken dat hij ja zal zeggen. En we willen niet gaan, we houden niet van bossen en we vechten liever tegen de Joden dan tegen die harige Germaanse klotewilden – al hebben we gehoord dat hun vrouwen wel nader onderzoek verdienen. Maar we hebben hier in het oosten ook vrouwen en hier willen we blijven. Dus waarom zou ons leven verpest moeten worden door die Rijnzakken? Waarom kennen hun een keizer uitroepen en een beloning krijgen? Waarom kennen wij niet de beloning krijgen? En we denken dat als u...'

'Zo is het genoeg,' viel Vespasianus hem in de rede, die heel goed begreep wat de man ging zeggen. 'Pas op dat je geen verraad aan muiterij toevoegt.'

'Het is geen verraad, generaal!'

'Dat is het wel, we hebben allemaal de eed aan Otho afgelegd.'

'Maar niet aan Vitellius en die Rijnzakken zijn harde zakken en hun maken gehakt van Otho's Italiaanse drollen en die praetoriaanse piszuipers en dan is de papzak keizer. En we hebben gehoord dat de Moesische hufters en de Pannonische teringlijers de Donau zijn overgestoken om de paardenneukers die uit het oosten benne gekomen klop te geven, dus wie gaat de Italiaanse drollen helpen als de praetoriaanse piszuipers ervandoor zijn gegaan, generaal? Geen hond, zal ik u vertellen, geen hond.'

'Dank je, Murena, zo is het wel genoeg.'

Maar Murena was niet meer te houden. 'Alleen wij jongens van het oosten kennen die Rijnzakken aan, zelfs als die Britannische klootzakken met ze meegaan; en vergeet niet dat we erop kunnen rekenen dat de Egyptische rukkers met ons meedoen en misschien zelfs wel de Moesische hufters als ze niet stomdronken zijn en afrekenen met die paardenneukers; en wie weet halen zelfs de Afrikaanse bruinwerkers hun jochies lang genoeg van hun pik om mee te doen; ze waren niet onder de indruk van Clodius Macer en hebben misschien wel zin in een potje knokken.'

Vespasianus verborg zijn verrassing over hoeveel Murena wel niet wist, en daarmee ongetwijfeld het hele leger. Vespasianus had gehoord dat Sarmatische Jazygen en Roxolaanse stammen het vorige jaar bij de Donau waren opgedoken, maar hij wist niet dat er al een campagne tegen hen was bevolen. Hij vroeg zich af door wie, Galba of Otho? Niet dat het ertoe deed, want het resultaat was hetzelfde: de Moesische en Pannonische legioenen hadden het druk en konden dus Otho niet te hulp komen. Deze man, Murena, had gelijk in zijn analyse dat geen hond Otho zou komen helpen en hij wist niets van de voorspelling van het orakel van Amphiaraus dat Vitellius binnenkort keizer zou zijn. 'Ik kan je niet helpen, Murena.'

'De Hispaanse smeerlappen kozen Galba; de Italiaanse drollen en praetoriaanse piszuipers kozen Otho en nu willen wij ónze keus als keizer, niet die van de Rijnzakken. Waarom zouden hun kiezen en onze plek inpikken en ons naar de klotekou sturen? Ik heb gehoord dat de Rijnzakken zelfs een broek onder hun tuniek moeten dragen omdat het zo koud in de winter is.' De verontwaardiging droop van Murena's gezicht. 'Broeken, generaal! Hoe krijgen je ballen lucht als je een broek draagt? Het is verschrikkelijk.'

'Ze dragen geen broek, Murena,' vertelde Vespasianus hem, die schik in diens verontwaardiging had, 'het zijn beenkappen.'

'Ook goed, maar we willen ze niet. We willen er niets van weten, we willen hier blijven, waar we fijn Joden kennen doden. We weten dat u een eerlijke vent bent, generaal. We weten dat u vooraan staat bij ge-vechten. We zien dat u veel op ons lijkt, geen deftig uniform of zo, we horen dat u dezelfde hap eet en dezelfde slurp drinkt als ons. We mo-gen u, generaal, en we kiezen u. Wat zegt u ervan?'

'Ik zeg, Murena, dat dit gesprek lang genoeg geduurd heeft. Ik weet dat jullie het recht hebben om met jullie grieven bij mij te komen en ik ben verplicht jullie aan te horen, maar in dit geval kan ik niets doen. Ik weet wat jullie van me vragen, maar dit is er nog niet de tijd voor.'

Murena's gezicht kreeg een hoopvolle uitdrukking, terwijl zijn ka-meraden achter hem onderling begonnen te mompelen. 'U zegt dus dat er misschien een tijd komt, generaal?'

'Murena, ik zeg helemaal niets. Goed, ik ben bereid de weigering van de Vijftiende Apollinaris om aan te treden te laten gaan als jullie uit elke centurie een man leveren om gestraft te worden voor we ver-trekken, wat nu morgen zal worden. Elke man krijgt twaalf slagen met de wijnstok.'

Murena salueerde. 'Ja, generaal. En ik meld me er met trots voor aan.'

De andere negen afgevaardigden van Murena's legioen gingen even-eens in de houding staan en boden hun rug aan voor de straf.

'Ingerukt!' beval Vespasianus.

Terwijl de delegatie vertrok, vroeg Vespasianus zich af hoe lang het zou duren voordat het feit dat hij Murena's verzoek niet volledig had

215

afgewezen bij de rest van het leger bekend zou zijn. Hij voelde dat zijn keel werd samengesnoerd toen hij besefte dat hij langzaam het punt naderde waarop er geen weg terug was.

Hij schudde zijn hoofd om zijn gedachten helder te krijgen. 'Trajanus en Propinquus!' schreeuwde hij door de open deur.

De twee officieren waren zo snel binnen dat het duidelijk was dat ze hadden staan luisteren.

'Vandaag gaan we niet meer,' informeerde Vespasianus hen. 'Als we nu beginnen met het formeren van de marsorde zijn we niet voor het vierde uur klaar en daarmee kunnen we Herodium nooit in twee dagen bereiken. We vertrekken morgen.'

'Ja, generaal,' antwoordden Trajanus en Propinquus gelijktijdig.

'Propinquus, laat je legioen een uur voor zonsondergang aantreden om getuige te zijn van de straffen. Laat zestig palen neerzetten. En vergeet niet dat elke slag die wordt uitgedeeld door jouw onhandigheid is veroorzaakt. Ingerukt!' Propinquus keek of hij een bijzonder vieze scheet rook, salueerde en vertrok.

Vespasianus keek Trajanus aan. 'Kunnen we hem vertrouwen?'

'U bedoelt met wat de mannen u gevraagd hebben?'

'Ja.'

'Nee.'

Vespasianus haalde diep adem, zijn gezicht gespannener dan gewoonlijk. 'Ik zal hem in het oog houden en zijn brieven laten onderscheppen.'

'Een wijze voorzorgsmaatregel, generaal.'

'En jij, Trajanus, wat denk jij?'

Trajanus wees op de stoel aan de andere kant van de schrijftafel.

'Ga je gang.'

'Dank u, generaal,' zei Trajanus en hij ging zitten. Hij zweeg even om zijn gedachten te ordenen en keek vervolgens Vespasianus in de ogen. 'Ik denk dat het uw patriottische plicht is om dit te doen, generaal. Ze mogen uit families van veel aanzien komen, maar Otho noch Vitellius heeft het temperament, de zelfbeheersing, om keizer te worden. U, daarentegen, hebt zelfbeheersing, de terughoudendheid die nodig is om verantwoordelijk met macht om te gaan.'

'Zonder de juiste afstamming te hebben.' Vespasianus glimlachte om te laten zien dat hij de woorden niet als een belediging had ervaren.

'Om het openlijk te zeggen: nee. Maar ik onthoud me van dergelijke oordelen, want mijn eigen familie, de Ulpii, is niet bepaald vooraanstaand. We zijn beiden nieuwe mannen, generaal, en volgens mij is het tijd voor de nieuwe mannen. De oude families hebben hun tijd gehad, vanaf nu moet geschiktheid de beslissende factor zijn. U hebt de kwaliteiten en u hebt een zoon met dezelfde eigenschappen; daarmee zou zeker dertig jaar van stabiele heerschappij verzekerd zijn, en na de spilzucht van Nero en de kosten van de burgeroorlog is dat wat het rijk nodig heeft.'

'Patriottisme?' peinsde Vespasianus. 'Dat is een nieuwe benadering. Zelfbehoud is altijd mijn belangrijkste motief geweest.'

Trajanus knikte en leunde voorover in zijn stoel. 'Het eigenbelang van anderen levert u steun. Neem nu Mucianus, hij kan de macht ruiken, maar weet dat hij die niet zelf in handen kan krijgen omdat hij het respect niet heeft verdiend. Hij zal u steunen om zo veel mogelijk voordeel uit u te halen. Hij is niet anders dan de delegatie die u net hebt ontvangen; het kan ze niet schelen wie het purper heeft, zolang hij maar hun keus is en hij ze beloont. En ze zien u nu als die man; puur eigenbelang, maar nuttig voor de juiste zaak. Ik kijk daarentegen verder en ik besef dat het rijk misschien niet lang genoeg zal bestaan om mijn vijftienjarige zoon een goed leven te kunnen bieden zodat hij de Ulpii verder in aanzien kan laten stijgen; tenzij de juiste man nu de macht pakt. En daarom ben ik het met Murena en zijn kameraden eens, maar om een andere reden: u bent die man, generaal.'

Vespasianus leunde op zijn ellebogen op de schrijftafel en liet zijn kin op zijn ineengeslagen handen rusten. 'Je bent heel overtuigend, Trajanus: patriottisme? Wie had dat gedacht?'

'Denk erover na, generaal. Ik kan me voorstellen dat uw hoofd omloopt als u alle risico's van een greep naar de macht op een rijtje zet en de kansen op succes weegt. Het zijn niet alleen u en uw familie die zullen lijden als u faalt, het geldt voor alle burgers. Het bestaan van Rome zou gevaar kunnen lopen en ik geloof dat het uw plicht is om Rome te helpen, en het is mijn plicht u te helpen, ongeacht de persoonlijke risico's.'

'Een!'

De knal van de wijnstok op de rug van zestig man, met hun polsen aan een paal gebonden, rolde langs de linie van de Vijftiende Apollinaris.

De legionairs keken zwijgend toe terwijl de vrijwilligers van elke centurie de straf namens hen ontvingen.

'Twee!' brulde de primus pilus.

Zestig van zijn kameraden brachten gelijktijdig hun stok omlaag en raakten de naakte ruggen van de slachtoffers, een fractie boven de striem van de eerste slag. Geen van de mannen schreeuwde het uit, maar hun lichaam verkrampte van de pijn en hun polsen trokken aan de leren riemen waarmee ze aan de palen waren vastgebonden.

'Drie!'

Vespasianus zat op een podium voor de Vijftiende Apollinaris, terwijl Propinquus naast hem stond. Ze keken toe of er wel voldoende kracht lag in elke slag. Hij had de primus pilus laten weten dat er geen clementie bij de straf mocht gelden, want hij wilde het legioen heel duidelijk maken dat ze geen bevel konden weigeren, zelfs niet als ze het deden om hem te vragen de macht te grijpen. Als hij dat zou gaan doen, zo redeneerde Vespasianus, was het extra belangrijk dat zijn legioenen uiterst gedisciplineerd waren. Een legioen dat een loopje met zijn officieren nam en een stad ging plunderen of andere wreedheden beging kon zijn reputatie bederven nog voor hij zijn doel bereikt had. Discipline voor alles.

'Tien!'

De slagen kwamen nu ter hoogte van de schouderbladen neer, er stroomde bloed uit de polsen van de mannen die niet anders konden dan aan hun boeien trekken.

'Elf!'

En nog steeds had niemand geschreeuwd en keken hun kameraden zwijgend toe.

'Twaalf!'

Voor de laatste keer klonk het geluid van hout dat vlees pijnigde; toen het wegstierf ging er een zucht door de vierenhalfduizend man van het legioen, die hun adem hadden ingehouden en nu als één uitademden.

De mannen werden van de palen losgesneden en weggeleid, hun hoofd geheven, fier dat ze hun plicht aan hun kameraden hadden vervuld. Vespasianus stond op en was trots op het legioen en wist dat het moreel beter was vanwege wat ze net hadden gezien. 'Mannen van de Vijftiende Apollinaris,' declameerde hij, zijn stem bereikte met gemak de tien in blokken opgestelde cohorten, 'jullie kameraden hebben de schande uitgewist van jullie weigering deze ochtend om een bevel uit te voeren. Het zal nooit meer gebeuren, niet in mijn leger, niet als jullie deel willen blijven uitmaken van mijn leger.' Hij zweeg even om de betekenis van wat hij net had gezegd door te laten dringen. 'Ga nu en vervul jullie plichten en we hebben het er niet meer over.' Hij wendde zich tot Propinquus en liet de dubbelzinnige uitspraak hangen. 'Tribuun, laat ze inrukken.'

'Waarom straft u mijn legioen, vader?'

Vespasianus keek om en zag Titus achter het podium staan. 'Verdomme, waar heb jij gezeten?'

'Ik was dom, vader,' zei Titus toen ze door de stad terugliepen naar het gouverneurspaleis.

'Dat is ook een manier om het te formuleren,' merkte Vespasianus op. 'Een heel vriendelijke manier eigenlijk. Je kunt ook zeggen dat je een naïeve, achter zijn pik aan lopende idioot was met evenveel politiek benul als mijn aarsgat, maar zonder de loyaliteit die dat voor me voelt.'

Titus keek passend bestraft. 'Ik ben erin getrapt, vader, en nu besef ik dat het mijn dood had betekend als ik Rome had bereikt. De goden hebben ingegrepen door slecht weer te sturen zodat we in Corinthus moesten wachten.'

'Waarom heb je niet naar Sabinus geluisterd?'

'Omdat ik dacht dat hij het allemaal alleen maar zei om het purper voor u te garanderen. Herodes Agrippa was erg overtuigend; als ik hem ooit nog in handen krijg, ruk ik zijn besneden lul los en stop 'm in zijn bek.'

'Nu gedraag je je weer als een idioot. Je zult Herodes Agrippa weer zien en je doet hem niets aan, want hij zou in de toekomst nog wel eens nuttig voor ons kunnen zijn. Vertrouw alleen nooit meer een woord van wat hij zegt, heb je dat begrepen?'

'Ja, vader.'

'En waar is die vrouw?'

'Ik heb haar terug naar Tiberias gestuurd.'

'Is het voorbij tussen jullie?'

'Nee, het spijt me, vader, maar ik zal haar een tijdje niet zien, tot we klaar zijn.'

'Wat bedoel je met klaar zijn?'

Titus nam zijn vaders arm terwijl ze verder liepen. 'Ik ben via de lange route vanuit Corinthus teruggekomen, vader, via Cyprus. Ik ben naar de tempel van Aphrodite gegaan om een offer te brengen en om advies te vragen. Sostratus, haar hoofdpriester, zei dat de voortekenen allemaal erg gunstig zijn voor grote ondernemingen, zo zei hij het precies. Hij nam me vervolgens mee naar zijn eigen kamer en sprak in vertrouwen met me, een vertrouwen dat ik zelfs tegenover u niet kan breken, vader. Maar ik wil duidelijk maken dat ik nooit meer te ver zal gaan.'

'We zullen zien, al ben ik blij dat je het nu zo voelt. Heb ik je dus terug, Titus?'

'Ja, vader, ik ben terug.'

Vespasianus sloeg Titus op de schouders toen ze de grote trap voor het gouverneurspaleis op liepen. 'Dat is dan een grote zorg minder, mijn zoon.'

Caenis stond boven aan de trap en toonde geen enkele verrassing Titus te zien. 'Hij was eerst hier,' zei ze bij wijze van verklaring. 'Ze kwamen samen aan.'

Vespasianus fronste. 'Wat bedoel je met samen?'

'Malichus is terug. Hij wacht op je in de ontvangstzaal, hij is met een afgezant van de Grote Koning.'

Vespasianus' gedachten gingen vijftien jaar terug en hij probeerde zich de naam te herinneren van de man die naast koning Malichus op hem stond te wachten. Alleen al diens aanwezigheid gaf hem hoop dat het antwoord van koning Vologases positief zou zijn. 'Gobryas!' zei Vespasianus, die de naam net op tijd te binnen schoot. Het zou op zijn minst weinig hoffelijk zijn geweest als hij de naam niet meer wist van de man die tegenover Vologases persoonlijk voor hem had ingestaan. Dat was in Ctesiphon, de Parthische hoofdstad, toen hij er valselijk van was beschuldigd een complot te hebben gesmeed tegen de Grote Koning. 'Het verheugt me om u na al die jaren weer te zien.'

Gobryas legde zijn hand op zijn borst en boog; zijn smalle Perzische gezicht met de haakneus was gerimpeld door de jaren, maar hij had nog steeds zijn volle, met henna geverfde baard. 'En het verheugt mij ook om u weer te zien, mijn vriend. Ik sta bij u in het krijt, want vanwege mijn vriendschap met u heeft de Grote Koning, Vologases, het Licht van de Zon, mij de eer bewezen om als zijn woordvoerder op te treden.'

Malichus grinnikte en krabde in zijn baard. 'Het lijkt erop dat u een goede vriend hebt in de Grote Koning, Vespasianus. Toen hij hoorde over mijn komst met een boodschap van u hoefde ik maar twee dagen te wachten voordat ik voor hem mocht verschijnen. Twee dagen! Men heeft mij verteld dat twee maanden niet ongewoon is. Er was zelfs een delegatie van Ethiopiërs die al bijna een jaar wachtte.'

'Het Licht van de Zon heeft altijd een voorkeur gehad voor de man die de Leugen met de Waarheid bestrijdt,' stemde Gobryas in. 'En wat Vespasianus voor mijn familie heeft gedaan door het goud van mijn broer Ataphanes terug te bezorgen, die zijn families slaaf was en daarna bijna dertig jaar hun vrijgelatene, heeft veel indruk op hem gemaakt. In zijn ogen zouden de meeste Romeinen het goud hebben gehouden, vooral ook omdat er zoveel van was.'

'Ataphanes heeft onze familie altijd erg loyaal gediend en verdiende het dat zijn laatste wens werd gehonoreerd. Maar kom, laten we gaan liggen en verversingen gebruiken. Maar eerst, Gobryas, denk ik dat u zich wel wilt opfrissen na de lange reis: maak gebruik van het badhuis, trek nieuwe kleren aan en dan gaan we praten.'

'Het Licht van de Zon heeft me geboden u succes te wensen bij alles wat u onderneemt,' zei Gobryas toen ze aan een maaltijd lagen. De zon zakte al naar de westelijke horizon, waardoor de zee zachtrood opgloeide. 'Hij heeft met belangstelling gezien dat uw voorspelling dat Nero het einde van de Julisch-Claudische lijn zou betekenen is uitgekomen en geconstateerd dat u nu in de positie bent om hem te vervangen. Hij zegt dat hij voelde wat u in zich hebt toen hij u ontmoette, en vroeg me u eraan te herinneren wat hij schertsend zei: dat als u een van zijn onderdanen was geweest, hij al uw ledematen had laten verwijderen om er zeker van te zijn dat u geen bedreiging voor zijn positie zou worden.'

Vespasianus glimlachte bij de herinnering. 'Ja, ik weet nog dat hij dat zei toen we gingen jagen in zijn paradijs.'

'In normale omstandigheden zou mijn meester zo veel mogelijk voordeel uit een burgeroorlog binnen het Romeinse Rijk willen halen,' ging Gobryas verder, die een varkens- en preiworstje pakte en er verwonderd naar keek. 'Ik moet u vertellen dat hij vanwege het respect dat hij voor u voelt niets zal doen wat uw zaak kan schaden. Er zullen dus geen grensoverschrijdingen plaatsvinden en Armenia blijft binnen de Romeinse invloedssfeer.' Hij beet in het worstje en zijn gezichtsuitdrukking maakte duidelijk dat het hem beviel.

'Erg grootmoedig van hem, Gobryas,' zei Vespasianus. 'Wilt u uitdrukking geven aan mijn dank voor zijn terughoudendheid?'

'Het Licht van de Zon gaat nog verder: mocht u het willen, dan is hij bereid om u veertigduizend van zijn beste bereden boogschutters ter beschikking te stellen voor uw campagne. Hij beseft echter heel goed dat u het aanbod mogelijk niet kunt accepteren omdat uw tegenstanders er dan op kunnen wijzen dat u vreemde troepen gebruikt om de macht te grijpen. Maar als u ze voor garnizoensdienst wilt inzetten, bijvoorbeeld hier in Judaea, zodat u meer troepen naar het westen kunt meenemen, dan zou het hem genoegen doen om iemand te helpen die de waarheid zo hoog heeft zitten. Het Licht van de Zon doet dit aanbod zonder te verwachten dat het aangenomen wordt; u hoeft dus niet te denken dat u hem beledigt als u het afslaat.'

'Het Licht van de Zon is buitengewoon grootmoedig in zijn aanbod en hij is wijs in zijn besef dat ik het niet kan aanvaarden vanwege de redenen die hij geeft. Maar dank hem, Gobryas, dank hem met heel mijn hart.' En Vespasianus' hart sloeg snel, want hij wist dat het laatste stukje nu op zijn plaats was gevallen: hij had de belofte van de koning der koningen van het Parthische Rijk om hem niet in de rug aan te vallen als hij zou optrekken.

Nu was de vraag alleen nog of en wanneer hij het zou doen.

HOOFDSTUK XII

'Met het bloed van dit lam smeek ik u, Carmel,' sprak de hogepriester Basilides met luide stem tot de top van de heilige berg van de god, 'leid de smekelingen die hier voor uw altaar staan.'

Vespasianus keek toe terwijl het bloed uit de keel van het met zijn achterpoten rond trappende offerdier vloeide. De oude priester hield het stevig vast en al snel verstarden de bewegingen. Het lam werd slap, zijn leven was geofferd om drie mannen te helpen tot een beslissing te komen.

Basilides sneed met hulp van twee tempeldienaren het karkas open, dat op een sober openluchtaltaar lag, en met geoefende handen verwijderde hij de lever, die hij vervolgens onderzocht. De tempeldienaren legden intussen het lamshart op een klein vuur.

Vespasianus keek even naar Mucianus, Tiberius Alexander en Titus, die alle drie gespannen naar het ritueel keken. Caenis pakte zijn hand en kneep erin, terwijl Magnus ergens achter hem in zichzelf mompelde.

Basilides was volkomen verdiept in de lever, hij onderzocht methodisch elk deel van het oppervlak, zijn gelaatsuitdrukking werd verbaasder met elke nieuwe ontdekking. Hij keerde het orgaan om en bekeek de achterkant, waarna hij nogmaals de voorkant bestudeerde. Uiteindelijk legde hij de lever weer op het altaar en keek het groepje toeschouwers aan. 'Wat u ook in gedachten hebt, Vespasianus, of u nu een huis wilt bouwen of uw landerijen uitbreiden of het aantal slaven vergroten, aan u is een groot gebouw, uitgestrekte stukken land en een grote menigte mensen gegeven.' Basilides keek weer naar de lever. 'Al vele jaren ben ik priester van de oude god Carmel, maar nog nooit heb ik zoiets gezien; u bent gezegend door alle goden.'

Vespasianus hoorde Magnus achter zich spugen en veronderstelde dat hij zijn duim tussen wijsvinger en middelvinger klemde om het boze oog af te weren, dat aangetrokken zou kunnen worden door Basilides' opmerkelijke uitspraak.

'Ik kreeg iets vergelijkbaars te horen bij de tempel van Aphrodite, vader,' zei Titus toen Basilides zich omdraaide en terugliep naar de grot in de berg Carmel op de grens met Syria, waar hij zijn dagen doorbracht met het contempleren van de mysteriën van de god.

'Goed, heren,' richtte Vespasianus zich tot Tiberius Alexander en Mucianus, 'wat denken jullie? Ik zou erg graag jullie advies willen horen, want ik kan me er niet toe zetten de ene of de andere kant op te gaan, zo groot zijn de gevolgen van het wel of niet tegen Vitellius rebelleren.'

De twee mannen wisselden een blik uit; Mucianus nam vervolgens het woord. 'Sinds Otho's nederlaag bij Bedriacum in april en zijn zelfmoord daarna zijn er twee maanden verstreken en u hebt niets gedaan, Vespasianus, behalve uw legioenen trouw laten zweren aan die vette pad van een Vitellius.'

'Dat is niet eerlijk,' protesteerde Vespasianus. 'We hebben het nieuws pas in mei gehoord en het heeft ons een maand gekost om dit overleg tussen ons drieën te organiseren. En zeg nou niet dat u de eed aan Vitellius niet hebt afgelegd, of u en uw legioenen, Tiberius. Hè?'

'Niet oprecht.'

'Nee, evenmin als mijn legioenen, maar ze deden het voor mij; ze kunnen mijn aarzeling begrijpen.'

Mucianus wees op de bereden escortes die ze alle drie hadden meegenomen en die in het kamp aan de voet van de heuvel wachtten. 'Onze mannen hebben leiderschap nodig, geen aarzeling. We zijn op het punt gekomen waarop we het doen of niet. De beslissing moet hoe dan ook vandaag worden genomen, want we naderen het einde van juni. Als we dit jaar nog Italië willen binnenvallen moeten we binnenkort vertrekken, anders lopen we het gevaar door het weer te worden verslagen.'

'En daarom heb ik deze bijeenkomst belegd,' benadrukte Vespasianus. 'Ik weet dat onze mannen leiderschap nodig hebben en ik weet dat er dit jaar nog maar weinig tijd is, maar ik wilde niet handelen voordat ik jullie persoonlijk had gesproken, en eerder dan dit ging niet. Laten we dus niet kibbelen. Komen we wel of niet in opstand?'

'Ik denk dat je de vraag anders moet formuleren, liefste,' zei Caenis, zich in het mannelijke gesprek mengend. 'Opstand is een daad van verraad waarmee je direct aan de verkeerde kant van de wet staat. Als je in opstand komt, sleur je je mannen mee, maar als je daarentegen tot keizer wordt uitgeroepen door je mannen, dan duwen zij je naar voren en voer je hun wil uit. Daarmee heb je een mandaat.' Caenis keek de drie mannen een voor een recht in de ogen aan. 'Nu jullie samen zijn en jullie dit echt gaan doen, en ik zou in jullie allemaal teleurgesteld zijn als jullie het niet deden, stel ik voor dat jullie een tijdsplan maken, want het moet op een spontane opstand van de legioenen lijken en niet een beraamde machtsgreep.'

Vespasianus meende nog nooit zoveel van Caenis te hebben gehouden als op dit moment: natuurlijk had ze gelijk en ze had hen als een stel kleine jongens erop gewezen hoe ze het moesten aanpakken.

'Ik zal de eerste stap zetten,' zei Tiberius Alexander. 'Als het in Egypte begint, de rijkste provincie van het rijk en in naam het persoonlijke domein van de keizer, dan legt dat extra gewicht in de schaal.'

'Het betekent ook dat de opstand van zuid naar noord gaat,' zei Vespasianus, zijn keel droog door het besef dat ze stilzwijgend een gezamenlijk besluit hadden genomen, 'hij wint aan kracht als hij door Judaea gaat en door naar de Syrische legioenen, zodat het Moesische leger zich mogelijk aan onze kant schaart.'

'Jouw kant, Vespasianus,' zei Caenis. 'Jouw kant. Jij bent degene die ze keizer van Rome gaan maken, jij en alleen jij.'

De realiteit van wat ze zei trof hem met de kracht van een weggeslingerde steen en hij klapte bijna achterover: hij zou tot keizer van Rome worden uitgeroepen, dat was de realiteit waar ze het nu over hadden. Als dat echt zo was, moest hij die rol ook op zich nemen. 'Hoe snel kunt u terug in Egypte zijn, Tiberius?'

'Drie dagen,' antwoordde hij zonder na te denken. 'Het is vandaag acht dagen voor de calendae van juli, als mijn schip morgen uitvaart heb ik nog vier dagen om de noodzakelijke voorbereidingen te treffen en instructies te geven aan bepaalde sleutelfiguren in de twee legioenen. Op de calendae kunnen ze zich dan voor u uitspreken.'

'Mooi,' zei Vespasianus eenvoudig, alsof Tiberius Alexander net een dag voor een etentje had voorgesteld die hun beiden uitkwam. 'Dat betekent dat het nieuws van die gebeurtenis makkelijk drie dagen later bij mijn leger bekend is. Titus, jij regelt het verder met Trajanus. Het moet spontaan zijn, zodat ik verrast ben en eerst kan weigeren; kies enkele officieren en mannen die me met hun wapen bedreigen zodat iedereen kan zien dat ik dit niet zelf wil, maar dat ik ertoe gedwongen werd.'

'Drie dagen daarna, dus op de zesde dag na de calendae van juli,' zei Mucianus, 'zal ik de Syrische legioenen de eed laten afleggen en stuur ik vervolgens boodschappers naar de jongens in Moesia zodat ze weten wat er in het oosten gebeurt. Ik weet zeker dat de Derde Gallica hun voormalige Syrische kameraden zullen steunen en ze zullen de andere Moesische legioenen overhalen zich bij u te voegen zodra u met het leger naar het noorden marcheert en naar Italië gaat. Met al die steun zal de Zevende Galbiana in Pannonia zich aan uw zijde scharen, want hun nieuwe legaat Antonius Primus is een opportunist met een scherp oog voor het veranderende tij.'

'Zolang hij ons steunt mag hij zijn eigen motieven hebben; maar afgezien daarvan zal het zo gaan – op één ding na: ik zal niet aan het hoofd van het leger Italië binnentrekken.'

Mucianus keek verward. 'Maar wie doet dat dan?'

'U, mijn vriend, u.'

'Ik?'

'Ja, u.'

'Maar wat doet u dan?'

'Om te beginnen geef ik Trajanus het bevel over Judaea en ga met Titus naar Syria om u voor de ogen van het leger het keizerlijke mandaat te geven om het naar Italië te brengen. Terwijl ik daar ben zal ik de eed afnemen van alle vazalkoningen in het oosten en dan ga ik naar Egypte. Ik wil proberen de troon zonder bloedvergieten te veroveren, maar als ik aan het hoofd van het leger marcheer kom ik agressief over, net als Vitellius deed. Ik moet laten zien dat ik anders ben dan Vitellius: ik verover Rome niet, Rome komt naar mij. En Rome komt naar mij als ik Egypte heb en Vitellius zijn leven en dat van zijn familie aanbied. Hij is vet en lui, hij zal er geen probleem mee hebben een rustig, teruggetrokken leven te leiden, want hij weet dat ik de graanaanvoer uit Egypte kan afsnijden als hij mijn voorwaarden weigert. Het gepeupel, dat niet verder dan hun maag denkt, zal hem de schuld geven en zich tegen hem keren.'

'En het leger?' vroeg Mucianus, zijn stem zacht.

'U moet Aquileia innemen, aan de Italiaans-Dalmatische grens, en wacht daar op mijn instructies. Ik hoop het leger niet in te hoeven zetten. Ik wil als verlosser worden gezien, niet als veroveraar.'

'Dat is de profetie van de messias,' zei Tiberius Alexander.

Caenis keek geïnteresseerd. 'Wat is dat voor profetie?'

'Volgens een oeroude profetie zal de verlosser van de wereld in het oosten opstaan. De Joden hebben er een eigen versie van, die in hun op zichzelf gerichte zienswijze alleen op hen van toepassing is, de messias verlost ze uit de ketenen. Herodes Agrippa's vader was de laatste in een lange reeks die beweerde de messias te zijn en hij was binnen vijf dagen na die uitspraak dood, van binnenuit leeggegeten door wormen. Maar als we het idee verspreiden dat het rijk op het punt staat in te storten en dat u, Vespasianus, de ster van het oosten, bent opgestaan om zoals voorspeld het rijk te redden, dan kan dat snel veel steun opleveren.'

'En hoe wilt u dat doen?' vroeg Caenis, die het een fraai idee vond.

'Om te beginnen hebben we wonderen nodig.'

Vespasianus barstte in lachen uit. 'Wonderen! Ik? Wat moet ik doen? Met een handoplegging mensen genezen van een of andere vreselijke ziekte waar de armen onder zuchten?'

Tiberius Alexander keek ernstig. 'Laat dat maar aan mij over, Vespasianus. Ik zorg voor de wonderen en u bent de oosterse messias waar de wereld op wacht.'

Caenis glimlachte. 'Daarmee krijg je legitimiteit, liefste, het geeft je aanspraak waarde.'

'Het geeft uw aanspraak komische waarde,' mompelde Magnus, niet alleen tegen zichzelf. 'Ik heb het niet op wonderen, ze zijn onnatuurlijk.'

'Ik zeg alleen,' hield Magnus vol, 'dat als u serieus genomen wilt worden, u niet moet doen alsof u een of andere god bent.'

Vespasianus leunde op het hek van de trireem die hen terug naar Caesarea bracht en genoot van het zilte briesje in zijn gezicht. Het schelle, regelmatige gefluit van de roeimeester werd afgewisseld met het gekreun van honderdtwintig roeiers die aan hun riemen trokken, het ritme had hem in een mild humeur gewiegd en hij voelde een grote last van zijn schouders glijden. 'En waarom niet? Augustus is een god, hij heeft priesters en een tempel om het te bewijzen.'

'En Caligula beweerde een levende god te zijn en bedenk dan hoe hij was.'

'Caligula hield iedereen voor de gek. Claudius werd toen hij nog in leven was als een god vereerd. Als het mijn onwetende en bijgelovige onderdanen helpt om me als keizer te aanvaarden, dan moet het een goede zaak zijn. Je moet het zo zien, Magnus, om het rijk weer stabiel te maken moet ik aan de macht komen en blijven, en alles wat daarbij helpt is daarmee een verstandige keus, en als ik daartoe als de voorspelde messias gezien moet worden, dan zij het zo.'

'Maar het is onzin.'

'Natuurlijk is het onzin, ik weet het en jij weet het. Caenis weet het, net als Tiberius Alexander, Mucianus en Titus, maar weet de doorsneeboer in Egypte het? Of een geitenhoeder in Cilicia? Of, belangrijker nog, de gemiddelde burger in Rome, die niets anders doet dan brood aannemen en de gratis spelen bezoeken? Het doet er niet toe wat jíj denkt, het gaat erom wat zíj denken.'

'Maar tegenover uw gelijken zult u als een halvegare overkomen.'

'Sinds wanneer maak jij je zorgen over wat die opgeblazen klootzakken – zoals jij ze noemt – denken? Bovendien weten ze heus wel dat het bedrog is en ik heb heel wat belangrijkere problemen aan mijn hoofd dan of die lui uit mijn klasse zich afvragen of ik mezelf echt als de messias beschouw. Ik moet ze zover zien te krijgen dat ze beseffen dat ze met mij als keizer beter af zijn dan zonder mij, want dan komt er alleen maar een volgende burgeroorlog.'

Magnus richtte zijn goede oog op zijn oude vriend. 'U gaat dit echt doen, hè?'

'Wat? De messias zijn?'

'U weet heel goed wat ik bedoel.'

'Het spijt me, Magnus. Ja, dat doe ik, en ja, ik ga het ook echt doen. Nu ik het besluit heb genomen ben ik de onvermijdelijkheid ervan gaan accepteren. Alles wees erop dat dit moment zou komen, en hoewel ik doodsbang ben, zie ik niet hoe ik me ertegen kan verzetten. Als ik mijn kans niet grijp, dan ben ik dood. Net als Sejanus al die jaren geleden tegen me zei toen hij de macht niet greep toen het kon, maar wachtte tot die naar hem kwam. Wie had gedacht dat uitgerekend Sejanus me zulk waardevol advies zou geven? Maar zo is het en ik begin een innerlijke kalmte te voelen. Over een paar dagen word ik tot keizer van Rome uitgeroepen en ik kan niets meer doen om het te voorkomen. Als ik ja zeg, blijven ik en mijn familie in leven, en als ik weiger zullen we allemaal sterven.'

'Het is en blijft akelig, hoe je er ook naar kijkt.'

'Waarom denk je dat? Wil je niet dat ik keizer word? Denk eens aan alle gunsten waarmee ik je kan overladen.'

'Het is meer dat ik me u niet als keizer kan voorstellen, weet u, pompeus, patricisch en waardig, met een blik alsof u een grotere drol moet draaien dan u normaal al doet, als u begrijpt wat ik bedoel.'

Vespasianus grinnikte. 'Om te beginnen ben ik geen patriciër en ten tweede ben ik niet pompeus, dat hoop ik in ieder geval niet. En wat die drol betreft, hoe groot die ook is, het lukt me op de een of andere manier wel om hem uit te kakken, maar ik zal er altijd uitzien alsof de inspanning mijn einde kan betekenen. Nee, Magnus, ik zal niet anders worden, als dat het is waar je je zorgen om maakt. Ik blijf de nieuwe man, met het boerenaccent van de Sabijnse heuvels, die platte grappen kan waarderen en graag de boer uithangt. Het enige verschil is dat mijn landerijen nu het hele rijk omvatten, en wanneer ik het rijk krijg, zal er niet voldoende geld zijn om het draaiende te houden. En dat is de echte reden waarom ik dit doe, Magnus: ik weet hoe je een landgoed moet beheren, het zit in mijn bloed. Ik ben de juiste man om het rijk weer op de been te helpen na de waanzin van Nero en de tragedie van de burgeroorlog. Daarom heb ik mijn lot aanvaard, het is me duidelijk geworden dat ik het moet doen. Maar ik zal niet veranderen.'

Magnus keek twijfelend. 'Dat hoop ik dan maar. Ik zei altijd dat verandering een genot is, maar met het ouder worden, en ik denk niet dat ik nog veel ouder zal worden, kom ik tot de conclusie dat stabiliteit een genot is. En nu die arme Castor en Pollux er niet meer zijn, zou ik niet willen... ik zou het vreselijk vinden... nou ja, u begrijpt wel wat ik bedoel, toch?'

Vespasianus was ontroerd door de onhandige pogingen van zijn vriend om te zeggen hoeveel waarde hij aan hun vriendschap hechtte. 'Ik begrijp wat je bedoelt, Magnus, dat doe ik altijd. En je hoeft je geen zorgen te maken, we... nou ja, je weet wel.' Hij stompte Magnus speels tegen de arm om zijn ongemak over het intieme moment te verbergen.

Magnus wreef in zijn goede oog. 'Door dat klotezout gaat het tranen.'

'Ja, het prikt,' bevestigde Vespasianus, die met een vinger onder zijn eigen ogen streek. Hij schraapte zijn keel en uitkijkend over zee deed hij net als Magnus alsof hij geen emotie voelde.

'Titus Flavius Caesar Vespasianus Augustus...'

'Wacht even,' zei Vespasianus, zijn hand ophoudend. Hij draaide zich weg van de terrasbalustrade en onderbrak Caenis. 'Ik heb die namen niet aangenomen.'

Caenis keek hem met eindeloos geduld aan vanuit haar stoel in de schaduw. 'Liefste, je bent nog niet tot keizer uitgeroepen, maar toen we in Caesarea terug waren vroeg je me een brief aan Vitellius op te stellen om te sturen zodra je dat wel was.'

'Maar waarom Titus Flavius Caesar Vespasianus Augustus? Waarom niet Titus Flavius Vespasianus Caesar Augustus?'

'Als je het zo wil, zal ik het veranderen.'

Vespasianus kneep zijn ogen samen. 'Waarom koos je die volgorde?'

'Omdat afgezien van Vitellius, die de naam Caesar niet aannam, alle keizers vanaf Caligula Caesar Augustus waren, en het leek me wijs om je niet met hen te verbinden en toch de namen te gebruiken die de keizerlijke macht symboliseren.'

'Je begint aardig sluw te worden op je oude dag.'

'Ik noem tweeënzestig niet oud. Kan ik nu weer verder?'

Vespasianus gebaarde zijn toestemming, draaide zich om en keek weer naar de vissersbootjes die na een nacht vissen de haven binnenvoeren, begeleid door honderden krijsende meeuwen die in afwachting van hun ontbijt waren.

'"Titus Flavius Caesar Vespasianus Augustus groet Aulus Vitellius."' Caenis keek op. 'Je hebt zeker wel gemerkt dat ik "Germanicus Augustus" heb weggelaten?'

'Heel goed.'

'"En nodigt hem uit zich terug te trekken met een pensioen van een miljoen sestertiën per jaar en een villa naar keuze in Campania, aangezien zijn diensten voor de staat niet langer noodzakelijk zijn. Daar kan hij zonder angst voor geweld leven, samen met zijn vrouw en kinderen en een huishouden dat in zijn ogen bij zijn waardigheid past. Zijn zoons zullen bij het bereiken van de juiste leeftijd vrij zijn om in dienst van de staat te treden zonder daarbij enige hinder te ondervinden. Het niet aannemen van dit aanbod zal militaire gevolgen hebben, die we naar ik hoop allebei liever vermijden. Daarnaast wil ik u laten weten dat ik op weg ben naar Egypte om de graanvoorraden in handen te nemen. De drager van deze brief, mijn vrijgelatene Titus Flavius Hormus, heeft mijn autoriteit en is daarmee onschendbaar."' Caenis rolde de eerste versie op. 'En, wat vind je ervan?'

Vespasianus antwoordde niet, maar bleef over de haven uitkijken.

Caenis stond op en liep naar hem toe. 'Wat is er?'

Vespasianus wees naar een slanke en snelle *liburna* die met volle zeilen uit het zuiden kwam. 'Daar, dat schip. Ik wed dat hij met nieuws uit Egypte komt.'

Caenis greep Vespasianus bij de arm. 'Het is dus vandaag, liefste. Het is tijd om je te laten verrassen.'

Vespasianus zei niets. Er lag een steen op zijn maag en hij voelde zich misselijk.

Vespasianus hield zijn armen op zodat Hormus zijn borst- en rugpantser kon vastbinden, die glanzend gepoetst waren. Een slaaf knielde om zijn scheenplaten vast te maken, die al even glanzend gepolijst waren. 'Je vertrekt onmiddellijk met de brief voor Vitellius, Hormus.'

'Ja, meester.'

'Er is er ook een voor Sabinus.'

'Ja, meester.'

'Blijf bij hem, in zijn functie van prefect van Rome kan hij je beschermen, want Vitellius heeft hem niet afgezet. Met wat geluk ben je voor de calendae van de volgende maand in Rome, rond die tijd zal ik in Antiochië aankomen. Stuur nieuws daarheen, de maand daarna ben ik als het goed is in Alexandria.'

'Wilt u niet dat ik persoonlijk kom, meester?' vroeg Hormus terwijl hij naar de andere arm liep en onderwijl de slaaf wegschopte.

'Nee, je moet een tijdje mijn ogen en oren in Rome zijn. Sabinus en Domitianus zijn te vooraanstaand, hun brieven zouden wel eens onderschept kunnen worden, en als Vitellius mijn aanbod weigert kan hun positie onhoudbaar worden. Jij daarentegen bent...'

'Onbeduidend, meester?' onderbrak Hormus hem.

'In Vitellius' ogen, ja.'

Hormus straalde vanwege het impliciete compliment en verkocht de slaaf nog een trap terwijl hij het laatste riempje vastmaakte. 'De mantel!'

De slaaf snelde weg en Hormus begon de rode sjerp rond Vespasianus middel te binden.

'Maar je moet me een nog grotere dienst bewijzen, Hormus,' ging Vespasianus verder, 'want als het tot oorlog komt is het van vitaal belang om een boodschap aan Mucianus in Aquileia te sturen, en die moet er zijn voordat hij daar aankomt, wat laat in september zal zijn. Het kan geen geschreven boodschap zijn en hij moet persoonlijk overgebracht worden door iemand die Mucianus kan vertrouwen.'

'Ik voel me vereerd, meester. U kunt op me vertrouwen.' Hormus griste de scharlakenrode mantel uit de handen van de teruggekeerde slaaf en drapeerde hem over Vespasianus' schouders.

'Ik weet het, je bent een van de weinigen op wie ik volledig vertrouw, en dat zal niet onbeloond blijven als dit voorbij is.'

Hormus bloosde van trots terwijl hij de mantel vastmaakte met een zilveren speld waarin de beeltenis van Mars was gegraveerd.

Vespasianus keek naar de gravering. 'Een passende keus, Hormus.'

'Dat dacht ik ook, meester.'

'Vandaag bid ik meer dan ooit tot hem dat hij zijn handen boven me houdt en dat mijn streven met zijn hulp met succes zal worden bekroond.' Vespasianus pakte zijn helm met hoge pluim, wreef een ingebeeld vuiltje weg, haalde diep adem en schreed de kamer uit.

Trajanus stond hem boven aan de trap voor het gouverneurspaleis op te wachten, achter hem stonden beneden alle tribunen van de Tiende Fretensis en de Vijftiende Apollinaris opgesteld, plus een flink deel van de centuriones van beide legioenen. Caenis, Magnus en Titus waren aan de zijkant gaan staan. Beneden was het forum een zee van gezichten, harde soldatengezichten, in absolute stilte wachtend.

'Goedemorgen, heren,' zei Vespasianus op wat naar hij hoopte een nonchalante toon was.

'Imperator!' brulde Trajanus.

De officieren volgden zijn voorbeeld. 'Imperator! Imperator!'

Vespasianus stopte alsof hij tegen een onzichtbare muur aan was gelopen.

De legionairs namen de roep over. 'Imperator! Imperator!' Het geschreeuw plantte zich als een golf door de menige voort tot voorbij het forum, zodat Vespasianus besefte dat het hele leger aanwezig was, met vele mannen onzichtbaar in de zijstraten, ze vulden heel Caesarea. 'Imperator! Imperator! Imperator!' En het ging maar door, terwijl Vespasianus stilstond, de roep noch afwerend noch erkennend.

Nog enkele hartslagen liet hij het doorgaan. Hij voelde het besef over zich komen dat zijn leven ingrijpend was veranderd, en toen herinnerde hij zich dat hij zijn rol moest spelen. Hij hield zijn handen op om tot stilte te manen. Het duurde lang voor het zover was. 'Wat is het dat jullie aan me opdringen?' vroeg hij. Zijn stem sneed door de laatste kreten in de verte. 'Wat willen jullie van me?'

Trajanus wendde zich half tot de menigte zodat ze zijn antwoord beter konden horen. 'Wij, het leger van Judaea, volgen het voorbeeld van de Egyptische legioenen die u drie dagen geleden in Alexandria tot imperator hebben uitgeroepen. Net als zij kiezen wij u. Caesar! Augustus! Imperator!'

Opnieuw was het geschreeuw dat uit duizenden kelen kwam oorverdovend.

En opnieuw hield Vespasianus zijn handen op voor stilte.

En weer duurde het lang voor het zover was.

'Hebben we niet al een eed aan een keizer in Rome gezworen?' vroeg Vespasianus zodra hij hoorbaar was. 'Hebben we niet allen samen trouw gezworen aan Aulus Vitellius Germanicus Augustus? Ik kan deze benoeming niet aanvaarden.'

Maar Trajanus hield vol. 'Het leger van Judaea kiest u, caesar, boven het vette zwijn in Rome. Imperator!'

Opnieuw donderde het woord over het forum en Vespasianus legde zijn handen op zijn oren alsof hij het uit zijn bewustzijn wilde weren. Weer liet hij enkele hartslagen passeren, waarna hij met een dramatisch gebaar de menigte zijn rug toekeerde. Het staccatogeroep ging in boos geschreeuw over.

Toen kwam Trajanus' stem erbovenuit, schel en doordringend. 'Verwerpt u ons, Caesar Augustus? Weigert u aan de wens van het leger van Judaea te voldoen?'

'Ik kan niet aanvaarden wat aan een andere man toebehoort, een man aan wie ik een eed heb gezworen,' antwoordde Vespasianus zonder zich om te draaien, zijn stem al even doordringend.

'We staan erop, imperator. Wij, het leger van Judaea, zullen onze eigen keizer hebben.'

Vespasianus hoorde dat er een zwaard werd getrokken.

'En wij hebben u gekozen.'

Vespasianus draaide zich om en zag Trajanus naderen, gewapend. Achter hem haalden de tribunen hun zwaard uit de schede en begonnen de trap te beklimmen. 'Dreig je me met geweld als ik jullie verzoek weiger?'

'We zullen krijgen wat we willen, de schande van afwijzing zal anders te groot zijn.'

Vespasianus stak zijn handen op. 'Wacht!' Hij liet een moment voorbijgaan. 'Ik verlang niet naar die titel, en ik aanvaard hem niet vrijwillig, zoals jullie hebben kunnen zien. Maar als jullie me de titel onder druk willen opdringen, onder dreiging van geweld, dan heb ik geen andere keus dan te accepteren. Als jullie me naar voren duwen, dan heb ik geen andere keus dan jullie te leiden. Is dat wat jullie allemaal wensen?'

En het geschreeuw klonk weer op, nu luider dan eerst. Een kakofonie van 'Caesar! Augustus! Imperator!' Vespasianus breidde zijn armen uit en liet het over zich komen, zijn ogen gesloten. Hij hief zijn gezicht naar de hemel, het beeld van Mars brandde in zijn geest. Hij draaide zich naar links en naar rechts en baadde in het enthousiasme. Caenis, Titus en Magnus keken met tranen op hun wangen naar de man van wie ze hielden. De man die net tot de negende keizer van Rome was uitgeroepen.

DEEL III

EGYPTE, HERFST 69 N.C.

HOOFDSTUK XIII

Hoe het nieuws bekend was geworden wist Vespasianus niet, maar het was duidelijk bekend, want er verdrongen zich massa's mensen aan de voet van de Pharos, de hoog oprijzende vuurtoren, om hun nieuwe keizer te begroeten. Het was een opwindende gebeurtenis voor hen, want sinds Augustus was er geen keizer meer in Egypte geweest. Ze schreeuwden hun kelen schor toen de schepen met Vespasianus en zijn aanzienlijke escorte de grote haven van Alexandria naderden. Ondanks de meedogenloze stralen van de Egyptische septemberzon stonden er op de stenen pieren die de haven beschermden nog veel meer mensen om hem te begroeten. Ze zwaaiden en riepen: 'Caesar Augustus.' Ze sprongen en dansten toen de vloot, met voorop de keizerlijke *quinquereem*, door de havenmond gleed. De keizer was gearriveerd in zijn persoonlijke domein.

'De tweede keer is hij niet minder indrukwekkend,' observeerde Magnus, die achter Vespasianus' stoel stond en omhoog naar de Pharos keek, met het beeld van Poseidon ruim vierhonderd voet boven hen.

Vespasianus, zijn gouden borstpantser en scheenplaten glanzend, leunde opzij om langs de katoenen luifel die voor schaduw zorgde te kijken. Zijn kale kruin werd bekroond door een lauwerkrans. Caenis zat naast hem, iets naar achteren, en twaalf lictoren stonden in een falanx voor hem. 'Weet je nog de laatste keer toen we hier waren, Magnus, toen Caligula over zijn brug wilde rijden met Alexanders borstpantser aan?'

'Ja, de jonge Ziri leefde toen nog, die kleine woestijnrat.' Magnus trok een lang gezicht bij de herinnering aan zijn lang geleden gestorven favoriete slaaf. 'Ik mis hem nog altijd, vooral nu Castor en Pollux...' Hij stopte om te voorkomen dat hij sentimenteel zou worden.

'Hoe dan ook,' ging Vespasianus verder, inmiddels gewend aan Magnus' depressie, 'ik zei dat dat de manier was om in de herinnering van de mensen te blijven: bouw iets wat iedereen van nut is en niet een drie mijl lange brug, zoals Caligula deed.'

'Ja, en toen vroeg ik u wie het Circus Maximus had gebouwd en u wist het niet, waarmee bewezen is dat uw theorie niet altijd opgaat.'

'Nou ja, dat mag zo zijn, maar het is wat ik in Rome ga doen.'

'Wat? Een vuurtoren bouwen?'

'Natuurlijk niet, wat zou het nut daarvan zijn?'

'Dat vroeg ik me ook af.'

'Nee, het moet iets zijn waar iedereen plezier van heeft. Pompeius heeft zijn theater, Caesar zijn forum, Agrippa zijn thermen, Claudius zijn haven, Augustus heeft, tja, Augustus heeft talloze gebouwen, dus wat moet ik bouwen?'

'Vergeet Nero's Gouden Huis niet, met zijn standbeeld zo groot als een kolos, liefste,' zei Caenis. 'Ik weet wat je moet doen om in de herinnering voort te leven: breek dat monsterlijke ding af, want het doet ze denken aan de brand die hij aanstak om grond vrij te maken voor zijn paleis.'

Vespasianus stak weer waardig zijn hand op als reactie op de begroetingen van de burgers van Alexandria. 'Ja, dat is een uitstekend idee, dat ga ik doen en dan bouw ik er iets voor in de plaats met de stenen ervan.' Vespasianus' ogen schitterden bij de gedachte. 'Zo wordt het een stuk goedkoper, want ik hoef het bouwmateriaal niet te kopen en ik heb bovendien een hoop gratis Joodse slaven om het werk te doen.'

'Lekker goedkoop,' spotte Magnus, 'daar houdt u van. En wat gaat het nou worden?'

'Wat?'

'Dat waar we het over hebben, het ding dat u gaat bouwen.'

'O, dat weet ik nog niet. Ik moet nog zien hoeveel ruimte er is als het Gouden Huis weg is.'

'Nou, als u mijn mening wilt, dan zou ik zeggen bouw een amfitheater, dat zou iedereen prachtig vinden. Weet u nog het amfitheater van Cyzicus? Het was enorm en over een rivier gebouwd, zodat men het vol kon laten lopen voor zeeslagen. Dat zou geweldig zijn, iedereen zou er dol op zijn, iedereen, afgezien dan van de gladiatoren en de idioten die voor de wilde dieren worden gegooid.'

Vespasianus dacht over het idee na, terwijl hij de menigte begroette. De stad ontvouwde zich intussen voor zijn ogen, het imposante havenfront was precies zoals hij het zich herinnerde, met villa's, tempels en pakhuizen. Rechts was het Heptastadium, de pier die het Pharoseiland met het vasteland verbond en de haven zo verdeelde in de Oude Haven en de Grote Haven, en links stond het paleis van de Ptolemeeën, waar nu de prefect resideerde. Hij keek naar het elegante complex dat gebouwd was door een fabelachtig rijke dynastie en vond het terras op de tweede verdieping waar hij, Magnus en Flavia via een touw naar beneden waren geklommen om aan de aandacht van de toenmalige prefect Flaccus te ontsnappen in de nacht dat ze Alexanders borstpantser uit zijn mausoleum hadden gestolen. En nu keerde hij met het borstpantser terug in Alexandria. Maar dit keer kwam hij niet als Caligula's dief, maar als Caligula's opvolger.

In de bijna drie maanden sinds hij tot keizer was uitgeroepen was Vespasianus gewend geraakt aan de titel en de vleierij die erbij kwam kijken.

Zodra het leger van Judaea de eed aan hem had afgelegd, wat direct nadat ze hem tot keizer hadden uitgeroepen gebeurde, was hij naar het noorden gegaan, naar Berytus in Syria, waar hij Mucianus ontmoette, die met de volledige Zesde Ferrata en onderdelen van de andere Syrische legioenen was gekomen, bij elkaar zo'n achttienduizend man. In een plechtige ceremonie had hij hun de eed afgenomen en Mucianus het keizerlijk mandaat gegeven om naar Rome op te trekken en de hoofdstad voor de rechtmatige keizer in te nemen als Vitellius de stad niet zou overdragen. Mucianus was onmiddellijk vertrokken voor zijn missie met de belofte snel te marcheren en in Aquileia op instructies te wachten. Vespasianus was in Berytus gebleven zodat de vele vazalkoningen van het oosten konden komen om hun loyaliteit te verklaren. Ze waren er allemaal: de koningen van Commagene, Cilicia, Pergamon en een hele reeks heersers van kleinere vazalrijkjes. Er kwamen boodschappers van alle gouverneurs van het oosten: Bithynia, Cappadocia, Galatia en Achaea. Allemaal hadden ze de eed aan Vespasianus afgelegd. Rijke geschenken van Tiridates van Armenia en Vologases zorgden voor een fikse bijdrage aan de schatkist zodat hij zich grootmoedig kon betonen. Maar niet alleen de machtigen kwamen hem eer bewijzen, ook gewone mensen stroomden toe; ze kwamen, zoals hun recht als burger was, met verzoekschriften en pleidooien waarover hij moest beslissen. En zo bracht hij de nodige dagen door met het aanhoren van klachten van mensen die minder bevoorrecht waren dan hij: geschillen over land, eigendomsrechten op een slaaf, contracten om het leger te bevoorraden, testamenten, erfenissen en burgerschap, en dan waren er de nodige beschuldigingen van corruptie en zorgen over alle andere dingen die het leven van de gewone man beïnvloedden, inclusief beslissingen over leven en dood, want terdoodveroordeelden legden hun lot in de handen van de keizer, die het vonnis kon bevestigen of omzetten in een lagere straf, maar ook gratie kon verlenen. Daarna was hij naar Antiochië gegaan, de hoofdstad van de provincie, waar hij dezelfde procedure doorliep en zich zo van de volledige steun verzekerde van de machtigste provincie van het oosten.

Op zijn tweede dag in Antiochië kwam Hormus' brief met het niet geheel onverwachte nieuws dat Vitellius het aanbod van Vespasianus afsloeg. Een burgeroorlog was nu onvermijdelijk, het oosten tegen het westen.

Toen het nieuws kwam dat de Moesische en Pannonische legioenen trouw aan hem hadden gezworen en in westelijke richting marcheerden, besloot hij dat de tijd was gekomen om naar Egypte te gaan om Vitellius in een wurggreep te nemen door de graanvoorraden in handen te krijgen. En zo begon hij eindelijk zijn omtrekkende beweging naar Rome, met de steun van de twee koningen die het hem lastig hadden kunnen maken, Vologases en Tiridates. Hij had zorgvuldig de tijd genomen om het oostelijke deel van het rijk achter zich te krijgen, zodat hij met een gerust hart kon gaan – het was nuttig bestede tijd geweest. Er was slechts één probleem, in ieder geval één waarvan hij afwist, en dat was Jeruzalem; maar dat zou hij aan Titus overlaten zodra zijn zoon was bewierookt door de Egyptenaren en zijn positie als erfgenaam door het volk en legioenen was aanvaard. Intussen versterkte Trajanus langzaam de blokkade rond de heilige stad van de Joden, die nog altijd verscheurd werd door bloedige vetes tussen de diverse facties van religieuze fanatici.

Vespasianus glimlachte inwendig bij de gedachte hoe makkelijk het was geweest om het oosten in handen te krijgen en hij hoopte dat het in het westen niet anders zou gaan. Maar misschien moest Amon hem leiden. Hij wist nog steeds niet goed welke vraag hij moest stellen, maar hij was van plan naar het orakel te gaan zodra hij klaar was in Alexandria. Terwijl de quinquereem bezig was aan te leggen besefte Vespasianus dat hoe snel hij hier ook klaar was, hij vanwege de naderende winter niet meer naar Rome kon varen en op het voorjaar moest wachten.

Met een stroom van onbegrijpelijk nautisch jargon van de *trierarchus* en zijn ondergeschikten werd het grote zeil van de quinquereem gereefd, gingen de riemen omhoog en gleed het schip majestueus, passend bij zijn lading, naar zijn ligplaats; touwen werden geworpen en ontrolden zich in de lucht en werden gevangen en rond palen geslagen door heen en weer rennende havenarbeiders. Met het gekraak en gepiep van touw en hout onder spanning minderde het schip vaart en kwam met een lichte siddering tot stilstand tegen de hooizakken die aan de meerpalen hingen om de romp te beschermen tegen het ruwe beton waarvan de kades van de Grote Haven waren gemaakt. Vespasianus had bevel gegeven om hier aan te leggen en niet in de paleishaven, waar het volk hem niet zou kunnen zien. En het waren juist de gewone mensen, die met duizenden op de kade juichten en zwaaiden, die hij moest overweldigen. De twee legioenen van de provincie, de Tweeëntwintigste Deiotariana en de Derde Cyrenaica, waren hem al trouw; de eed was afgenomen door Tiberius Alexander, die daarmee zijn schuld afbetaalde die hij ruim dertig jaar eerder had opgelopen toen Vespasianus zijn leven redde. Het was niet zo dat het gewone volk hem na aan het hart lag, maar de Alexandrijnen behoorden tot de onrustigste onderdanen van het rijk, en Vespasianus wist uit eigen ervaring wat er gebeurde als hier de vlam in de pan sloeg. Hij was daarom gaan beseffen dat hij de stad en daarmee de provincie met al haar rijkdommen, en dan vooral het graan, alleen echt beheerste als het volk van hem hield.

Vespasianus bleef rustig zitten terwijl de matrozen heen en weer renden om het schip af te meren. De centurie vlootsoldaten aan boord stelde zich op het voordek op, tegenover Vespasianus en diens lictoren. Er klonken fluitjes en bevelen tot alles gereed was en de loopplank uitgelegd werd.

Titus kwam uit de kajuit onderdeks tevoorschijn en Magnus en Caenis liepen uit de buurt van de keizer weg, die in vol ornaat onder zijn luifel zat. Vespasianus gebaarde naar zijn zoon dat hij bij zijn rechterschouder moest gaan staan. Een man in de toga van een eques stapte met de neus in de lucht de loopplank op, gevolgd door een al even deftig ogend escorte.

'Dat is een goed begin,' zei Vespasianus tegen Titus. Na een kort geblaft bevel van hun aanvoerder gingen de lictoren opzij zodat het welkomstcomité toegang had tot het onderwerp van hun eerbied. 'De hele stad lijkt uitgelopen om ons te verwelkomen.'

Titus onderdrukte een geeuw en keek naar de menigte, die uit zowel mannen als vrouwen en kinderen bestond, de meesten waren gekleed in de Griekse stijl. 'Weinig Joden,' zei hij na een tijdje de gezichten te hebben bekeken.

'De belangrijkste is er in ieder geval wel.' Vespasianus richtte zijn blik op de leider van de delegatie, die tien passen voor zijn stoel tot stilstand kwam.

'Heil, Titus Flavius Caesar Vespasianus Augustus,' declameerde Tiberius Alexander, zijn stem hoog en verdragend. 'De burgers van Alexandria en heel Egypte verwelkomen hun nieuwe keizer met een vreugde die ze niet meer gevoeld hebben sinds de komst van uw voorganger Augustus, meer dan zestig jaar geleden.' Tiberius draaide zich om en nam een kistje van een van de delegatieleden over en bood het Vespasianus aan. 'Princeps, aanvaard dit, het is uw rechtmatige eigendom, het werd veilig bewaard door uw dienaar en vertegenwoordiger in de provincie.'

Vespasianus nam het kistje aan, zette het op zijn knieën en opende het deksel. Hij haalde er een sleutel uit, een gouden sleutel die schitterde in de zon.

'De sleutel van de schatkist van Alexandria is nu weer in handen van zijn echte eigenaar. Heil caesar!'

Met een machtige schreeuw vielen allen binnen gehoorsafstand hem bij en al snel verspreidde de kreet zich door de stad; er werd met palmbladeren gewuifd en de lucht was gevuld met wierook en de rook van talrijke offers. Vespasianus kwam overeind en stapte onder de luifel vandaan, de sleutel boven zijn hoofd houdend. Hij wachtte tot het gejuich verstomde en de mensen beseften dat hij iets ging zeggen.

'Jullie keizer dankt u, prefect Tiberius Alexander, en het volk van de provincie Egypte omdat u mij mijn eigendom hebt overhandigd en het zo trouw hebt bewaakt in mijn afwezigheid.' Dat leidde tot een tweede ronde van gejuich, waarbij iedereen voor het gemak vergat dat hij nog niet erkend werd door de Senaat, de praetoriaanse garde en het westelijk deel van het rijk. Maar dergelijke trivialiteiten mochten de pret niet drukken.

Terwijl het gejuich doorging pakte Vespasianus Tiberius Alexanders onderarm vast in een warme begroeting. 'Wat hebt u op het programma staan, mijn vriend?'

'Cohorten van beide legioenen wachten hier om u te escorteren naar het Caesareum voor een offer en dan gaan we naar het forum, waar ik een rostra heb opgezet waar u petities kunt ontvangen en verzoeken en pleidooien kunt aanhoren.'

Vespasianus glimlachte alsof hij niets liever deed; nadat hij heel wat van dat soort sessies had voorgezeten in Antiochië en Berytus was hij gaan beseffen dat de last van het purper meer in de massa van kleinigheden lag dan in de weinige grote plannen en ideeën. 'Heel goed, prefect; hoeveel dagen denkt u dat er nodig zijn?'

'Hoeveel dagen hebt u, princeps?'

Vespasianus zuchtte en onderdrukte de neiging om een onwaarachtig antwoord te geven. 'Voor mei volgend jaar zal ik niet met de graanvloot naar Rome kunnen varen om zo gezien te worden als degene die voedsel brengt.'

'Dan hebt u net genoeg tijd, princeps.'

Op een schitterend wit paard met trotse houding reed Vespasianus door de brede straten van Alexandria, zijn rug recht, zijn dijen om de flanken van het dier geklemd en zijn voeten vrij hangend. Voorafgegaan door twaalf lictoren en gevolgd door Titus en de dreunende pas van vierduizend legionairs afkomstig uit beide Egyptische legioenen groette hij de menigte, die soms tien, twaalf rijen dik stond en zich schor schreeuwde. Vespasianus had verder geen illusies wat hen betrof, ze wisten helemaal niets van hem buiten de propaganda die Tiberius Alexander had verspreid. Hij besefte ook dat de prefect zijn schuld aan hem had afbetaald door Egypte volledig in zijn handen te leggen.

Na het offeren van een witte os in een emotionele ceremonie op het Caesareum, door Cleopatra gebouwd voor haar dode minnaar, ging Vespasianus naar het forum, dat groter en mooier was dan enig forum in Rome, en steeg af. De lictoren stelden zich op aan de voet van de rostra en de cohorten maakten pas op de plaats, nog altijd in colonne-formatie, zodat de menigte in tweeën was gedeeld. Hij besteeg de rostra om door het volk van Alexandria met het luidste gejuich van de dag als keizer te worden bevestigd.

Het ging maar door, de mensen schreeuwden in het Grieks, Latijn, Aramees en Egyptisch, ze prezen hem in allerlei bewoordingen, zodat er geen afzonderlijk woord te verstaan was, maar de betekenis van de kakofonie was onmiskenbaar en Vespasianus wist dat de provincie veilig was. Met wijd gespreide armen keek hij neer op Titus en riep hem naar de rostra. In groot contrast met de waardigheid waarmee zijn vader de trap had beklommen rende Titus omhoog, twee treden per keer nemend, in de geest van een jongeman die van actie hield. Bovenaan gekomen nam Vespasianus diens linkerhand in zijn rechterhand en stak hem omhoog. Het volk brulde nog harder.

Vespasianus wendde zich naar Titus en grijnsde met ongecontroleerde vreugde, terwijl ze de armen omhoog en omlaag zwaaiden in het ritme van het gejuich.

'Zo, vader,' zei Titus, die overduidelijk van het moment genoot, 'het lijkt erop dat we een nieuwe dynastie hebben gesticht.'

De glimlach op Vespasianus' gezicht verflauwde; hij keek weer naar de menigte en besefte het probleem dat Titus met zijn woorden onbewust had aangestipt: hoe zou zijn jongste zoon Domitianus het opvatten als hij geen leidende rol in die dynastie had?

Eindelijk wist Vespasianus welke vraag hij aan Amon moest stellen.

Na drie uur lang allerlei uitspraken met een wisselend gehalte aan waarheid en leugens van tal van burgers over uiteenlopende onderwerpen te hebben aangehoord, keek Vespasianus met walging neer op de weke jonge Griek die zich voor hem ter aarde had geworpen en schreeuwde. Hij had bij de eerste blik al een antipathie tegen hem opgevat en hij was niet in de stemming voor de overduidelijke leugens die de man, een specerijenkoopman, tegen Tiberius Alexander spuide. De prefect had iedere beschuldiging koel en met zorg weerlegd en had duidelijk bewezen dat de koopman hem had willen chanteren door een rivaal te vermoorden en met het bewijsmateriaal te knoeien zodat het leek alsof de prefect erachter zat.

'En zorg dat hij een snelle dood krijgt,' zei Vespasianus tegen de magistraat die toezicht hield op de procedures van die dag. 'Hij mag dan een lelijk en leugenachtig stuk ongedierte zijn, hij is altijd nog een burger. En nu weg met hem.' Schreeuwend werd de man weggesleept.

'Dank u, princeps,' zei Tiberius Alexander, met een uitdrukking van opluchting op zijn gezicht omdat het vonnis gunstig voor hem was uitgevallen.

'Ik zie het direct als iemand onder de wettelijke invoerbelasting op waardevolle specerijen uit probeert te komen door de reputatie van de man die de belastingen int te besmeuren, Tiberius. Hij was inhalig en dat sta ik niet toe.' Vespasianus verhief zijn stem zodat alle toeschouwers bij het openluchtgerecht het konden horen. 'Niemand sjoemelt met mijn belastingen, laat dat iedereen duidelijk zijn.' Hij raadpleegde de rol met de volgorde van zaken, die door het lot was bepaald. De twee namen die volgden zeiden hem niets; hij gebaarde naar de magistraat. 'Begin met de volgende zaak.'

'De twee mannen die nu komen, princeps,' zei Tiberius Alexander, die dichter bij het podium kwam om zachter te kunnen spreken, 'zijn hier niet om een pleidooi voor een zaak te houden, maar om uw hulp te vragen.'

'Hulp waarvoor?'

'Hulp om ze van hun kwalen te verlossen.'

'Kwalen? Ik ben geen arts.'

'Nee, princeps, maar misschien hebt u andere krachten.'

Vespasianus keek naar de twee mannen die hem naderden; de een had verband om zijn ogen en werd door de ander geleid, diens verwrongen en ingezwachtelde handen rustten op zijn schouders. Beiden waren gekleed in lompen, hun haar en baard waren in strengen verkleefd en geen van tweeën droeg schoenen.

'Wat moet ik met ze aan, Tiberius?'

'Doe wat ze vragen en heb wat vertrouwen in uzelf.'

'Vertrouwen?' Hij keek neer op de twee smekelingen die op hun knieën waren gevallen aan de voet van de trap naar het podium en gebaarde toen naar de magistraat.

'Jullie mogen jullie keizer aanspreken,' zei de magistraat, die zijn weerzin tegen de twee verlopen en vieze figuren niet verborg.

De blinde man bracht zijn hoofd omhoog en strekte zijn armen ongeveer in de richting van Vespasianus uit. 'Princeps, drie maanden geleden ben ik getroffen door een vloek van de goden; u kunt me weer laten zien.'

'En u kunt mijn vingers genezen, princeps,' zei de andere man, die zijn vervormde handen toonde met een smekende uitdrukking op zijn gezicht.

Vespasianus wist een lachbui door te slikken door zijn hand voor zijn mond te leggen en te doen alsof hij een hoestbui had. Na een tijdje hervond hij zijn zelfbeheersing en wist een ernstig gezicht te trekken. 'Wat willen jullie dat ik doe?'

'Wrijf speeksel in mijn ogen, princeps.'

'Ga op mijn handen staan.'

Deze keer was de hoestbui nog heviger en werd voorafgegaan door een luid snuiven. Het duurde enkele ogenblikken voordat Vespasianus weer naar de mannen durfde te kijken en nog iets langer voordat hij het waagde zijn mond open te doen. 'Mijn speeksel?'

'Ja, princeps. U komt uit het oosten om het rijk te redden; u hebt de kracht om te helen.'

Vespasianus opende zijn mond, maar hield een sarcastische opmerking tegen; hij wierp een blik op Tiberius Alexander, zijn ogen vragend. De prefect knikte nauwelijks zichtbaar en Vespasianus begreep wat er aan de hand was en dat hij zijn rol moest spelen om het te laten werken. Hij stond op en sprak de menigte toe die zich op het forum verdrong. 'Deze mannen hebben mij, hun keizer, gevraagd om ze te helen. Ik beweer niet over helende krachten te beschikken en ik zeg ook niet dat ik de messias uit het oosten ben, die voorspeld is en die het leed van de wereld komt verzachten. Ik ben de man die tot het purper is verheven en niet meer. Moet ik dan toch proberen deze mannen te helen?' Hij strekte zijn armen uit als teken dat hij antwoord verwachtte. Dat was unaniem en bevestigend. Hij keek weer naar de twee mannen, hun hoofd gebogen in onderwerping, en toen naar Tiberius Alexander, die een klein samenzweerderig lachje gaf en nogmaals langzaam knikte. 'Goed dan, ik zal het proberen, maar verwacht geen succes.' Hij ging weer zitten. 'Kom!'

De twee mannen kropen naar de treden en met de ziende voorop gingen ze op de knieën omhoog.

'Kom dichterbij,' beval Vespasianus toen ze boven waren.

Gehoorzaam kwamen ze naderbij; de stank die ze verspreidden bereikte Vespasianus' neus en zijn gezicht vertrok. 'Maak jullie verband los.'

De blinde man trok de windsels van zijn ogen, terwijl zijn kameraad met de vuile lappen om zijn handen worstelde en er met zijn tanden aan trok.

Vespasianus leunde voorover om in de ogen van de blinde man te kijken. Ze staarden leeg naar een punt in de verte en toonden geen teken dat ze iets dichtbij zagen. Hij besefte dat hij niets te verliezen had en een hoop te winnen als Tiberius Alexander dit echt op de een of andere manier had opgezet. Vespasianus spuugde met grote nadruk in zijn handpalm.

De menigte viel stil, ze keken met gespannen verwachtingen toe.

Vespasianus liet hun zijn met spuug bedekte hand zien en veegde het vervolgens af met zijn duim. 'Kom voorwaarts, blinde.'

De man duwde zichzelf voorwaarts tot Vespasianus bij hem kon, de stank was bijna ondraaglijk. 'Stop.' Met ingehouden adem smeerde Vespasianus zijn speeksel op het ene oog en vervolgens op het andere; het forum was inmiddels muisstil. Vespasianus trok zijn hand terug en besefte dat hij het hier niet bij kon laten. Hij stond op en legde zijn hand, zijn weerzin inslikkend, op het hoofd van de man. 'Zie!'

De stilte verdiepte zich.

Vespasianus haalde zijn hand van het hoofd en hield een vinger voor het gezicht. De blinde man richtte zijn ogen erop. Vespasianus bewoog zijn vinger naar links en vervolgens naar rechts; de man draaide zijn hoofd heen en weer en volgde de vinger.

De verbaasde kreet van de vele duizenden toeschouwers voelde bijna als een lichamelijk klap voor Vespasianus, die de man overeind hielp en hem omdraaide om hem aan het publiek te tonen. 'Wat zie je?'

Langzaam zijn hoofd in verbazing schuddend bekeek hij de menigte. 'Ik zie gezichten, een zee van gezichten.'

'Hij ziet!' riep Vespasianus. 'Hij ziet!'

'Hij ziet!' antwoordde de menigte en iedereen brak in gejubel uit, hun keizer als een wonderdoener prijzend, terwijl de genezen man Vespasianus' hand kuste om vervolgens met een ongelovige uitdrukking zonder aarzelen de trap af te lopen.

Met een slim vermoeden hoe de prefect de tweede truc had opgezet keek Vespasianus neer op de misvormde handen van de tweede smekeling en vroeg zich af of deze poging ook zo succesvol zou zijn. De vingers waren gezwollen en gebogen als klauwen en leken niet te kunnen bewegen.

De menigte kalmeerde weer, al was de stilte deze keer niet meer zo absoluut, omdat menigeen de genezen blinde man feliciteerde toen die langs de mensen liep en zijn herwonnen zicht demonstreerde.

'Leg je handen op de grond,' vertelde Vespasianus de tweede man. Hij keek even naar Tiberius Alexander in de hoop op advies.

'Hard drukken,' zei hij geluidloos.

Met een mentaal schouderophalen keek Vespasianus naar de twee mismaakte handen die met de palmen omhoog op de houten vloer lagen. Hij zette zijn rechtervoet op de ene en drukte de vingers plat onder zijn tenen. Hij legde zijn hand op de mans hoofd en drukte met de bal van de voet. Hij voelde een reeks klikken en de man huiverde, alsof hij een kreet probeerde in te houden. Vespasianus richtte zich vervolgens op de tweede hand en zette er op dezelfde manier zijn volle gewicht op. Dit keer slaakte de man een gesmoorde pijnkreet en Vespasianus zag dat de tranen hem in de ogen sprongen.

Vespasianus deed een stap naar achteren. De man bracht zijn handen omhoog en staarde ernaar, alsof hij ze nog nooit eerder had gezien. Een voor een boog hij zijn vingers, elk kootje bewoog onafhankelijk en bezat volledige bewegingsvrijheid. Vespasianus bood hem zijn eigen hand aan en de voormalige verminkte nam hem aan en kwam overeind. Hij wendde zich tot de menigte.

'Hij is niet langer vervloekt,' riep Vespasianus. 'Zijn handen zijn genezen!'

De man hield zijn armen op en balde zijn vuisten en strekte de vingers weer; de menigte zuchtte in messiaanse aanbidding.

'En hoe deed u het nou?' vroeg Magnus, toen hij uitgelachen was. 'Niet dat ik iets van wonderen wil weten, begrijp me niet verkeerd, ze zijn niet natuurlijk.'

'Ja, Tiberius, hoe hebt u het gedaan?' vroeg Vespasianus, die naast Caenis stond en over de Grote Haven uitkeek, waar de zon onderging. Een licht, verfrissend briesje woei in zijn gezicht en zorgde voor verkoeling. Rechts rees de rook hoog op van het laaiende vuur dat net was aangestoken op de top van de Pharos en dat de hele nacht zou blijven branden om de plaats in te nemen van de zon, die reflecteerde in de grote bronzen spiegels.

'Ik kan het wel raden,' zei Caenis, die haar arm door die van Vespasianus stak en keek naar een groepje latijngetuigde vissersbootjes dat door de havenmonding gleed om 's nachts te gaan vissen.

'Het was eigenlijk heel eenvoudig,' gaf Tiberius Alexander toe.

'De blinde man zei dat hij drie maanden geleden door de goden was vervloekt, met andere woorden rond de tijd dat u in Alexandria terugkeerde na de belofte van een wonder te hebben gedaan.'

Tiberius accepteerde een glas gekoelde wijn van een halfnaakt slavinnetje. 'Ik zie dat u het basisidee begrijpt.'

'U betaalde hem om te doen alsof hij blind was, en om de misleiding makkelijker te maken droeg hij een verband om zijn ogen zodat de mensen niet konden zien dat hij niet blind was.'

'Precies. En ik zorgde ervoor dat mensen hem door de hele stad als een blinde kenden door de wachters hem ruw en onvriendelijk te laten behandelen zodat hij opviel en een zekere mate van sympathie opwekte. Iedereen kende hem als een blinde en niemand trok hem in twijfel. Als je mensen zou vragen hoe lang ze hem al kenden als blinde zouden ze ongetwijfeld zeggen dat hij al heel lang blind was en niet slechts drie maanden.'

'En de man met misvormde handen?' vroeg Vespasianus.

'Hetzelfde verhaal. Ik betaalde hem en liet zijn vingers ontwrichten en vastbinden. Ik moet bekennen dat ik verbaasd was dat ze zo mooi weer goed schoten toen u erop ging staan, maar dat was een risico dat ik moest nemen, want twee wonderen zijn heel wat overtuigender dan een.'

'En nu ben ik de messias,' mijmerde Vespasianus, 'hoe belachelijk.'

'Hoe nuttig,' corrigeerde Caenis.

'Hier in het oosten misschien, maar niet in Rome. Daar zal ik me niet zo voordoen.'

'Heel verstandig, liefste, doe je daar niet voor als messias, maar ontken het ook niet. Geruchten over wat er vandaag is gebeurd zullen zich verspreiden en ze zullen je geen kwaad doen als je er op geen enkele wijze op ingaat.'

Magnus leek daar niet zo zeker van. 'Maar wat gebeurt er als die wonderbaarlijk genezen mensen gaan praten over hun slimmigheid, zodat de waarheid naar buiten komt?'

'O, daar zou ik me maar geen zorgen over maken,' zei Tiberius op zorgeloze toon. 'Ik heb bekend laten maken dat de twee gelukkige heren naar Rome zijn gebracht als bewijs voor de wonderbaarlijke gebeurtenissen hier; niemand in Alexandria zal ze missen. Alleen zonde dat ze na hun genezing door de keizer in een winterstorm zijn vergaan.'

'Ze zijn dus al onderweg, als u begrijpt wat ik bedoel.'

'Ja, Magnus, ze zijn een paar uur geleden richting de necropolis gevaren. Ik hoop maar dat ze aan boord de tevredenheid voelden van een goed geklaarde klus.'

Vespasianus klemde zijn lippen goedkeurend op elkaar. 'Dank u, Tiberius. Ik moet zeggen dat het bij me was opgekomen dat ze ons hadden kunnen afpersen. De vraag is nu: laten we het erbij of wordt nu van me verwacht dat ik elke dag wonderen verricht?'

Tiberius nam een slokje en dacht enkele momenten over de vraag na. 'Tja, ik heb er niet meer voorbereid, princeps, dus zolang u niet het gevoel hebt dat u écht wonderen kunt verrichten moesten we het hier maar bij laten. Wat ik wel kan doen is geruchten verspreiden over andere wonderen, je weet hoe goedgelovig de mensen zijn; ze geloven alles zolang ze willen dat het waar is.'

Vespasianus produceerde een wrang glimlachje over de omvang van Tiberius Alexanders cynisme. Op dat moment kwam Titus het terras op met een bezorgde blik en een rol in zijn hand. 'Wat is er, Titus?'

'Een brief van Mucianus.'

'Wat staat erin?'

Titus rolde de brief uit. 'Hij is in Aquileia met Hormus. Er zijn onderhandelingen tussen ons kamp en de Vitellianen, maar er is geen vooruitgang geboekt. Het verhaal gaat dat een leger van Vitellius onder Caecina naar het noorden marcheert. Bij gebrek aan instructies van u heeft hij overleg gepleegd met zijn legaten over wat ze moeten doen, en ze hebben besloten te blijven waar ze zijn. Maar Antonius Primus, de legaat van de Zevende Galbiana, gestationeerd in Pannonia, heeft Mucianus' orders genegeerd en is opgetrokken om de confrontatie met de vijand aan te gaan. Omdat Lucillius Bassus, de prefect van de vloot bij Ravenna, zijn mannen heeft overgehaald zich achter u te scharen, meent hij dat Noord-Italië voor het oprapen ligt. Mucianus is bang dat het vergieten van Romeins bloed door Romeinen in uw naam nu onvermijdelijk is.'

Vespasianus sloeg op de balustrade. 'Antonius Primus? De stommeling! Waar denkt hij mee bezig te zijn? Ik heb heel duidelijk gemaakt dat mijn troepen Italië pas binnen mogen als onderhandelingen niets opleveren.'

'Maar hij heeft het toch gedaan, vader. Deze brief is tien dagen oud, hij kan dus al slag hebben geleverd met Vitellius' leger.'

'Een legioen tegen een leger? Niemand is toch zo kortzichtig?'

Titus keek weer naar de brief. 'Hij wel en dat is de belangrijkste reden waarom Mucianus heeft geschreven. Hij had volgens hem geen andere keus dan Primus te volgen, want als zijn legioen zonder enige steun verslagen wordt, is dat catastrofaal voor uw zaak. Het hele leger van meer dan veertigduizend man is in Italië en trekt op richting Cremona, vlak bij de plek waar Vitellius Otho versloeg.'

'En naar alle waarschijnlijkheid is hij er al, liefste,' merkte Caenis op. 'Mogelijk is de slag al uitgevochten en het kan nogmaals tien dagen duren voordat we de uitslag kennen.'

'Tien dagen? Ja, je hebt gelijk, Caenis.' Vespasianus' gespannen uitdrukking verstrakte nog verder terwijl hij een besluit nam. 'Maak een karavaan klaar, regel een gids en breng de kamelen aan boord van transportschepen, Tiberius. De tijd is gekomen om naar Siwa te gaan om de god Amon te raadplegen.'

HOOFDSTUK XIV

'Neem Josephus met je mee, Titus,' zei Vespasianus tegen zijn zoon. Ze maakten zich beiden klaar om vanuit de Grote Haven Alexandria te verlaten, de een op weg naar het oosten, de ander naar het westen. 'Hij kan nuttig zijn als er over de overgave van Jeruzalem moet worden onderhandeld. Als dat niet lukt, en het zal volgens mij niet lukken, dan gebruik je zoveel geweld als nodig is. Als Jeruzalem is gevallen, kom je direct naar Rome om je bij me te voegen. Trajanus kan de nasleep afhandelen tot degene die ik zal kiezen om Massada in te nemen in de provincie aankomt.'

'Ja, vader,' antwoordde Titus, die Vespasianus bij de onderarm greep. 'Ik hoop er binnen een maand te zijn. Met wat geluk is de omsingeling klaar binnen...'

'Wacht!' Er schoot Vespasianus een idee te binnen. 'Als je de stad wilt omsingelen, zou het fantastisch zijn als er zo veel mogelijk van die klootzakken binnen de muren zitten, vind je ook niet?'

Titus grijnsde. 'Zodat we ze des te sneller kunnen uithongeren.'

'Precies, m'n jongen. Gebruik de onderhandelingen om tijd te rekken tot het feest van Pesach ergens aan het begin van het nieuwe jaar; ik heb gehoord dat de stad dan volstroomt en er soms wel anderhalf miljoen mensen zijn. Laat ze maar eens proberen al die monden te voeden.'

'Dat is briljant, vader, zo kunnen we ze met tienduizenden afmaken.'

'Hoe meer hoe beter.'

'Inderdaad, hoe meer hoe beter.'

Vespasianus omarmde Titus. 'Laat ze lijden zoals ze nog nooit hebben geleden, zodat ze nooit meer tegen Rome in opstand durven komen.'

'Doe ik, vader, ik breek hun moeders hart.'

'En zodra je dat gedaan hebt, zullen we een gezamenlijke triomf-tocht in Rome hebben. Dat zal dan weer een grote stap zijn om onze positie te versterken.'

'Op voorwaarde dat Mucianus wint.'

'Dat doet hij.'

Titus probeerde vertrouwen uit te stralen, maar Vespasianus keek erdoorheen. 'Ik weet dat het hem zal lukken, vader.'

'En zelfs als hij niet wint hebben we nog altijd het oosten en dat houden we. Van daaruit kunnen we Afrika innemen en Vitellius uit-hongeren. Ik heb al boodschappen gestuurd naar de gouverneur van Afrika en de legaat van de Derde Augusta daar. Als ze zich nog niet aan mijn kant hebben geschaard als ik terug ben uit Siwa, begin ik een campagne om de provincie te veroveren. Nu we eenmaal begonnen zijn zullen we uiteindelijk zegevieren, Titus; houd die gedachte altijd voor ogen.'

Titus omarmde op zijn beurt zijn vader. 'Dat zal ik doen.' Hij deed een stap naar achteren en keek Vespasianus in de ogen. 'Maar vertel me, wat hoopt u te winnen met deze reis langs de kust en vervolgens een tocht van tweehonderd mijl door de woestijn naar een afgelegen orakel?'

'Hetzelfde als Alexander toen hij hier was: advies en een richtlijn.'

'Kom op, vader, er zijn een hoop andere orakels die makkelijker te bereiken zijn.'

'Dat mag zo zijn, Titus, maar ik ben er ooit geweest en toen werd me duidelijk dat ik er ooit zou terugkeren, en nu is het moment gekomen, want ik weet welke vraag ik moet stellen.' Hij kuste Titus op beide wangen, draaide zich om en liep de loopplank van zijn quinquereem op, waar Magnus en Caenis al wachtten.

'Het niet veilig, meester.' De gids was beslist. Hij en Vespasianus stonden op de top van een duin langs zee en keken naar het zuiden.

Vespasianus wierp een blik op de tanige kleine Marmaride met zijn bruine huid en krullende haar. De man herinnerde hem aan Magnus' voormalige slaaf Ziri, die nu voor eeuwig in een rivier in Germania Magna lag, zo ver van zijn gortdroge vaderland. 'Hoe ver is het?'

De gids schermde zijn ogen af en keek naar de bruine wolk die aan de horizon hing. Hij snuffelde en mompelde in zichzelf terwijl hij re-kende. 'Zes uur, misschien acht.'

Vespasianus bestudeerde een tijdje de zandstorm, die was duidelijk enorm, veel groter dan de storm die hij de vorige keer dat hij naar Siwa reisde had meegemaakt. Destijds waren meer dan honderd van zijn mannen onder het zand verdwenen. 'Komt hij deze kant op?'

De Marmaride haalde zijn schouders op. 'Misschien, misschien niet, meester; de toorn van de zandgod komt en gaat wanneer hij wil. Wij zeggen: "Als de zandgod blaast, wachten tot hij is uitgeraasd."'

'Ik ben het met de woestijnbewoner eens,' zei Magnus, hijgend. 'Ziri wist alles van de woestijn en ik wed dat deze kamelenman met zijn krullenkop uit hetzelfde hout is gesneden. We blijven hier, bij de schepen, tot dat ding weg is.'

Ondanks zijn haast kon Vespasianus er alleen maar mee instemmen. Hij draaide zich om en keek naar de drie schepen, die honderd voet uit de kust op een kalme, verfrissend blauwe zee voor anker dobberden. 'Goed dan, we kamperen op het strand, maar we halen de kamelen op de twee transportschepen alvast aan land. Dan kunnen ze even de poten strekken na drie dagen op zee.'

'We kunnen ook omdraaien en terug naar Alexandria varen,' stelde Magnus op hoopvolle toon voor.

Vespasianus negeerde de opmerking en na nog een blik op de zandstorm te hebben geworpen daalde hij van het duin af naar het strand.

'Wat ik niet begrijp,' zei Magnus, terwijl hij zes vissen een voor een op een rooster legde op een vuurtje van drijfhout vlak bij de vloedlijn, 'is waarom u niet de twee Egyptische legioenen neemt en ze overzet naar Brundisium in Zuid-Italië. Nu de vloot in Ravenna zich aan uw kant heeft geschaard is er niemand daar op zee om een landing te verhinderen en zo moet Vitellius op twee fronten vechten.'

Vespasianus glimlachte voor zich uit, hij lag naast Caenis op zijn rug op het zand, met zijn handen achter zijn hoofd gevouwen. Hij keek omhoog naar de heldere sterrennacht, het kalme ritme van de golven die op het strand sloegen hadden een ontspannend effect en hij was bijna in slaap gevallen. De geur van gegrilde vis vervolmaakte nu de idylle. 'Het is te laat in het jaar om het risico te nemen twee legioenen de zee over te sturen.'

'Dat was nog niet zo toen ze u in juli als keizer erkenden. Mucianus kwam in september in Aquileia aan, toen had u die twee legioenen makkelijk op Italiaanse bodem kunnen hebben en dan was er voor Vitellius nog maar weinig over om over te onderhandelen, hoogstens nog over de omvang van zijn jaarlijkse wijnrantsoen.'

'En Lucilius Bassus en de vloot van Ravenna dan?' vroeg Caenis. 'We weten pas sinds kort dat ze aan onze kant staan.'

Magnus druppelde wat olie op elke vis. 'Nou ja, dat was toch een gok die we hadden kunnen wagen? Met het hele oosten achter ons zouden de jongens in Ravenna eieren voor hun geld hebben gekozen en ons ongehinderd laten landen.'

'Maar daar kon ik niet zeker van zijn.' Vespasianus kwam overeind en ging in kleermakerszit zitten; het vuur verwarmde zijn gezicht en borst. De rook en rode vonkjes kringelden omhoog, een prooi voor de aantrekkende wind. 'Het had een bloederige toestand kunnen worden als Ravenna had besloten de landing niet toe te staan en dan was ik waarschijnlijk een flink deel van twee legioenen aan Neptunus kwijtgeraakt. De hele strategie van mijn campagne in Judaea en sinds dit jaar ook in de burgeroorlog is om waar mogelijk te onderhandelen. Pas als daar niets uit komt ga ik over tot geweld, en als ik dat doe, doe ik het zo extreem mogelijk, want ik zie het nut niet in van halve maatregelen als je iemand probeert te verslaan.'

Magnus keek op van zijn vissen, het vuur weerspiegelde helder in zijn glazen oog, waardoor het leek alsof de vlam in zijn hoofd brandde. 'Daar ben ik het volkomen mee eens. Raak de zakkenwassers zo hard als je kunt, zodat ze neergaan voordat ze jou kunnen pakken – dat deed ik toen ik legionair was en dat deed ik toen ik *patronus* was van de Zuid-Quirinale Kruispuntbroederschap; maar dat is niet wat ik u nu zie doen.'

'Wat zie je me dan doen?'

'Ik zie dat u in tegenovergestelde richting van Rome gaat, door ruim tweehonderd mijl van een woestijn waarvan we beiden weten dat die erg onplezierig is, en waar momenteel een zandstorm woedt die groot genoeg is om de storm die ons dertig jaar geleden bijna het leven kostte op een beschaafd scheetje van Juno te doen lijken. En dat allemaal om een orakel te raadplegen over iets waarop u, zover ik weet, het antwoord al kent omdat het zo duidelijk als wat is.'

'Wat?'

'Het antwoord.'

'En welk antwoord is zo duidelijk als wat?'

'Ga zo snel mogelijk naar Rome en grijp wat van u is.'

'Ja, dat is het antwoord op de vraag: wat moet ik nu doen? Dat geef ik toe. En daarom ga ik die vraag ook helemaal niet stellen, dat zou voor iedereen tijdverspilling zijn.'

'Wat gaat u dan vragen?'

'Dat is tussen de god en mij; maar ik kan je verzekeren, Magnus, dat het zeker de moeite waard is om de reis naar Siwa te maken. Ik heb het antwoord op deze vraag nodig omdat het me gerust zal stellen bij een kwestie die invloed zal hebben op de manier waarop ik ga regeren als ik in Rome ben.'

Magnus draaide de vissen om met zijn mes. 'Dan kan het maar beter een echt goeie vraag zijn, een flink lastige, zodat dit het allemaal waard is.'

Caenis liet zich op haar zij rollen en ondersteunde haar hoofd met een hand. 'Mij hoor je niet klagen. Kijk toch hoe mooi het hier is. Denk je dat we ooit nog zulke avonden zullen hebben als we weer terug in Rome zijn? Natuurlijk niet. Dit zijn waarschijnlijk onze laatste dagen in relatieve vrijheid voordat we de verantwoordelijkheid van het rijk moeten dragen. De taak om de financiën van het rijk op orde te krijgen is zo enorm dat een kleine vakantie als deze onmogelijk zal zijn.'

'U bent duidelijk nog nooit door een echte woestijn getrokken,' meende Magnus, 'anders zou u tweehonderd mijl op een klotekameel niet als een vakantie beschouwen.'

'Klopt, Magnus, dat heb ik nog nooit gedaan, maar ja, ik heb in mijn leven niet veel anders gedaan dan toekijken terwijl mensen plannen en intriges in Rome uitbroedden. Toen we acht jaar geleden naar Britannia gingen was dat de eerste keer dat ik in een van de provincies kwam sinds die ene keer dat ik in Gallia Belgica was, twintig jaar geleden. Sindsdien hou ik van reizen: Achaea, Thracië, Judaea en nu Egypte. Dit is mijn laatste kans om al die plekken te zien, want als we terug zijn in Rome krijgen we het veel te druk voor deze vorm van ontspanning.'

Magnus gromde en testte een van de vissen met de punt van zijn mes. 'Nou, ik sla deze vakantie liever over, geef mij maar dat harde geploeter dat u in Rome voor ons in petto schijnt te hebben.'

'Je hoeft niet mee te komen naar Siwa,' vertelde Vespasianus hem. 'Je kunt hier bij de schepen blijven, je hebt die mooie grote kajuit in de quinquereem dan helemaal voor je alleen.'

'Wat? En de kans missen om u te zien praten met een god? Bekijk het maar, ik ga mee.'

'Hou dan op met jammeren en dien de vis op en geef de wijnzak aan. Laten we genieten van misschien wel onze laatste kans op een vredig maal op het strand, gezeten rond een vuur op een warme avond en in goed gezelschap.'

Magnus nam een slok en gaf de wijnzak door. 'Goed dan, ergens hebt u wel gelijk. Wie had kunnen denken dat ik op een dag op een strand vis zou zitten grillen voor een keizer?' Hij schepte de vissen op een bord. 'Tja, als je terugdenkt aan al die jaren geleden, toen ik jullie aanhield en de diensten van de broederschap aanbood, op de dag dat u met uw familie naar Rome kwam, wie had toen ooit kunnen vermoeden dat u keizer zou worden?' Hij brak een stuk brood af, legde het op een bord en gaf het aan Caenis. 'Ik niet, dat is zeker. Ik had zelfs geen geld gezet op uw kansen om quaestor te worden, zo'n snotneus was u, en kijk nou eens.' Hij schudde zijn hoofd in ongeloof en grinnikte, terwijl hij Vespasianus zijn bord overhandigde. 'Het is echt niet natuurlijk.'

Vespasianus nam een grote slok uit de zak en veegde zijn mond af met de rug van zijn hand. 'Zie je wel, Magnus, je hebt er al lol in.'

'Zes uur nog,' verzekerde de Marmaride, die vooruitwees over de vlakke, okerkleurige en lichtbruine woestijn, met hier en daar grotere en kleinere rotspartijen in dezelfde tinten. 'Pal zuid.'

'En je weet zeker dat er water in deze bron is, Izem?' vroeg Vespasianus, zijn dorst groeiend, terwijl hij zijn kameel met een stok voorwaarts dreef.

Izem haalde zijn schouders op. 'Ik niet weten. Als zandstorm geblokkeerd heeft als vorige bron, dan nee. Als we geluk hebben, ja.'

Magnus kreunde met droge keel en keek op naar de hemel, waar de zon meedogenloos brandde, ook al was het pas het tweede uur van de dag. 'Dan kunnen we maar beter doorzetten; nog zo'n dag zonder water en we gaan weer dromen dat we elkaars pis drinken.'

Vespasianus draaide zich om en zag de zestig ruiters van hun escorte nog altijd in een colonne van twee naast elkaar rijden. 'In ieder geval zijn we nog bij elkaar, niemand is achtergebleven.'

'Maar als we bij de volgende bron geen water vinden,' zei Caenis, die het zweet van haar voorhoofd wiste met de linnen doek die ze over haar hoofd droeg, 'zitten we morgen zonder en het is nog zeker twee dagen rijden.'

'Dus als de volgende bron ook door de zandstorm is bedekt, dan is de vraag: wat kunnen we het beste doen? Doorgaan zonder te weten of we nog water zullen vinden voordat we bij Siwa komen of terugrijden omdat we weten dat er op een dag rijden water is?'

'En dan vier dagen verder terug naar zee gaan, liefste, zonder te hebben gedaan waar we voor zijn gekomen? Dat zou tijdverspilling zijn.'

'Ja, maar we zijn dan tenminste nog in leven.'

'We kunnen toch wel twee dagen overleven zonder water?'

'Niet allemaal, sommigen zullen bezwijken onder de hitte.'

'Volgende bron heel groot,' zei Izem grinnikend en knikkend. 'Volgende bron groot genoeg voor hele leger om te drinken en waterzakken te vullen.'

'Nou, ik kan me niet voorstellen dat iemand zo dom is om hier een heel leger mee te nemen,' zei Magnus, die zijn leren hoed met slappe rand afnam en de bovenkant van zijn hoofd afveegde. 'Deed Alexander dat toen hij kwam?'

'Nee,' antwoordde Vespasianus, 'hij kwam met een klein escorte, net als wij, om diezelfde reden. Niemand heeft het aangedurfd hier met een heel leger te komen sinds koning Cambyses van Perzië troepen naar Siwa stuurde om de stad voor Perzië te veroveren. Het is nooit meer gezien. Een heel leger werd zomaar door de woestijn opgeslokt.'

Magnus zette zijn hoed weer op. 'Tja, als de woestijn een leger kan opeten, dan zou ik zeggen dat hij ons nu als een lekker hapje ziet, als u begrijpt wat ik bedoel.'

Dat deed Vespasianus, maar hij wilde het niet toegeven.

Verder gingen ze, wiegend op de deinende kamelenpas, starend naar de scherpe horizonlijn, waar hemelsblauw en woestijnbruin elkaar ontmoeten. De zon klom naar zijn hoogste punt en brandde ongenadig op alles onder hem. Vespasianus kreeg visioenen van dood door uitdroging, maar bande die uit zijn geest en hield zich voor dat hij erger had meegemaakt in de woestijn: toen hij van Cyrene door dit onvruchtbare landschap naar Siwa was gereisd, en nogmaals toen hij in Afrika terugkwam uit het koninkrijk van de Garamanten.

'Nu stoppen we,' zei Izem, zijn hand opstekend. De zon stond vrijwel op het hoogste punt. 'Drie uur, dan we gaan.'

Vespasianus liet zijn kameel knielen, waarbij het dier eerst door de voorpoten ging, en stapte af. Het escorte begon onmiddellijk een luifel op te zetten om het gezelschap te beschermen tegen de beukende stralen van de hoge zon.

Voorzichtig nam hij een paar slokjes uit de bijna lege waterzak. Hij bewoog het lauwe water zo lang mogelijk door zijn mond in de hoop dat die in ieder geval even vochtig zou blijven. Hij liet zijn blik doelloos naar het zuiden dwalen omdat hij toch niets beters te doen had en kneep toen zijn ogen samen, want hij zag iets. 'Zijn dat heuvels, Izem?' Hij wees op wat een reeks bobbels leek, gelegen aan de horizon en vaag zichtbaar in de van hitte trillende lucht.

'Nee, meester, geen heuvels tussen hier en Siwa; alleen vlakke, harde woestijn en dan een zee van zandduinen. Geen heuvels.'

'Wat is dat dan?'

De Marmaride keek in de verte en schermde zijn ogen af van de zon bijna loodrecht boven hen. Hij fronste toen hij de verheffing zag in het verder vlakke landschap. 'Geen heuvels,' zei hij op vragende toon, meer tegen zichzelf dan tegen iemand anders. 'Geen heuvels.'

'Nu wel,' zei Vespasianus. 'En behoorlijk grote, zo te zien, en ze liggen op onze route. Hoe ver denk je dat het is, Izem?'

Izem krabde in zijn volle baard en dacht even na, waarna zijn gezicht een sombere uitdrukking kreeg. Hij wendde zich tot Vespasianus. 'Niet goed, meester, moeten grote zandduinen zijn, gemaakt door zandstorm. Zijn zo'n drie uur van hier; zijn bij bron. Misschien zijn op de bron.'

Met bange voorgevoelens bewoog de colonne zich richting de duinen, terwijl de zon de westelijke horizon begon te naderen. Het nieuws van de duinen en hun mogelijke locatie had zich snel onder de mannen verspreid en het verlangen om te weten of er nog water was had gezorgd dat ze een halfuur eerder waren opgebroken.

'Ze moeten wel zo hoog als de Pharos zijn,' zei Vespasianus toen de omvang van de duinen bij het naderen duidelijker werd. 'Heb je ooit zulke grote gezien, Izem?'

De Marmaride schudde zijn hoofd, zijn ogen wijd open van verwondering. 'Nooit meester. Ik nooit geweten dat er zoveel zand op één plek is.'

'En we moeten eroverheen?' vroeg Caenis.

'Ja, meesteres, als bron nog is, dan aan de andere kant.'

'Maar waarschijnlijk eronder,' klaagde Magnus, terwijl ze begonnen te stijgen.

Omhoog gingen ze. Ze beklommen het steile duin door diagonaal zigzaggend langs de hellingen te gaan, steeds hoger boven de woestijn komend. Achter hen, in het noorden, leek de woestijn uit te dijen doordat de horizon bij het klimmen week; ze kregen het gevoel zelf steeds kleiner te worden in vergelijking met de enorme heuvel die ze beklommen en de alsmaar groeiende vlakte waarin die stond.

Met steeds meer moeite zwoegden de kamelen verder, de hoeven zonken dieper en dieper in het zand, dat naar de top toe steeds losser werd; minilawines kwamen naar beneden en vormden onregelmatige golven langs de verder gladde helling van het duin. Snuivend van ongenoegen werden de dieren voortgedreven, ze hielden hun kop hoog en keken ongenaakbaar rond alsof ze probeerden te begrijpen wat het doel van die lastige beklimming was.

Maar het doel was de top, waar ze konden zien wat er aan de andere kant lag, en die top bereikten ze toen de zon nog maar een uur van de horizon verwijderd was. Vespasianus zette zijn kameel aan en versnelde nu het terrein vlakker werd. Hij reed drie-, vierhonderd passen over de top van het duin op weg naar de rand om daarachter de woestijn weer te kunnen zien en te weten of de bron er nog was.

Met een gevoel van verwarring zag hij weer iets vreemds toen hij voorbij het duin kon kijken. Enkele ogenblikken lang begreep hij niet wat hij zag toen hij de kam van het duin bereikte: een donkere schaduw lag over het land, zeker een mijl ver. Maar hij was niet egaal, er waren lichtere vlekken binnen de schaduw. Hij bracht zijn rijdier tot stilstand op het hoogste punt en keek neer op wat er niet had moeten zijn, en toen herkenden zijn hersenen wat hij zag: een enorme verzameling mensen, duizenden, sommige zaten, andere lagen, en ze hadden kamelen en paarden bij zich, en ook die lagen, meestal op hun zij, en allen waren bewegingsloos, als bevroren in de tijd.

En toen begreep Vespasianus dat ze inderdaad bevroren waren in de tijd en zijn mond ging open bij het besef van het ongelooflijke dat hij zag. 'Het leger van Cambyses,' fluisterde hij tegen zichzelf.

'Wat zei u?' vroeg Magnus toen hij en Caenis op hun kamelen aan weerszijden van hem kwamen staan, hun ogen verbluft op het tafereel gericht.

'Het leger van Cambyses,' herhaalde Vespasianus. 'Dat is het leger dat vijfhonderd jaar geleden verdween. Het moet door een zandstorm zoals die van een paar dagen geleden zijn begraven. Ze werden levend begraven, net zoals ons bijna overkwam de vorige keer dat we naar Siwa gingen. Al die jaren lagen ze onder het zand, tot vier dagen geleden.' Vespasianus floot zachtjes.

Magnus spuugde en greep zijn duim om het boze oog af te weren.

'Rijden we erheen?' vroeg Caenis met ademloze stem.

'Natuurlijk, liefste; dit wil ik voor geen goud missen.'

De stank van de dood was volledig afwezig boven de ontelbare levenloze lichamen toen Vespasianus in de afkoelende lucht de colonne langs het duin omlaag leidde. Ze roken alleen de zoete geur van opgewarmd leer. In stilte daalden ze af, zelfs de kamelen leken de triestheid van het tafereel te voelen en hielden hun klagerige gesnuif grotendeels voor zich. Toen ze tot zo'n vijftig voet boven de woestijn waren gedaald vulde het leger hun hele blikveld, zo groot was het. Hier lag het leger van Cambyses op de plek waar het vijfhonderd jaar geleden was verdwenen. Alles was roerloos, op een enkele mantel of pluim na die in een zacht briesje bewoog. Mens en dier lagen samen en stonden voor het eerst sinds een half millennium bloot aan de elementen.

Het rood, blauw, geel en groen van de broeken en tot op de knieën vallende tunieken van de mannen en de zadeldekken van de paarden en kamelen was nog fris na al die jaren verborgen voor de zon te zijn geweest. Bruine, zwarte of rode leren laarzen, borstpantsers, kurassen en helmen glansden alsof ze net gepoetst waren en metaal blonk in de stralen van de ondergaande zon, gepolijst door talloze zandkorreltjes. Hoe meer ze naderden, hoe zwaarder de warme geur van het leer werd. Toen Vespasianus tussen de eerste groepjes lichamen door reed leken

261

ze in zijn ogen nog maar net overleden, zo mooi waren hun kleding en wapenuitrusting gebleven. Wat daaronder zat was een ander verhaal: ze hadden beschutting gezocht onder hun mantel en waren allemaal gestikt; ze waren plat op de grond gaan liggen of hurkten of knielden voorover en de meesten waren in die houding verstard. Hier en daar had de wind het textiel weggeblazen en waren handen en gezichten tevoorschijn gekomen en was het menselijke omhulsel zichtbaar. De gemummificeerde huid was droog en strak, de oogkassen waren hol en onder hun gapende neusgaten leken de dunne lippen in een grijns vertrokken. Klauwachtige handen grepen in mantels, alsof ze zich nog altijd probeerden te beschermen tegen het stuivende zand dat zich rond hun lichaam opbouwde. Paarden, kamelen en muildieren deelden het lot van hun meesters, ze lagen op hun zij of buik en waren niet veel meer dan met perkament bedekte skeletten. Een leger van de doden, zowel fysiek als letterlijk, en Vespasianus reed langs de doden, met aan zijn zijden Caenis en Magnus, en gevolgd door de gids en zijn escorte.

Regiment na regiment passeerden ze, allemaal verstijfd in het moment van hun dood, duizenden en nog eens duizenden, naast de slaven die hen begeleidden. Na ongeveer een mijl begon de dichtheid aan lichamen toe te nemen, omdat ze het hart van het leger naderden. De rijkdom van de uitdossingen van de mannen en de weelderigheid van het paardentuig namen toe in overeenstemming met de status van de officieren rond de satraap die de gedoemde expeditie had geleid. Maar of ze nu een hoge of lage status hadden gehad, hun lot was hetzelfde geweest, begraven onder een berg van zand, gestikt en uitgedroogd; het verschrompelde omhulsel van het leger van de doden, gemummificeerd en bevroren in de tijd.

Ze reden verder door het stille leger naar een grote rotspartij. Niemand zei een woord, want klonk niet alles wat je zei banaal in het aanzicht van deze sterfelijkheid, deze sereniteit, deze geschiedenis en, ja, deze schoonheid? Schoonheid in de zin dat Vespasianus' hart geraakt werd nu hij er met eigen ogen getuige van was hoe ook de machtigste mens verslagen kon worden door ingrijpen van de goden; hoogmoed zouden zij nooit vergeven.

En zo naderden ze de rotspartij in het midden van het kamp; dertig voet breed en zo hoog als een man, en het brandpunt van het leger.

'Was de bron hier, Izem?' vroeg Vespasianus, zich tot zijn gids wendend.

262

'Ik niet weten, meester; de bron die ik zoek begraven is onder duin. Misschien dit bron was voor zandstorm leger lang geleden begroef. Ik kijken.'

'Niet nodig,' zei een stem terwijl Izem bezig was zijn kameel te laten knielen. 'De bron is er en is door Amon beschermd.'

Vespasianus zocht een moment naar de herkomst van de opmerking; pas toen hij bewoog werd de man zichtbaar. Hij stond en droeg alleen een witte rok met gordel en een hoge hoed met op de top een lange veer. 'Welkom terug. Vespasianus, Amon verwacht u.'

Vespasianus fronste zijn wenkbrauwen en na een moment herkende hij de man als de jongere van de twee priesters van de tempel van Amon in Siwa, toen hij daar al die jaren geleden gebracht was door de verraderlijke Ahmose. 'Ik ben gekomen om het orakel van Amon te raadplegen.'

'En Amon wacht.' De priester spreidde zijn armen. 'Amon heeft u een demonstratie van zijn macht gegeven. "Amon, Gij zult hem vinden die tegen U zondigt. Wee hem die U aanvalt. Uw stad blijft staan, maar hij die U aanvalt zal vallen." En zo versloeg Amon het leger dat tegen zijn tempel optrok om die voor Perzië in te nemen, en nu toont hij u, Vespasianus, het bewijs. "Het huis van wie U aanvalt is in duisternis, maar de hele wereld is in licht. Wie U in zijn hart plaatst, ziet, diens zon komt op, Amon!"'

'Amon,' herhaalde Vespasianus onwillekeurig.

'De bron in deze rotsen was vijfhonderd jaar bedekt en is nog altijd rijk aan water. Drink en vul jullie waterzakken en volg me dan naar de tempel van Amon.'

HOOFDSTUK XV

De mensen maakten plaats toen ze met de priester voorop te voet door de drukke straten van Siwa liepen. Na vanaf de bron twee dagen in oostelijke richting te hebben gereisd waren ze bij de stadspoort aangekomen en hadden daar de kamelen achtergelaten. Langs de hoofdstraat hadden boeren hun producten op dekens of palmbladeren uitgestald, de lucht was gevuld met de geuren van exotische specerijen en menselijk zweet. De straat leidde omhoog naar een tempel van zandsteen, met een taps toelopende toren aan de ene zijde, aan de kant van het stadscentrum. Toen ze naderden herinnerde Vespasianus zich weer dat de reeksen figuurtjes die in de stenen muren waren gebeiteld lijsten waren van priesters en van koningen die de tempel hadden bezocht sinds die meer dan zevenhonderd jaar eerder was gebouwd.

'Erg indrukwekkend is het niet,' zei Magnus toen ze de treden naar de tempeldeuren beklommen.

'Misschien niet,' antwoordde Vespasianus, met de tas met zijn geschenk aan de god in zijn handen, 'maar hij bezit een grote macht.'

'Tja, iets wat een leger kan begraven en het vervolgens vijfhonderd jaar later weer kan opgraven verdient denk ik wel respect.'

'Dat heb je goed gedacht,' merkte Caenis op, terwijl de priester de deuren opende.

De temperatuur was meteen een stuk lager toen ze het gebouw betraden. Symmetrische rijen zuilen, drie passen uit elkaar, droegen het hoge plafond en gaven het gevoel dat ze in een ordelijk stenen bos waren. Door de paar ramen die hoog in de zuidmuur zaten vielen bundels licht, waarin stof zweefde, naar binnen en sneden schuin door

264

het schemerige interieur van dit versteende woud. Maar hier hing geen frisse boslucht, hier overheersten het muskusachtige aroma van wierook en de stoffige geur van oude steen. De priester leidde hen door de tempel, hij keek geen enkele keer achterom om te controleren of ze hem nog volgden. Zo kwamen ze bij het heiligdom in het hart van het gebouw, waar het verbazingwekkend kleine beeldje van de god op een altaar stond, verlicht door twee lampjes. Voor dit beeldje had Vespasianus bij zijn laatste bezoek geknield, het stelde een zittende Amon voor, met een scepter in zijn rechterhand en een ankh in zijn linkerhand; hij had een mannengezicht met een open, holle mond. Over zijn benen lag een zwaard in een rijkversierde schede van grote ouderdom: het zwaard van Alexander de Grote, die het hier had achtergelaten toen hij de god om raad was komen vragen, vierhonderd jaar eerder.

'Heil aan U, die Zichzelf heeft voortgebracht als iemand die miljoenen in hun overvloed heeft geschapen. Degene wiens lichaam miljoenen is. Amon,' declameerde de priester, die voor het beeld was gaan staan.

'Amon!' antwoordden de andere drie priesters.

'Geen god werd geboren voor Hem. Geen andere god was met Hem om te zeggen hoe Hij eruitzag. Hij had geen moeder die Zijn naam schiep. Hij had geen vader om Hem te verwekken of te zeggen: "Dit behoort mij." Amon.'

'Amon!' antwoordden de priesters en Vespasianus.

De rook van de doordringende wierook die door de ruimte zweefde maakte Vespasianus weer licht in het hoofd en gaf hem een euforisch gevoel. Hij draaide zich om en zag Caenis en Magnus bij de achtermuur van het heiligdom staan; Caenis glimlachte en knikte hem bemoedigend toe.

Vespasianus wendde zich weer tot de god en haalde Alexanders borstpantser uit de tas. Hij knielde en zette het neer zodat het tegen de benen van de god leunde, onder het zwaard, waarmee hij voor het eerst sinds Alexanders leven het wapen dat hij tegen zijn vijanden had gebruikt verenigde met het pantser dat hem tegen hen had beschermd.

Vespasianus bracht zijn armen omhoog en hief zijn hoofd op naar de god; de wierook werd intenser en zijn zicht begon te vervormen. Hij voelde dat hij overeind kwam; er werd olie over zijn voorhoofd gegoten, het druppelde langs zijn gezicht. Hij herinnerde zich hoe dat hem op zijn gemak had gesteld en glimlachte.

'U die alle reizigers beschermt, komt mij te hulp als ik U in mijn nood aanroep. Blaas adem in de verworpene en bevrijd me van ketenen. Want U bent Hij die genadig is voor wie een beroep op U doet; U bent Hij die van ver komt. Kom nu op de oproep van Uw kinderen en spreek, Amon.'

'Amon,' herhaalde Vespasianus.

Het woord echode door de ruimte.

Toen stilte.

Vespasianus staarde naar de god, rond hem stonden de priesters bewegingsloos.

De ruimte werd kil. De rook hing stil in de lucht. De vlammen in de lampjes gingen lager branden.

Vespasianus voelde dat zijn hart langzamer begon te kloppen.

Hij hoorde een zachte ademhaling uit de mond van het beeldje komen en in het gedempte licht zag hij rook rond het gezicht van de god beginnen te kringelen.

Nog een ademhaling, raspend dit keer, zorgde dat de rook sneller bewoog, de lage vlammetjes flakkerden.

'Bent u dit keer gereed?' vroeg een stem.

Vespasianus kon niet zeggen of die echt was of alleen in zijn hoofd bestond; welk van de twee het ook was, hij wist dat het de stem van de god was en dat hij moest antwoorden. 'Ik meen van wel, Amon.' Ook nu wist hij niet of hij die woorden echt had gezegd of ze zich had ingebeeld.

'U hebt het geschenk geëvenaard; u mag uw vraag stellen.'

Rond de mond van het beeldje wervelde rook, maar verder was alles bewegingsloos; er was geen ander teken dat de god echt had gesproken.

Vespasianus kneep zijn ogen dicht en haalde diep adem. 'Wie moet mij opvolgen, mijn oudste zoon of degene die ik als de beste man beschouw?'

Er viel een stilte, dieper dan Vespasianus ooit had ervaren, en ze duurde een tiental of meer langzame hartslagen, waarna de vlammetjes weer flakkerden. 'De twee zijn één.'

'Misschien, maar als ik mijn zoon Titus kies, zal de jongere broer

266

dan niet tegen hem samenspannen zodat hij de prijs kan pakken? En zal het pas eindigen als de een de ander doodt?'

Weer stilte, dit keer bewoog zelfs de rook niet meer. 'De jongere zoon zal zich altijd zo gedragen, wie u ook als opvolger kiest, tenzij u hem kiest; en dat moet u nooit doen, want hij heeft een meedogenloze en infame ambitie en een aanmatigende en kille trots. Hij gedraagt zich nu al als hoger dan hij is en zal wrok koesteren als hij op zijn plaats wordt gezet.'

'Wat is dan mijn pad?'

'U kunt uw jongste zoon niet doden, want Rome zal dat als een terugkeer naar de dagen van Nero zien en u zult vallen. U kunt hem ook niet verbannen, want trots en ambitie zullen hem tot roekeloze ontsnappingspogingen verleiden, die zijn dood even zeker maken als rechtstreeks een dolk in zijn hart planten, en ook dan zult u gezien worden als een vader die zijn zoon heeft gedood. Ook kunt u uw oudste zoon niet offeren om de familieharmonie te behouden, want ook hij is trots en ambitieus, in zijn geval terecht. Hij zal zich teweerstellen tegen eenieder die hem afneemt wat hij als zijn geboorterecht ziet en oorlog zal onvermijdelijk zijn. En toch moet u voorwaarts gaan.'

'Dan moet ik een van mijn zoons verdoemen tot een dood door de hand van de ander.'

'U moet de plicht aanvaarden die in uw handen is gelegd; dit moment is altijd voorspeld, maar wat u nu moet doen is niet wat u denkt.'

'Ik moet niet zo snel mogelijk naar Rome gaan?'

'Door hier te komen hebt u de vergissing vermeden die zowel Galba als Vitellius heeft gemaakt: naar Rome komen terwijl de stad nog in chaos verkeerde. Dit jaar hebt u het oosten in handen: blijf en verstevig uw positie; laat Rome naar u komen en vragen, smeken zelfs, dat u terugkeert. Volgend jaar keert u met het graan dat het oosten produceert als verlosser terug naar het westen, en niet als veroveraar. Ga nu, trotseer niet de wil van de goden omdat u vreest voor het leven van uw zoons. De macht die het lot leidt, onze macht, de macht van de goden, is groot, zoals u getoond is met het leger van Cambyses, aanvaard dus wat de goden bieden en denk niet aan de gevolgen.'

Vespasianus opende zijn mond om nog een vraag te stellen, maar de rook stroomde de mond van het beeldje in en de lampen begonnen weer met hun oorspronkelijke felheid te branden. Hij knipperde met zijn ogen en haalde diep adem en stond op, want hij wist dat de audiëntie voorbij was; zijn pad was vastgelegd en hij kon er niets aan veranderen.

'En?' vroeg Magnus toen Vespasianus zich omdraaide en van het altaar wegliep.

'Wat en?'

'U weet heel goed wat ik bedoel.'

'Heb je niets gehoord?'

'Het was alsof de wagen van de tijd tot stilstand was gekomen, liefste,' zei Caenis, die uit de schaduwen tevoorschijn kwam. 'Ik heb geen enkel idee hoe lang we er waren, het kan honderd hartslagen zijn geweest, of honderd uur. Maar wat zeker is, is dat we niets hebben gehoord en alles wat we gezien hebben is dat jij roerloos voor het altaar knielde.'

Vespasianus herinnerde zich dat het de vorige keer ook zo was gegaan; de priester had hem verteld dat de woorden van de god voor hem alleen waren. 'De god heeft tot me gesproken; in ieder geval geloof ik dat hij dat deed.'

'En?' vroeg Magnus weer, dit keer op dringender toon.

'Hij gaf me geen reden om me gerust te voelen.'

'Wat hebt u hem gevraagd?'

Vespasianus schudde zijn hoofd. 'Dat is tussen mij en Amon. Maar wat ik wel kan zeggen is dat ik mijn lot moet aanvaarden, wat de gevolgen voor mij of mijn familie ook zijn.' Vespasianus' normaal al gespannen gezicht kreeg er een pijnlijke trek bij toen hij aan de gevolgen dacht.

'Gaat het, liefste?' vroeg Caenis en ze nam zijn gezicht in haar handen.

'Het zal wel moeten, want ik kan niets doen om het onvermijdelijke te vermijden; er is geen ander pad dat ik kan bewandelen dan dat waarop ik me bevind; het pad waarop ik vanaf het moment van mijn geboorte gezet ben. Ik word voortgestuwd door het lot, mijn persoonlijke wensen komen op de tweede plaats en dus kan ik niets anders doen dan doorgaan en bidden dat Titus niets overkomt.'

Magnus fronste verward. 'Titus?'

'Ja, Titus.'

Caenis' gezicht betrok toen ze Vespasianus' dilemma begreep. 'Natuurlijk, liefste, het verbaast me dat we het niet eerder hebben gezien. We hebben er helemaal niet aan gedacht wat het betekent dat Domitianus niet je opvolger is.'

'Ooo,' mompelde Magnus toen het hem duidelijk werd. 'Dat is een vervelende gedachte; dat kleine klootzakje heeft het nooit kunnen aanvaarden als iemand boven hem stond of hem overschaduwde. Hij heeft heel andere prioriteiten en is niet bang om een scherp punt te maken en daarmee toe te slaan, als u begrijpt wat ik bedoel.'

Vespasianus vertrok zijn gezicht bij de gedachte. 'Ik ben bang dat ik dat doe, Magnus.'

Caenis kauwde op haar onderlip. 'En wat kun je eraan doen?'

'Dat is iets wat ik de volgende september moet beslissen, als ik terugga naar Rome.'

'Volgende september?' zei Magnus. 'Ik weet niet of ik dat nog wel haal. Waarom niet zodra het scheepsverkeer weer mogelijk is in het voorjaar?'

'Omdat ik de raad heb gekregen om Rome naar me toe te laten komen, terwijl ik hier blijf om het oosten veilig te stellen.'

Caenis knikte goedkeurend. 'Dat lijkt me verstandig, liefste; als Vitellius dood of afgetreden is, heeft de Senaat geen andere keus dan je te steunen. Laat ze een delegatie sturen om je te smeken naar Rome te komen, zodat je gezien wordt als de keizer die de prijs aanvaardde die hem werd aangeboden en niet die hem nam. Mucianus en Sabinus kunnen de stad zolang in jouw naam besturen.'

Vespasianus keek naar het beeldje van de god, nu niet meer dan een levenloos stuk steen, en toch was het een voorwerp dat ontzag opwekte, want hij besefte opeens hoe waardevol de raad van de god was. Nu wist hij waarom het zo belangrijk was geweest om naar Siwa te gaan, want het had voorkomen dat hij de ernstige politieke fout had begaan om naar Rome terug te keren voordat de situatie uitgekristalliseerd was. 'Ja,' antwoordde hij, 'maar belangrijker nog, Mucianus zal moeten afrekenen met mijn tegenstanders en de overgebleven aanhangers van Vitellius; en niet ik. Toegegeven, hij doet het uit mijn naam, maar ik zal niet als direct verantwoordelijk voor de dood of verbanning van mijn vijanden worden gezien. Mucianus zal de Senaat zuiveren, hij is degene die de onaangename beslissingen neemt, niet ik. Als ik wacht tot eind volgend jaar, dan zal Rome intussen tot rust zijn gekomen en kan ik zonder bloed aan mijn handen naar de stad terugkeren. En ik keer terug omdat de Senaat het me vraagt en niemand zal reden hebben om wrok tegen me te koesteren. Mijn positie zal zoveel sterker zijn dan als ik het vuile werk zelf opknap.'

'Ik ben zo snel mogelijk gekomen, meester,' zei Hormus zonder omhaal nadat hij was toegelaten tot de persoonlijke vertrekken van Vespasianus in het Ptolemeïsche paleis in Alexandria. 'Ik heb er negentien dagen over gedaan, want mijn schip verging bijna in een storm bij Kreta en we moesten zes dagen wachten op een weersverbetering.'

Vespasianus hield zijn hoofd achterover en leunde tegen de rug van zijn stoel, terwijl Caenis haar scheermes over zijn geoliede kin liet glijden en hem zorgvuldig schoor. 'Hoe heb je een trierarchus bereid gevonden om in deze tijd van het jaar de zee op te gaan?'

'Ik vertelde hem dat we u als eersten het nieuws konden brengen dat de Senaat de brief die u hebt gestuurd heeft besproken, en dat u in een stemming als enige keizer bent erkend.'

Caenis haalde snel het scheermes weg van Vespasianus' keel; hij ging met een ruk overeind zitten. 'Vitellius?'

'Dood, meester; elf dagen voor de calendae van januari, drieëndertig dagen geleden. De Senaat is de dag erna bijeengekomen en kende u de meeste titels toe die Nero had. De volgende dag ben ik naar het noorden gegaan om verslag uit te brengen aan Mucianus en vervolgens ben ik met hem en het leger naar Rome gegaan. We zijn op de calendae aangekomen en hij bestuurt nu de stad met uw ring als autoriteit. Twee dagen later ben ik hierheen vertrokken.'

'Dank je, Hormus, je hebt het goed gedaan.' Vespasianus nam een vochtige handdoek van Caenis aan en wreef de resten olie van zijn gezicht. 'De meeste titels, zei je?'

'Ja, meester, ik heb een kopie van de wet meegenomen, de Lex de Imperio Vespasiani.' Hij overhandigde Vespasianus een rol.

Vespasianus gaf de handdoek terug aan Caenis en rolde het document uit, hij nam de tijd om de inhoud tot zich te laten doordringen. 'Dit is bij lange na niet zo grondig als moet zijn. Ik moet in niets anders gezien worden dan de eerdere keizers, ik moet dezelfde macht hebben en ik wil dat de bevoegdheden duidelijk zijn zodat iedereen het begrijpt. Wie heeft dit halfslachtige stuk wetgeving opgesteld?'

'Mucianus leidt de Senaat bij de besluiten…' Hormus liet de zin in de lucht hangen.

Vespasianus keek Caenis aan. 'Nu zullen we zien in hoeverre we hem kunnen vertrouwen.'

Caenis veegde het scheermes schoon. 'Hij zal er altijd iets voor zichzelf uit slepen, wie zou dat niet doen in deze situatie?'

'Een consulschap natuurlijk.'

Hormus schudde zijn hoofd. 'Nee; in uw afwezigheid, meester, heeft hij de Senaat u en Titus tot de eerste twee consuls van dit jaar laten benoemen en hij laat het aan u over om te beslissen hoe lang u in die functie blijft en wie het moet overnemen als *suffectus*.'

Vespasianus was duidelijk verrast. 'Hij lijkt terughoudend.'

'Niet in alle opzichten, meester. Ik moest u vertellen dat hij een stel centuriones naar Afrika heeft gestuurd om de gouverneur, Lucius Calpurnius Piso, te vermoorden zodat die provincie met haar graan veilig in onze handen is.'

'Dat is begrijpelijk, ik heb zowel hem als de legaat van de Derde Augusta geschreven en hun erkenning geëist; een paar dagen geleden kreeg ik een brief van Festus waarin hij me van zijn steun verzekerde en zei dat hij het legioen de eed aan mij zal laten zweren. Piso heeft niet geantwoord. Wat voor bewijzen had Mucianus tegen hem?'

Hormus haalde zijn schouders op. 'Dat heeft hij niet gezegd, meester; ik moest u alleen maar vertellen dat Piso ging sterven. Hij was er zeker van dat u tevreden met het nieuws zou zijn.'

'In ieder geval heb jij niet de opdracht voor de moord gegeven, liefste,' zei Caenis, die haar scheermes in zijn doos opborg.

'Dat is inderdaad iets. Wie zijn er nog meer dood, Hormus?'

'Vitellius natuurlijk, en zijn zevenjarige zoontje.'

Vespasianus trok een grimas bij het bericht en voelde opnieuw opluchting omdat hij niet degene was geweest die het noodzakelijke bevel had gegeven, want de jongen moest sterven.

'Julius Priscus, de prefect van de praetoriaanse garde, heeft bevel gekregen zelfmoord te plegen; en Piso's schoonzoon Calpurnius Galerianus werd mee de stad uit genomen voor een ritje, waarna hij, eh… overgehaald werd hetzelfde te doen. Daarnaast is er nog een tiental minder belangrijke mensen gestorven voor ik vertrok.'

'Mucianus krijgt heel wat bloed aan zijn handen.'

Het was wat Vespasianus gevreesd had sinds hij in november uit Siwa naar Alexandria was teruggekeerd en het nieuws had gekregen van Antonius Primus' overwinning op het leger van Vitellius in de Tweede Slag bij Bedriacum. Vervolgens kwam er bericht dat alle Bataafse hulpcohorten onder leiding van Gaius Julius Civilis waren opgetrokken, zogenaamd in Vespasianus' naam. Hij had onmiddellijk een brief aan de Senaat geschreven waarin hij eiste als de enige keizer erkend te worden.

Na de berichten over de Bataafse opstand en de nederlaag van Vitellius' leger was Vespasianus tot zijn grote frustratie verder verstoken gebleven van nieuws vanwege de vijandige aard van de winterzee. De rest van november, december en het eerste deel van januari speelden twee vragen voortdurend door zijn hoofd. Was Civilis een opportunist? Vespasianus herinnerde zich de man als een prefect van een van de Bataafse cohorten die waren toegevoegd aan de Tweede Augusta tijdens de invasie van Britannia. Hij had toen sympathie en respect voor hem gevoeld. Als Civilis oprecht was in zijn steun voor hem, dan zou Vespasianus hem zijn dankbaarheid tonen; maar als hij niet oprecht was, dan was hij een van de eerste mensen die moesten worden aangepakt zodra Vespasianus zich van de macht had verzekerd. Hoe het ook zij, hij was tevreden met de nuttige afleiding die onrust langs de Rijn betekende, want Vitellius moest er troepen heen sturen die hij eigenlijk niet kon missen.

Maar hoe zat het met Vespasianus' eigen troepen? Dat was de tweede vraag die maar in zijn hoofd bleef spoken. Hij kon wel raden dat Antonius naar Rome optrok, maar hoe snel en met wat voor voorzorgsmaatregelen? Hij wist niet waar Mucianus was en hij kon alleen maar aannemen dat die zo snel mogelijk achter Antonius aan ging om te voorkomen dat de eigenzinnige en ambitieuze generaal Rome in handen zou nemen. Twee maanden lang had hij gewacht en niets gehoord; de stilte uit het westen galmde in zijn oren en zijn onvermogen om in de gebeurtenissen in te grijpen beangstigde en irriteerde hem. Hij overwoog om de raad van de god in de wind te slaan en voorbereidingen te treffen om zodra de weersomstandigheden dat toelieten naar Rome terug te keren. Maar nu was eindelijk het nieuws waar hij zo met smart op had zitten wachten gekomen; nu wist hij zeker dat hij keizer was, erkend door iedereen. Hij wist ook dat zijn angsten bewaarheid werden en dat Mucianus niet terughoudend was in zijn uitoefening van de macht; er stierven mensen in naam van Vespasianus, maar niet op zijn directe bevel en daar was hij in ieder geval dankbaar voor.

'En hoe zit het met Sabinus en Domitianus?' vroeg Vespasianus, die even had nagedacht over Mucianus' optreden.

Hormus zweeg een ogenblik, de ogen gericht op het fraaie mozaïek waar hij op stond. 'Domitianus is tot *praetor* gekozen met de status van consul.'

'Wat? Dat is belachelijk voor een jongen van zijn leeftijd, wiens idee was dat? Sabinus zou dat toch nooit toestaan?' Vespasianus keek Hormus aan, wachtend op antwoord. De vrijgelatene zei niets, hij bleef omlaagkijken. Vespasianus voelde zijn maag omkeren toen hij de waarheid besefte. 'Hij is dood, nietwaar?'

Hormus slikte en richtte zijn hoofd op zodat hij zijn meester net kon aankijken. 'Ja, meester. Hij probeerde de Capitolijn voor u te houden tot Mucianus en Antonius zouden komen. Vitellius' mannen bestormden de heuvel, namen hem in en hebben daarbij de tempel van Jupiter in de as gelegd. Domitianus ontsnapte, maar Sabinus werd gegrepen; hij werd op bevel van Vitellius gedood.'

Vespasianus voelde Caenis' handen op zijn schouders, ze troostten hem evenzeer als ze hem tegenhielden. Tegengehouden hoefde hij niet te worden, maar hij had wel behoefte aan troost toen beelden van zijn broer door zijn hoofd schoten: het beest dat hem als kind gepest had, de schamperende jongeman die na vier jaar dienst onder de adelaar terugkeerde om hem bij elke mogelijkheid te kleineren en vernederen. En toen was het langzaam veranderd, te beginnen met hun confrontatie bij het orakel van Amphiaraus, waar Sabinus had toegegeven dat hij bang was overvleugeld te worden door zijn jongere broer. En in de loop der jaren was de geleidelijke acceptatie gekomen dat het zo moest zijn, met als culminatie vorig jaar, toen Sabinus verscheen met Alexanders borstpantser en Vespasianus aanmoedigde om zijn kans te grijpen en het lot te volgen, waardoor hij daadwerkelijk hem, de oudere broer, zou overvleugelen. En nu was Sabinus dood, gestorven zodat zijn jongere broer degene kon zijn die de familie roem bracht; een onzelfzuchtig gebaar van een man van wie Vespasianus erg veel had gehouden, zo besefte hij nu.

Van diep uit zijn kern welde de eerste snik omhoog, hij stikte er bijna in; er volgde een tweede en een derde en voor Vespasianus zich kon beheersen stroomden de tranen over zijn wangen en ging zijn borst hortend en stotend op en neer. Hoe lang hij in die toestand van blind verdriet bleef wist hij niet, want hij kon alleen zijn verlies zien. Langzaam kwam hij weer boven uit de diepte en begon controle over zichzelf te krijgen, de wereld om hem heen drong weer tot hem door: Hormus die ongemakkelijk kijkend voor hem stond en niet wist wat hij met zijn meesters verdriet aan moest; Caenis die zijn schouders masseerde in een poging de spanning van het verdriet uit zijn lichaam te kneden.

Na een paar keer diep ademhalen kalmeerde Vespasianus en keek vervolgens zijn vrijgelatene aan. 'Vertel me wat er gebeurd is.'

Vespasianus slikte nog een snik door en sloeg op de armleuning van zijn stoel. 'Ze hebben zijn lichaam dus op de Gemonische trappen gegooid?'

'Ja, meester,' antwoordde Hormus, zijn keel droog van het lange verhaal.

'En zijn hoofd?'

'Dat werd op een speer door de straten geparadeerd.'

'En Vitellius deed niets om deze schanddaad te voorkomen omdat mijn broer weigerde om... nou ja, natuurlijk weigerde hij.' Vespasianus sloeg weer op de armleuning, stond op en liep naar de deuren die op het terras uitkwamen, terwijl Caenis hem bij de arm hield. 'Maar waarom heeft hij Sabinus laten doden als hij wist dat Antonius zijn kamp had opgeslagen bij de Milvische Brug en de volgende dag Rome zou binnentrekken? Sabinus' leven had dat van die idioot zelf kunnen sparen.'

'Hij had de gebeurtenissen niet in de hand, meester,' zei Hormus, die Vespasianus naar buiten was gevolgd. 'Hij was zwak, hij probeerde af te treden, maar zijn volgelingen stonden het niet toe uit angst voor wat hun zou overkomen.'

'Ik zal ze tot de laatste man afmaken,' siste Vespasianus, 'allemaal!'

'Daarom is het maar beter dat je er nu niet bent, liefste,' zei Caenis. 'Als je de stad was binnengetrokken en overal om je heen wraak had genomen, zou je al snel als een tiran worden gezien en dan eindigt jouw hoofd ook op een speer.'

'Zoals dat van Vitellius,' zei Hormus.

'Is dat gebeurd? Mooi.' Vespasianus' stem was koud. 'Heeft hij nog gevochten tot het einde of was hij zijn vette, luie zelf?'

'Antonius versloeg met gemak Vitellius' armzalige troepen en het handjevol gewapende burgers en gladiatoren dat zich bij hen had gevoegd; hij veegde ze opzij bij de Milvische Brug en trok de stad in. Er volgden nog wel hevige gevechten in de straten van Rome met de vier praetoriaanse cohorten die Vitellius trouw waren gebleven. Ik kwam met Antonius de stad in, want Mucianus had me gestuurd om het verzoek over te brengen nog even te wachten met de aanval op Rome, omdat hij slechts een paar dagmarsen achter hem was.'

'Maar Antonius weigerde,' zei Vespasianus, die de situatie voor zich zag.

'Ja, meester. Hij had gezien dat de stad praktisch onverdedigd was en wilde de glorie niet delen.'

'Welke glorie is er in de verkrachting van Rome?'

'Weer een goede reden voor jou om niet aanwezig te zijn,' merkte Caenis op.

'Ja, en als de geschiedenis wordt geschreven zal Antonius als de schurk overkomen; hij en Vitellius. Hoe is Vitellius gestorven?'

'Hij was in het Gouden Huis gaan wonen, tot woede van veel mensen, en had zich daar nu verstopt, maar ze vonden hem en sleepten hem over de Via Sacra naar het forum. Sommige Germaanse lijfwachten probeerden hem nog te bevrijden, maar die werden afgeslacht. Hij werd naar de rostra gebracht waar Galba is vermoord en werd gedwongen toe te kijken terwijl zijn beelden neergehaald werden.'

Vespasianus liet een donker lachje horen. 'Dat zal zijn *dignitas* geraakt hebben, als hij daar nog wat van overhad.'

'Ik geloof het wel, meester, want vlak voordat hij gedood werd zei hij: "En toch was ik ooit jullie keizer." Hij werd doodgehakt; ik zag het en het was geen plezierig gezicht. Zijn hoofd werd de stad rond geparadeerd en zijn lichaam werd op dezelfde plek als dat van Sabinus gegooid. Niemand wilde het hebben, anders dan Sabinus, die voor een begrafenis werd weggehaald. Ze hebben hem daarom met haken naar de Tiber gesleept en in de rivier gegooid.'

'Een passend einde voor die waardeloze papzak.'

'Je zult je grootmoediger tegenover je voorganger moeten betonen als je terugkeert,' waarschuwde Caenis hem.

'Maak je geen zorgen, liefste, ik zal me als een staatsman gedragen. Ik geloof dat zijn dochter nog in leven is en binnenkort een huwbare leeftijd bereikt; om het verschil tussen Vitellius en mij te benadrukken zal ik haar van een bruidsschat voorzien. Is dat grootmoedig genoeg?'

Caenis glimlachte. 'Perfect.'

Vespasianus sloot zijn ogen en zuchtte toen hem te binnen schoot welke vraag hij nog moest stellen. 'En wat heeft Domitianus in al die tijd gedaan?'

'Hij dook weer op toen het vechten eenmaal was afgelopen, gekleed in vol uniform, en liet zich uitroepen tot caesar en werd daarna door Antonius' troepen naar uw huis begeleid.'

'Uitgeroepen tot caesar?'

'Ja, meester, de titel is ook aan Titus verleend.'

'Tja, die verdient hem misschien. En wat heeft Domitianus sindsdien gedaan?'

'Hij zat de Senaat voor tot Mucianus kwam, en begon met het selecteren van een delegatie van senatoren om de eed van trouw van de Senaat aan u over te brengen, meester.'

Vespasianus schudde het hoofd met een uitdrukking van ongeloof en keek vervolgens over de haven uit. 'Ik wed dat hij flink aan het opscheppen is over hoe belangrijk hij is. Hij vindt het heerlijk om iedereen te commanderen en zal subtiele – of niet zo subtiele – dreigementen uiten over wat hij gaat doen met mensen die hem tegenwerken nu hij macht heeft – of in ieder geval denkt dat hij macht heeft. Ik zie al dat ik die jongen moet aanpakken, en flink ook, al is het maar voor zijn eigen bestwil.' Vespasianus keek naar Caenis en ging met zijn opgestoken vinger heen en weer. 'En begin nou niet weer dat ik aardig voor hem moet zijn en niet te streng.'

'Wat Domitianus betreft, Vespasianus, geef ik liever geen advies, en als ik het toch moet doen, dan is het zeker niet van het soort dat je net genoemd hebt.'

Vespasianus bromde en wendde zich weer tot Hormus. 'Een delegatie senatoren, zeg je?'

'Ja, meester.'

'Wanneer komt die?'

'Dat weet ik niet, meester, er was veel onenigheid over de samenstelling, maar toen ik vertrok waren ze er bijna uit, dus ze zullen over niet meer dan een paar dagen hier zijn.'

HOOFDSTUK XVI

'Ik zeg alleen dat u hem in de gaten moet houden,' zei Magnus tegen Vespasianus toen ze de laatste treden afdaalden van de galmende, marmeren trap door het hart van het paleis. 'Hij is gekomen omdat hij weet dat hij in Rome te ver is gegaan en dat Mucianus hem wil laten executeren. Hij is wanhopig en u weet hoe onvoorspelbaar een wanhopig man kan zijn.'

'Ik weet het, natuurlijk.' Voorafgegaan door twaalf lictoren en gekleed in een purperen toga en met een lauwerkrans op zijn hoofd ging Vespasianus naar links een brede gang in. Hier stonden de op sokkels geplaatste busten van eerdere prefecten van Egypte, afgewisseld met vlammende schalen die in nissen aan weerszijden op een drievoet stonden. 'Maar Antonius heeft veel voor mijn zaak gedaan, ook al was het vaak tegen mijn bevel in. Natuurlijk is hij een opportunist en had hij waarschijnlijk hetzelfde voor Vitellius of Otho gedaan als hij gedacht had daarvan te kunnen profiteren, maar ik kan hem niet straffen zonder dat ik als buitengewoon ondankbaar word gezien, en dan zal iedereen die me gesteund heeft zich zorgen gaan maken.'

Magnus haalde piepend adem terwijl hij met moeite bijbleef, al schreden de lictoren met niet meer dan een statige pas voort over het witte marmer. 'Dat begrijp ik, en ik zeg ook niet dat u hem moet executeren, zeker niet. Alleen moet u een man als Antonius goed in de gaten houden en u moet voorkomen dat hij in contact komt met iemand die hem in zijn ogen van meer nut kan zijn dan u nu voor hem bent. En ik zou zeggen dat er tussen de vijftig senatoren die hier vanuit Rome naartoe zijn gekomen wel een of twee kandidaten zitten. Ik zou wel eens willen weten waarom Antonius juist nu, zo kort na hen, opduikt. Wil hij met u spreken of met een lid van de delegatie, als u begrijpt wat ik bedoel.'

'Dat doe ik, Magnus, en ik neem je raad ter harte en zal bevel geven Antonius niet met de delegatieleden te laten spreken nadat ik ze ontvangen heb.'

Aan het einde van de lange gang gingen ze bij een groot raam dat uitzicht bood op de paleishaven naar rechts. Ze waren nu bij een volgende gang, die gedomineerd werd door een reeks beelden van zowel mannelijke als vrouwelijke leden van de Ptolemeïsche dynastie, allemaal met pruik op en geschilderd in levensechte kleuren en met echte kleren aan. Vespasianus stopte bij het eerste beeld, de stichter van de dynastie, Alexanders generaal Ptolemaeus Soter. Hij bestudeerde het borstpantser op het beeld en grijnsde. 'Het is nog steeds de kopie die ik liet maken toen we de echte hebben gestolen om een replica van die van Alexander te kunnen maken. Dat lijkt een leven geleden.'

'Een dikke dertig jaar, en ik voel ze allemaal.'

Vespasianus bewonderde de beelden waar ze langs liepen totdat ze bij dat van Cleopatra kwamen, de zevende met die naam, en weer bleef Vespasianus staan om het te bekijken. De lictoren waren inmiddels naar links gegaan naar de formele ontvangstzaal van het paleis. 'Hier betrapte Flavia me toen ik Cleopatra's gezicht stond aan te gapen, we zagen elkaar voor het eerst weer na die korte ontmoeting in Cyrene vier jaar eerder. Ze sprak tot me vanuit de kamer achter me en ik draaide me om en zag iemand die veel mooier was dan Cleopatra.' Hij dacht even terug aan zijn vrouw, de moeder van zijn kinderen, die zo wreed was gekruisigd door bandieten, vier jaar geleden. Vespasianus sloot zijn ogen en schudde zijn hoofd bij de herinnering aan hoe hij haar uit haar lijden had verlost met een zwaardsteek in haar hart. 'Ze was een goede vrouw,' mompelde hij voor hij de zaal betrad.

Magnus zweeg en keek toe terwijl Vespasianus op de delegatie van senatoren af liep, die op hem wachtte.

'Heil, caesar!' was de unanieme kreet waarmee Vespasianus begroet werd toen hij tegenover de vijftig man tellende delegatie stond, allemaal gekleed in hun senatoriale toga en menigeen voorzien van een militaire kroon of overwinningsornamenten om de plechtigheid van het moment te benadrukken.

Vespasianus liet zijn blik langs de gezichten glijden én herkende ze allemaal. '*Patres conscripti*, u eert me door deze lange reis vanuit Rome te maken in deze tijd van het jaar; het weer heeft zich niet van zijn beste zijde betoond.' Hij liep tussen de senatoren door naar een curulische zetel, waar Hormus en Caenis achter zaten, klaar om notulen van de bijeenkomst te maken.

'Princeps,' begon Gnaeus Julius Agricola, de leider van de delegatie, toen Vespasianus had aangegeven dat hij goed zat en dat de bijeenkomst kon beginnen, 'we bieden u de trouw en steun van de Senaat en het volk van Rome aan.'

'En ik aanvaard ze met genoegen,' antwoordde Vespasianus, die zijn gezicht neutraal hield, want het was niet het moment om de opluchting te tonen die hij voelde. 'Ik verzoek u me op de hoogte te stellen van de toestand in Rome en in het westen.'

'De burgeroorlog in Italië loopt op zijn einde, maar gaat elders nog wel door. Drie van de verslagen legioenen van Vitellius zijn naar Moesia gestuurd om de laatste Dacische en Sarmatische invallen over de Donau af te slaan. Die begonnen nadat Antonius Primus zijn legioen naar Italië bracht zonder Mucianus te raadplegen, waardoor Moesia kwetsbaar voor aanvallen werd. Mucianus heeft ons gevraagd te benadrukken dat Antonius' overhaaste manoeuvre ertoe heeft geleid dat de hoofdmacht van uw leger vertraging opliep om de eerste golf invallen af te slaan, waardoor uw zaak ernstig gevaar liep.' Agricola zweeg even om de betekenis hiervan te onderstrepen.

Vespasianus reageerde niet, hij wist nu waarom Antonius naar hem toe was komen rennen. Hij zou plezier gaan beleven aan zijn gesprek later met de onstuimige en zelfzuchtige generaal. 'Dus Moesia houdt stand, mooi. De kleine opstand in Pontus wordt intussen neergeslagen door een van mijn prefecten van de hulptroepen. En hoe staat het verder naar het westen?'

'Vlak voor we uit Rome vertrokken gingen er geruchten over een revolte door Venutius van de Brigantes in het noorden van Britannia, princeps, maar we kennen nog geen details. De legionairs van de vier legioenen in Britannia die naar het zuiden waren gegaan om Vitellius te steunen zijn inmiddels teruggestuurd en dus hopen we dat de gouverneur, Marcus Vettius Bolanus, de zaak daar onder controle kan krijgen, want bij de Rijn hebben we momenteel geen legioenen over om steun te verlenen.'

Vespasianus begreep het probleem meteen. 'De Bataafse opstand?'

'Ja, princeps; de opstand van de Bataven. Ze deden aanvankelijk alsof ze u te hulp kwamen, maar inmiddels hebben ze hun ware gezicht laten zien: een opstand tegen Rome. De rebellie is overgeslagen naar andere Germaanse en Gallische stammen, want ze geloven dat onze legioenen het druk hebben met elkaar bevechten en het terugslaan van de Daciërs en Sarmaten. Volgens het laatste nieuws uit het gebied heeft Civilis een Gallisch-Germaans rijk uitgeroepen in Germania Superior, Germania Inferior, Gallia Belgica en Gallia Lugdunensis. We hebben er drie legioenen op afgestuurd, de Achtste Augusta, de Negende Claudia en de Dertiende Gemina, ter versterking van de legioenen die de usurpator Vitellius naar het noorden had gestuurd.'

Vespasianus glimlachte inwendig om deze verwijzing naar zijn voorganger, want hij wist dat de meeste aanwezigen hem tot op zekere hoogte hadden gesteund. 'En wie heeft het commando gekregen en wie heeft die beslissing genomen?'

'Uw schoonzoon Quintus Petillius Cerialis samen met uw zoon Titus Flavius Caesar Domitianus; ze delen het bevel. Cerialis is benoemd door uw plaatsvervanger Mucianus, en Domitianus door Marcus Cocceius Nerva.' Agricola gebaarde naar Nerva, die naast hem stond en zijn hoofd licht neeg. 'De beslissing is daarna goedgekeurd door de Senaat.'

Plaatsvervanger? Dus zo ziet Mucianus zichzelf, dacht Vespasianus, en hij knikte terug naar Nerva. Hij hield zijn gezicht in de plooi en dacht na over het nieuws dat de slechtst denkbare generaals waren gekozen om een volk te onderwerpen dat mogelijk de beste hulptroepen van het rijk voortbracht en dat een groeiend aantal bondgenoten had. Cerialis was in het beginstadium van Boudicca's opstand in Britannia door onervarenheid en onvoorzichtigheid een groot deel van zijn legioen, de Negende Hispana, kwijtgeraakt. Vespasianus had het drama met eigen ogen gezien. En Domitianus had geen enkele militaire ervaring, dat was gewoon een domme benoeming, maar hij zei het niet. 'Deze benoemingen lijken vooral ingegeven te zijn door de wens mij een plezier te doen en niet door de drang de situatie efficiënt aan te pakken.'

Er viel een pijnlijke stilte en Agricola keek naar zijn collega's voor steun.

Nerva kwam naar voren. 'Zoals u zich nog wel herinnert, princeps, hebt u me gevraagd om in uw afwezigheid voor uw jongste zoon te zorgen. Ik heb alleen gedaan wat u me gevraagd hebt. Hij is tenslotte caesar, en omdat hij geen militaire ervaring heeft wordt het tijd dat hij die opdoet. Bovendien zit hij niet bij de hoofdmacht, hij gaat met de tweede lichting mee zodra die is aangetreden.'

'Ja, maar hij heeft nominaal wel het gedeelde opperbevel, en zodra hij aankomt zal hij proberen beslissingen te nemen.'

'De legaten van de drie legioenen zijn allemaal mannen met veel ervaring en Cerialis zal hem ervan weerhouden zich als een dwaas te gedragen, dat heb ik hem namens u op het hart gedrukt.'

'Het spijt ons als het uw ongenoegen opwekt, princeps,' zei Agricola met een spoortje zenuwachtigheid in zijn stem.

Opnieuw moest Vespasianus inwendig glimlachen, want hij had de delegatie precies waar hij die wilde hebben. 'Voortaan moeten alle benoemingen aan mij voorgelegd worden.'

'Maar u was hier in Egypte, princeps.'

'En ik blijf hier nog een aantal maanden om toezicht te houden op de oogst en het transport van het voor Rome zo belangrijke graan. Maar alle militaire beslissingen die betrekking hebben op imperiale provincies, dus niet de senatoriale provincies, moeten aan mij voorgelegd worden, want ik ben de enige die daar de autoriteit voor heeft. En over autoriteit gesproken: ik dank de Senaat voor de Lex de Imperio Vespasiani, maar in mijn ogen gaat hij niet ver genoeg. Ik wil dat jullie hem aanpassen zodat er gedetailleerd wordt vastgelegd welke bevoegdheden ik als jullie keizer heb; het moet duidelijk zijn op welke gebieden ik alleen kan handelen en op welke ik steun van de Senaat nodig heb, zodat er in de toekomst geen twijfel over kan bestaan. Ik wil niet terug naar de dagen van Nero, toen de keizer leek te kunnen doen waar hij zin in had omdat alles zijn bezit was. Dat zal niet gebeuren tijdens mijn principaat. Ik zal enkele aanbevelingen opstellen die jullie moeten beoordelen voor jullie vertrekken.'

Agricola boog het hoofd en keek tevreden. 'Dat zullen we met alle genoegen doen, princeps.'

'Mooi, want we hebben een hoop werk te doen. Volgens mijn berekeningen hebben we om het rijk terug te brengen tot de staat waarin het was voordat Nero en de burgeroorlog het ruïneerden, rond de vierduizend miljoen sestertiën nodig.'

Er werd collectief naar adem gesnakt.

'En die moeten we zien te vinden, en we beginnen meteen met zoeken. Ik heb de belastingen hier in Egypte al verhoogd, maar een groot deel van dat geld gaat naar de oorlog in Judaea, die uiteindelijk weer veel gaat opleveren met de buit van Jeruzalem en het enorme aantal slaven dat we daar zullen maken, maar tot het zover is gaan Egyptes belastingen naar de oorlog. Dus, patres conscripti, de rest van het rijk zal meer moeten betalen.' Hij liet zijn ogen langs de senatoren glijden, die allemaal gekomen waren om te zien wat ze van de nieuwe keizer konden loskrijgen, het was het ideale moment om ze te strikken. 'Ik ben van plan veel van de gouverneurs die mijn voorganger heeft benoemd te vervangen door mijn eigen keus.' Hij onderdrukte de neiging om te gaan grinniken toen de aangeboren inhaligheid van de verzamelde senatoren zichtbaar werd in de ogen die opeens wijd opengingen in belangstelling. 'Deze mensen kies ik uiteraard uit degenen die zich het afgelopen jaar loyaal aan mij hebben betoond en zij zullen verantwoordelijk zijn voor het zo veel mogelijk belastingen ophalen in hun provincie zonder dat die in opstand komt. Vierduizend miljoen, patres conscripti, aan de slag.'

Vespasianus stond op en schreed de zaal uit, de senatoren met een doel voor ogen en lonkende winsten achterlatend.

'Wat ik deed heb ik alleen voor u gedaan.' Antonius Primus was onbuigzaam.

Net als Vespasianus. 'Onzin!'

Antonius keek naar Vespasianus, die achter een grote schrijftafel zat in de keizerlijke werkkamer. Hij was verbaasd over de felheid van diens uitval. Door het raam was de trireem waarmee hij uit Rome was gekomen in de paleishaven te zien, zachtjes dobberend aan de kade. 'Maar het is zo, princeps. Ik moest snel aanvallen, anders had Vitellius zijn legioenen op orde kunnen brengen.'

'En dat deed hij ook, Antonius; en Mucianus niet, want jij was vooruitgesneld om de glorie voor jezelf op te strijken. En in je haast was je vergeten dat jouw legioen opdracht had de Donau te bewaken.'

Vespasianus keek naar de man die voor hem stond, gekleed in het uniform van een militaire pauw. Hij was knap, elegant en slank, en had berekenende, donkere ogen en een gladde, gebruinde huid, die waarschijnlijk met meer oliën en balsems werd ingesmeerd dan Vespasianus zich kon voorstellen. 'Is dat ook echt zo? Ben je het vergeten? Want het kwam wel erg goed uit, die invasies over de Donau net toen Mucianus de Hellespont overstak, want het betekende dat hij een aanzienlijk deel van zijn troepen noordwaarts naar Pannonia moest sturen om de invallers aan te pakken, terwijl hij in Dalmatia moest blijven tot hij er zeker van was dat zijn achterhoede veilig was voordat hij verder naar Italië kon.'

'Maar hij ging doen wat ik deed, hij wilde de Moesische legioenen meenemen toen ze hun steun voor u uitspraken.'

'Doe nou niet alsof je naast verraderlijk ook nog dom bent, Antonius. Hij zou een deel van de legionairs meenemen, niet allemaal. Vier of vijf cohorten per legioen hadden in positie moeten blijven om zo de noordgrens te beveiligen. Je hebt niets gedaan om jouw deel van de rivier te verdedigen, nog geen centurie. En dat, Antonius, kan als verraad worden beschouwd en ik kan je er volkomen legitiem voor laten executeren.'

'Maar ik heb u het purper bezorgd!'

'En daar zit mijn probleem, al wil ik je er wel op wijzen dat je het me niet in je eentje hebt bezorgd, het was een gezamenlijke inspanning. Ik begrijp heel goed dat het nogal ondankbaar van mijn kant lijkt als ik je laat executeren, maar als je denkt dat je beloond zult worden zoals Mucianus beloond zal worden, dan heb je het mis.' Vespasianus zweeg even en bestudeerde de schuldige met barse blik.

Maar Antonius liet zich niet intimideren. 'Het waren mijn troepen die de Slag bij Bedriacum wonnen!'

'Nee, het waren míjn troepen! En het waren míjn troepen die je op schandelijke wijze Cremona hebt laten plunderen, troepen die de vrouwen en dochters van medeburgers hebben verkracht; ik had ze net zo goed allemaal zelf kunnen bespringen, want dat is nu mijn reputatie bij de overlevenden. Waarom heb je het toegestaan?'

Er verscheen een sluw lachje op Antonius' gezicht. 'O, dus u weet het niet? Heeft Hormus niets gezegd over zijn aandeel in de plundering van Cremona?'

'Had Hormus een aandeel in deze schanddaad?'

'Het grootste aandeel, zou ik zeggen. Hij gaf er bevel toe.'

Vespasianus was even met stomheid geslagen. 'Ik geloof je niet.'

'Dan kunt u het beter aan hem zelf vragen, princeps, want ik kan met mijn hand op mijn hart verklaren dat hij na de slag bij me kwam en me in uw naam bevel gaf om de stad te plunderen zodat andere steden die trouw aan Vitellius waren zich zouden overgeven in plaats van zich te verzetten.'

Vespasianus kon de logica ervan begrijpen, maar de daad ging volledig in tegen de geest waarin hij de oorlog had willen voeren. 'Goed dan, ik zal het hem vragen, maar dat is nog geen excuus voor je daden. Ik heb heel duidelijk bevel gegeven dat er pas een invasie van Italië mocht plaatsvinden als de onderhandelingen geen resultaat opleverden. Mijn broer voerde namens mij gesprekken en jouw overhaaste inval kan geleid hebben tot een reeks gewelddadige gebeurtenissen die eindigde met de dood van Sabinus.' Vespasianus stak zijn hand op om Antonius het zwijgen op te leggen toen die hem wilde tegenspreken. 'Nee! Luister naar me, Antonius, of ik zal bij mijn beschermgod Mars je hoofd eisen, wat men er ook van denkt. Je hebt niets gedaan om mijn gunst te verdienen, ook al beweer je dat je alles alleen maar voor mij hebt gedaan. Dus ik zal je vertellen wat ik ga doen, Antonius: ik kan je duidelijk niet vertrouwen met een militair commando, maar ik wil ook niet als ondankbaar worden gezien door je niet te belonen.'

'Een lastige situatie,' zei Antonius op een toon waaruit bleek dat hij plezier had in Vespasianus' dilemma.

'Zeker niet, Antonius. Ik meen dat je afkomstig bent uit Tolosa in Gallia Narbonensis, klopt dat?'

Antonius fronste. 'Dat is juist, princeps.'

'Mooi, ik weet zeker dat je graag weer naar huis gaat om je familie te zien. Ik denk dat je een heel geschikte gouverneur van de provincie zult zijn, want je kent de streek goed. Ik verwacht een aanzienlijke stijging in de belastingopbrengsten, want je kent vast alle slimmigheidjes waarmee de lokale bevolking haar rijkdom probeert te verbergen.'

Antonius keek Vespasianus verschrikt aan. 'Maar dan word ik...'

'Heel erg impopulair bij je eigen mensen, Antonius. Ik weet het, maar er is niets aan te doen, want je bent nu eenmaal de beste man voor de klus en omdat mijn belang je zo dierbaar is, weet ik zeker dat je dat kleine offer graag zult brengen.'

'Maar het is een senatoriale provincie.'

'De Senaat zal me die ene kleine gunst vast wel willen bewijzen, dus daar zou ik me maar geen zorgen over maken, je benoeming is zeker. En verdwijn nu uit mijn ogen voor ik me bedenk.'

Antonius keek met onverbloemde haat naar Vespasianus, beseffend dat dit het beste was wat hij van de keizer kon verwachten; zonder nog een woord te zeggen draaide hij zich om en liep weg.

Vespasianus keek hem met een klein glimlachje na, terwijl hij met zijn ene hand over zijn kin wreef en met de wijsvinger van de andere op de schrijftafel tikte. Toen de deur met een klap dichtging veranderde zijn gezichtsuitdrukking, want hij herinnerde zich weer wat Antonius had gezegd. 'Hormus!' schreeuwde hij.

'Het klopt, meester, ik gaf opdracht voor de plundering,' zei Hormus zonder enige terughoudendheid.

Vespasianus leunde achterover in zijn stoel en keek ontzet naar zijn vrijgelatene, niet in staat te geloven wat hij net had gehoord. 'En waar haal je het idee vandaan dat je de autoriteit hebt om een dergelijk bevel te geven, zelfs als het de juiste handelswijze was geweest?'

Hormus keek even verward. 'Ik had uw ring, meester.'

'Mucianus heeft mijn ring, hij is de enige die mijn toestemming heeft hem te gebruiken.'

'Dat wist ik niet, Mucianus gaf hem aan mij toen hij me achter Antonius Primus aan stuurde om hem in uw naam het bevel te geven te stoppen en op hem te wachten.'

'En toen Antonius weigerde halt te houden bleef je bij hem in plaats van terug te keren naar Mucianus?'

'Ja, meester, Mucianus wilde dat ik dat deed in die omstandigheden.'

'Hij gaf je opdracht bij Antonius te blijven?' En toen begreep Vespasianus het. 'Wacht. Hij was het, nietwaar?'

'Wie, meester?'

'Mucianus. Hij zei dat je Antonius bevel moest geven Cremona te plunderen, is het niet zo? Want hij wist dat als Antonius iets dergelijks uit mijn naam zou doen, ik hem dat nooit zou vergeven, wat ik ook zeker niet doe. Zo heeft Mucianus de militaire glorie uitgewist die

286

Antonius in zijn ogen van hem gestolen had. Zo zit het in elkaar, klopt dat, Hormus?'

'Ik weet het niet, meester, ik heb alleen gedaan wat me opgedragen werd met het idee dat het voor uw zaak was.'

'De plundering van Cremona was goed voor mijn zaak!'

'Het ging niet om Cremona, meester. Mucianus zei dat ik Antonius opdracht moest geven de dichtstbijzijnde stad bij de eerste slag te plunderen – dat was toevallig Cremona. Ik zag de logica ervan, want volgens Mucianus zou het lijden van een stad vele andere steden aansporen om de poorten voor uw legers te openen, waardoor er uiteindelijk minder slachtoffers zouden vallen.'

'En je dacht dat ik geen probleem zou hebben met de moord op burgers en het verkrachten van hun vrouwen en dochters?'

Hormus keek handenwringend en met smekende, betraande ogen naar Vespasianus. 'Mucianus had uw ring, meester, ik heb zijn bevelen en motieven niet in twijfel getrokken. Zover ik wist was u het die me vertelde wat ik moest doen en zoals u weet ben ik u nooit ongehoorzaam geweest en dat zou ik ook nooit doen.'

Vespasianus wist maar al te goed dat dat klopte en zijn woede zakte terwijl hij keek naar de man die hem al ruim twintig jaar met zoveel toewijding diende. 'Het spijt me, Hormus, het is niet jouw schuld. Die klootzak van een Mucianus heeft je voor zijn eigen karretje gespannen en misschien had hij op een vreemde manier nog gelijk ook om het te doen. Cremona's plundering heeft misschien uiteindelijk voor minder slachtoffers gezorgd, maar vertel dat maar eens aan de overlevenden. Ik zie nu dat ik Mucianus een lesje moet leren als ik in Rome ben.' Vespasianus zweeg even om zijn vrijgelatene een vriendelijke glimlach te schenken, wiens gezicht opklaarde door de opluchting van vergiffenis. 'Ga Caenis en Magnus zoeken en breng ze hier, we gaan aan de voorwaarden werken voor mijn terugkeer naar de stad.'

'Er zijn twee belangrijke bevoegdheden die ze je volgens mij moeten geven. Ten eerste het recht om verdragen te sluiten met andere landen zonder de Senaat te hoeven raadplegen,' zei Caenis tegen Vespasianus na de oorspronkelijke Lex de Imperio Vespasiani te hebben gelezen. 'Hier staat er niets over in en Augustus, Tiberius en Claudius deden het allemaal zonder dat er een specifieke wet was die ze het recht gaf.'

Vespasianus dacht enkele momenten na, gezeten achter zijn schrijftafel en kijkend naar de schepen in de koninklijke haven. 'Ja, je hebt gelijk, liefste, als we dat niet vastleggen lijk ik een mindere versie van hen. Het probleem is hoe ik dat kan rechtvaardigen.'

'Dat is inderdaad het probleem.' Caenis gaf de rol terug aan Hormus, die notulen van de bijeenkomst maakte.

'Makkelijk zat,' zei Magnus tot verrassing van Vespasianus, Caenis en Hormus, die geen van drieën een constitutioneel kunststukje met die woorden zouden willen omschrijven.

Vespasianus maakte een wuivend gebaar achter zijn tafel. 'We zijn allemaal benieuwd naar de ideeën van een scherp juridisch brein als het jouwe, Magnus.'

'Nou, nou, het is niet nodig om zo met me te spotten, en het lijkt me ook niet eerlijk, aangezien ik u ga behoeden voor het negeren van het voor de hand liggende.'

'En dat is?'

Magnus zette zijn beker wijn neer. 'Wie bewaakt de grenzen van het rijk?'

Caenis' gezicht klaarde op. 'Natuurlijk, Magnus, je hebt helemaal gelijk, met uitzondering van Afrika en Cyrenaica zijn alle provincies langs de grenzen van het rijk imperiaal en niet senatoriaal, en daarom kun je beargumenteren dat de keizer een vrije hand in het buitenlandse beleid moet hebben, want zijn provincies worden direct geraakt als er een oorlog uitbreekt.'

Vespasianus keek naar Magnus alsof hij zijn oude vriend opeens in een nieuw licht zag. 'Heb je dat helemaal in je eentje bedacht?'

'Ik weet niet of ik die toon wel kan waarderen; het lichaam geeft het dan misschien langzaam op, want ik vertrouw zelfs mijn scheten niet meer en ik kan het me ook niet veroorloven om die enkele erectie die ik nog krijg te verspillen, maar met de hersenen is niets mis. Ja, ik heb het zelf bedacht en het verbaast me dat u het zelf niet zag, want als u succes wilt boeken met al die macht die u probeert te verkrijgen, dan moet u voor de hand liggende dingen als dit kunnen zien.' Magnus wees met zijn vinger naar Vespasianus. 'Een keizer zijn is net zoiets als patronus van een broederschap in Rome zijn: je moet al die mensen voor zijn die aan je stoelpoten zagen, je baan proberen in te pikken of je iets afhandig willen maken waar ze geen recht op hebben. Een van de belangrijkste wapens in dat gevecht is het vermogen om te zien hoe je dat wat je hebt op de juiste manier kunt inzetten, want over het algemeen is dat alles wat je kunt gebruiken. Niemand zal je namelijk uit zichzelf iets anders geven. U kunt dus maar beter een mentaal lijstje maken van wat u hebt, want ik zal er niet zijn om u op het voor de hand liggende te wijzen, als u begrijpt wat ik bedoel.'

'O, daar zou ik me maar niet al te veel zorgen over maken, Magnus. Ik denk niet dat de veerman in de nabije toekomst ook maar iets te maken wil hebben met een chagrijnige ouwe lul als jij; hij houdt van een rustig leven aan de oevers van de Styx, dus ik ga ervan uit dat jij me nog wel een tijdje op mijn tekortkomingen zult wijzen.'

Magnus bromde en verlegde zijn aandacht weer naar zijn wijn.

Vespasianus wendde zich tot Caenis. 'Je zei dat er volgens jou twee belangrijke bevoegdheden waren. Wat is de tweede, liefste?'

'Tja, dat lijkt me toch duidelijk, liefste.'

Vespasianus zuchtte. 'Niet jij ook nog eens een keer, Caenis. Hormus, misschien wil je meedoen met dit nieuwe spelletje de keizer zich stom laten voelen.'

Hormus keek geschokt en legde zijn stylus neer. 'Nee, meester, dat zou ik nooit doen.'

'Ik ben blij om dat te horen. En wat is volgens jou die tweede belangrijke bevoegdheid?'

Hormus aarzelde niet. 'Dat u het recht hebt alles te doen wat u goed acht voor het rijk.'

Vespasianus zweeg even, fronsend. 'Maar dat zou betekenen dat ik alles zou mogen doen wat ik wil zonder de Senaat te hoeven raadplegen.'

'Wat is de zin van het keizerschap als u dat niet kunt, meester?'

'En bovendien,' zei Caenis, 'kan het vermomd worden met het argument dat je voor het welzijn van het rijk in alle omstandigheden snel moet kunnen handelen, waar je ook bent, en dat het dus niet in het algemeen belang is als je altijd maar de Senaat moet raadplegen.'

'Tja, je hebt waarschijnlijk wel gelijk, liefste. Zijn er nog meer suggesties voor ik alles opsom?' Vespasianus keek naar Caenis, toen Magnus en ten slotte Hormus. Alle drie schudden ze het hoofd. Hij glimlachte triomfantelijk. 'Ha! Dan zijn jullie toch niet de enigen in de kamer met een scherp politiek inzicht, want ik wil nog een clausule aan het slot toevoegen, waarmee in feite het bewind van Vitellius en zijn erkenning door de Senaat worden geannuleerd. De laatste clausule zal het legitimeren zijn van alle handelingen en decreten van mij voordat de Lex de Imperio Vespasiani wet werd, helemaal terug tot aan het begin van mijn bewind.'

'Wat voor verschil maakt dat, liefste? De Senaat heeft je slechts een paar dagen voor ze de eerste versie van de wet in december aannamen als keizer erkend.'

'Ah, maar wat is de echte dag waarop ik keizer werd? Als ik het me goed herinner werd ik op de derde dag na de calendae van juli in Caesarea tot keizer uitgeroepen en de Egyptische legioenen deden dat al op de calendae zelf. We kunnen dus stellen dat ik op die dag het purper kreeg en niet pas toen de Senaat eindelijk de feiten erkende. Daarmee was het tot keizer uitroepen van Vitellius illegaal en dus nietig, net als alle wetten die sindsdien zijn aangenomen. Dat versterkt mijn positie, want zo is alles wat ik sinds de calendae van juli heb gedaan volkomen legaal.'

Magnus mompelde goedkeurend. 'Misschien hebt u mijn advies helemaal niet zo dringend nodig en hoef ik me geen zorgen meer om u te maken.'

'Dank je voor je vertrouwen, Magnus, dat betekent veel voor me. Dan nu de samenvatting. Dank je, Hormus.' Hormus overhandigde de notulen en Vespasianus keek ze door. 'Er zijn acht clausules. Een, ik heb het recht buitenlandse politiek te bedrijven zonder de Senaat te hoeven raadplegen. Twee, ik kan de Senaat bijeenroepen wanneer ik wil. Drie, als ik een zitting van de Senaat bijeenroep, dan zijn alle wetten die dan worden aangenomen legitiem. Vier, iedereen die ik naar voren schuif voor verkiezingen wordt goedgekeurd als kandidaat. Vijf, ik heb het recht het *pomerium* te vergroten.' Hij keek op van de notulen om Caenis, Magnus en Hormus aan te kijken en genoot van de macht die hij voelde bij het voorlezen van zijn eisen aan de Senaat. 'Die clausule is er alleen maar omdat Claudius het recht had om de religieuze grenzen van Rome te verleggen, en niet omdat ik van plan ben zoiets te doen, maar het geeft me meer dan wat ook het idee dat ik echt keizer van Rome ben.' Met een kort schudden van het hoofd in ongeloof keek hij weer naar de aantekeningen. 'Zes, alles wat in mijn ogen in het belang is van goddelijke, menselijke, publieke of private zaken…'

DEEL IV

ROME, AUGUSTUS 70 N.C.

HOOFDSTUK XVII

'... private zaken, daar heeft hij het recht en de bevoegdheid om te handelen, zoals de goddelijke Augustus, Tiberius Julius Caesar Augustus en Tiberius Claudius Caesar Augustus Germanicus dat hadden.' Mucianus, de consul suffectus die Vespasianus verving, was even stil om de reikwijdte van deze clausule te laten doordringen in het collectief bewustzijn van de Senaat.

Vespasianus zat op een curulische zetel aan het hoofd van de vergadering en liet zijn ogen langs de ruim vijfhonderd senatoren dwalen, die de verklaring van absolute macht slikten. Dit was de eerste keer dat de volle omvang van de keizerlijke autoriteit als wet werd vastgelegd. Hij glimlachte inwendig toen hij zag dat de patres conscripti de betekenis van de woorden doorgrondden en zich afvroegen wat hun voorvaderen ervan gevonden zouden hebben.

Mucianus ging verder. 'De zevende clausule: alle statuten en volksraadplegingen waarin staat dat de goddelijke Augustus Tiberius Julius Caesar Augustus en Tiberius Claudius Caesar Augustus Germanicus er niet aan gebonden zijn, van die statuten en volksraadplegingen is ook Caesar Vespasianus Augustus ontheven; en alles wat toegestaan was om in overeenstemming met de wetten of voorgestelde wetten te doen aan de vergoddelijkte Augustus en Tiberius Julius Caesar Augustus en Tiberius Claudius Caesar Augustus Germanicus, zal ook aan Caesar Vespasianus Augustus wettelijk toegestaan zijn om te doen.'

Weer voelde Vespasianus een golf van trots over zich heen komen bij deze bevestiging dat hij als keizer de gelijke was van Augustus.

'En tot slot is alles wat vóór het aannemen van deze wet gedaan, uitgevoerd, bevolen of voorgeschreven werd door keizer Caesar Vespasianus Augustus of door wie dan ook op zijn bevel of mandaat wettelijk en bindend, net zoals ze zouden zijn indien bevolen door het volk.'

Terwijl Mucianus de laatste bepalingen van de wet voorlas sloot Vespasianus de ogen en genoot van zijn positie. De overtocht van Alexandria naar Rome was soepel verlopen. Hij was vertrokken toen de tweede oogst binnenkwam en de graanpakhuizen vol waren. Hij had willen wachten tot Titus het beleg van Jeruzalem tot een goed einde had gebracht om samen met zijn oudste zoon terug te keren, maar de verdediging was fanatiek en werd ondersteund door de driehonderd artilleriestukken die de Joden aan het begin van de opstand op de Twaalfde Fulminata hadden buitgemaakt. Toen het nieuws hem bereikte dat Titus door de eerste twee muren was gebroken en bezig was het Antoniafort af te breken om de uiteindelijke aanval op de tempel zelf te vergemakkelijken, besloot hij dat hij zijn triomfantelijke terugkeer niet langer kon uitstellen. Hij had in het oosten bereikt wat hij nodig had en het was nu tijd om de profetie te vervullen door het westen te nemen met de overvloed van het oosten.

Met de graanvloten van Egypte en Afrika die vlak voor hem waren binnengelopen was Italië een plek van overvloed toen hij bij de haven van Brundisium aankwam en hij extatisch werd verwelkomd door een goed gevoede bevolking die zich bevrijd wist van de gevaren en onzekerheden van een burgeroorlog. In triomf was hij van stad naar stad richting Rome getrokken; in elke plaats werd hij ontvangen met saaie toespraken van de magistraten die overliepen van loyaliteit en lof. Hij had ze met onbewogen gezicht aangehoord en speelde de rol die van hem verwacht werd. Zijn oordeel werd gevraagd en hij gaf het, hij besliste in disputen en nam verzoekschriften aan op weg naar Rome.

Domitianus was, samen met een delegatie senatoren, als eerste uit Rome gekomen om hem te begroeten; hij was helemaal naar Beneventum gereisd. Na het afleveren van extra troepen voor Cerialis in de strijd tegen de Bataven had zijn jongste zoon geprobeerd hem als gelijke te behandelen en dezelfde privileges te krijgen, maar Vespasianus had hem met tact en fermheid duidelijk gemaakt dat hij dezelfde rang had als de senatoren die hem begeleidden.

Vespasianus bestudeerde zijn jongste zoon, die vooraan bij de senatoren zat omdat hij de status van ex-praetor had gekregen. Hij vroeg zich af hoe hij hem in het gareel kon houden. Hij had al verhalen te horen gekregen over Domitianus die patronage verleende, iets waartoe hij helemaal geen recht had, en waarmee hij een aanzienlijke basis van cliënten aan het opbouwen was. Vespasianus moest dat een halt toeroepen.

Mucianus was de volgende die hem kwam begroeten, hij was daartoe naar Capua gereisd om Rome niet te lang zonder bestuur in naam van Vespasianus te laten. Vespasianus had hem als een oude vriend omhelsd en niet als een potentiële rivaal behandeld, waardoor de spanningen tussen hen wegsmolten, ook al omdat Vespasianus Tiberius' oude truc had gebruikt om hem de positie van consul te laten, een eer die Mucianus in juli op uitnodiging van Vespasianus had aanvaard. Ook Cerialis was consul suffectus, maar alleen in naam, want hij vocht nog in het noorden tegen Civilis en diens Bataafse opstand, die inmiddels ook was overgeslagen naar de Lingones onder Julius Sabinus en de Trevieren onder hun stamhoofden Julius Classicus en Julius Tutor. Ook delen van de Ubiërs en Tungri hadden zich loyaal verklaard aan een Gallisch rijk met als kern de twee Germaanse provincies en drie van de vier Gallische provincies.

Het volk van Rome, dat hem een dag eerder bij zijn intocht in de stad uitbundig had toegejuicht, had zich op het forum verzameld om getuige te zijn van het historische moment in de Senaat. Mucianus vroeg de senatoren om te stemmen over de Lex de Imperio Vespasiani. Vespasianus stond op en ging naar de rechterkant van het Senaatsgebouw, net als iedereen die de nieuwe wet steunde.

'Dit is een grote overwinning, vader,' zei Domitianus, zijn donkere ogen schitterden opgewonden. 'Nooit eerder zijn de bevoegdheden van een keizer vastgelegd en we hebben bijna alles toegewezen gekregen.'

Vespasianus wierp een snelle blik op zijn zoon en begroette senatoren. 'Wij?'

'Ja, wij, vader, wij zijn het nieuwe keizerlijke huis en als zodanig delen we allemaal in de macht.'

'En wat zou jij met die macht doen, Domitianus. Als je die zou hebben, let wel, en je hebt hem niet.'

Domitianus' ogen vernauwden zich. 'Ik heb er alle recht op, vader. Ik ben uw zoon en ik heb geholpen de Capitolijn in uw naam te houden en ik ben net terug van een zegevierende campagne tegen de opstand van de Bataven.'

'Die nog bezig is en alleen maar groter wordt, afgaande op de rapporten die ik lees.'

Domitianus' gezicht, dat je knap zou kunnen noemen, al was het wat rood, toonde oprecht verdriet. 'Ik ben gekomen om u welkom te heten, vader.'

Vespasianus berispte zichzelf, hij moest greep zien te krijgen op zijn natuurlijke gevoel van afkeer voor zijn jongste zoon. 'We hebben het er later nog over,' zei hij en hij wendde zich naar zijn neef Titus Flavius Sabinus, die hij sinds zijn terugkeer in Rome nog niet had gezien.

'Oom,' zei de jonge Sabinus.

Vespasianus legde zijn hand op Sabinus' schouder, terwijl de senatoren om hem heen een ernstig gezicht trokken, want ze beseften wat er besproken werd. 'Je hebt het gezien, toch? Is hij waardig gestorven?'

Sabinus, het evenbeeld van zijn vader, knikte. 'Heel waardig, oom. Hij hield zijn lichaam recht en stak zijn nek uit, hij bewoog zich niet toen de klap kwam.'

'En toch heb je van Vitellius het consulschap aanvaard?'

'Het was me door Otho beloofd, Vitellius hield zich aan Otho's benoemingen en ik zag geen reden om te weigeren, alleen omdat hij mijn vader had geëxecuteerd.'

Daar dacht Vespasianus even over na. Inmiddels kwamen de laatste senatoren die de wet steunden aangelopen. 'Je had gelijk, natuurlijk, Sabinus; je moet het persoonlijke niet met het zakelijke mengen.' Vespasianus fronste toen hij een eenzame figuur die hij niet kende aan de andere kant van de zaal zag staan. 'Wie is dat?'

De jonge Sabinus keek. 'Dat is Thrasea's schoonzoon, Helvidius Priscus, een van de praetores van dit jaar.'

'Ik vraag me af welk van de twee zijn motivatie is: politiek of zaken.'

Toen Vespasianus de Curia verliet en het Forum Romanum betrad, werd hij begroet door een zee van jubelende gezichten en een gejuich dat elke storm zou overstemmen. Zoals hij van tevoren had afgesproken stond Caenis op hem te wachten. Hij stak zijn armen in de lucht om de oorverdovende eerbetuiging van de menigte in ontvangst te nemen, daarna wendde hij zich tot de vrouw van wie hij zijn hele volwassen leven had gehouden en glimlachte. 'Kom, liefste.'

Caenis aarzelde niet, ze kwam naar voren en liep tussen zijn lictoren door en nam haar plaats aan zijn zijde in. Vespasianus legde een arm om haar schouders en gebaarde met zijn andere hand naar haar en het volk van Rome reageerde en accepteerde de voormalige slavin als de de facto echtgenote van de keizer. Diverse senatoren die het zagen trokken hun wenkbrauwen op. 'Ik denk dat ze gehoopt hadden hun dochters aan me te kunnen uithuwelijken,' zei Vespasianus, die zag dat de acceptatie van Caenis door het volk tot afkeurende blikken leidde. 'Maar maak je geen zorgen, liefste, je bent veilig. De Senaat heeft me tenslotte de bevoegdheid gegeven om te doen wat ik het beste voor de staat acht en ik acht het het beste dat jij aan mijn zijde bent.'

Ze keek hem koket aan. 'Is dat de enige positie die u het beste voor mij acht, mijn keizer?'

Vespasianus lachte en wendde zich weer tot de menigte en met een uitbundig gebaar boven zijn hoofd gaf hij aan dat ze hem moesten volgen de uitgebrande Capitolijn op.

Vespasianus stond tussen de zwart uitgeslagen stompen van de zuilen van de tempel van Jupiter en trok de slippen van zijn toga over zijn hoofd in eerbied voor de godheid die hij ging aanroepen. Hij strekte zijn handen uit, de palmen omhoog. 'Jupiter Optimus Maximus, of met welke naam u ook aangesproken wilt worden, aan u, voor wie deze grond heilig is, of u nu een god of een godin bent, is het juist om het offer van een varken te brengen als boetedoening voor het leegruimen en afbakenen van deze heilige plek. Laat daarom, om die redenen, offers die ik of iemand die ik heb aangewezen zal brengen als juist volbracht worden beschouwd. Ik stuur u gebeden betreffende dit en bied een varken aan als boetedoening zodat u mij, mijn huis en mijn kinderen uw gunsten wilt betonen. Moge dit varken dat ik u hierom offer u eren en sterken.'

Mucianus' hamer kwam neer op de kop van het varken, dat verdoofd raakte, waarna Vespasianus met een snelle haal van zijn zwaard de keel opensneed. Bloed spoot naar buiten en klaterde in de bronzen schaal die klaarstond. Achteruit stappend om te voorkomen dat er ongeluk brengende spetters op zijn toga kwamen keek Vespasianus toe terwijl het varken zich aan de dood overgaf.

Toen het hart was gestopt met kloppen werd het varken door twee tempeldienaren op zijn rug gerold en gestrekt zodat Vespasianus de snede kon maken om hart en lever te verwijderen.

Met het hart sissend op het altaarvuur legde Vespasianus de lever op de tafel ernaast. Hij kreeg een vochtige doek aangereikt en veegde daarmee het bloed van het orgaan en boog zich voorover om het te bestuderen. En daar was het teken dat hij half en half had verwacht, het teken dat hij al die jaren geleden ook had gezien bij een offer dat hij als consul had gebracht. Twee aderen liepen aan het oppervlak en kwamen samen om een V te vormen. Het kon geen toeval zijn en vormde de bekroning van alle voortekenen die hem zijn hele leven hadden achtervolgd – of beter gezegd, geleid.

Vespasianus pakte de lever op en liet hem met het teken boven zien aan de senatoren die het dichtste bij hem stonden, en bij menigeen gingen de ogen wijd open in religieus ontzag. Hij legde vervolgens de lever weer neer en wendde zich tot de menigte. 'Jupiter Optimus Maximus heeft zijn zegen aan onze zaak gegeven: vandaag beginnen we met de herbouw van zijn stad, te beginnen met zijn tempel, en ik, jullie keizer, zal het voortouw nemen.' Hij liep naar waar Caenis stond, naast een bijna tot de rand met puin gevulde mand, die door een slaaf overeind werd gehouden.

Caenis bukte zich en pakte een verkoold stuk hout op en hield het omhoog zodat iedereen het kon zien voordat ze het symbolisch in de mand legde.

Vespasianus nam de mand aan van de slaaf en glimlachte naar Caenis. 'Als het toch altijd zoals nu zou kunnen zijn, liefste, als dit toch eens de realiteit zou zijn van ons streven. Maar ik ben bang dat de stemming zal omslaan als duidelijk wordt wat er moet gebeuren om financiële stabiliteit te brengen en de stad te herbouwen. Ze denken dat ik vrede breng, en dat doe ik ook, maar daarnaast breng ik ook soberheid.' Hij zwaaide de mand op zijn schouders en wankelend onder het gewicht droeg hij de eerste lading puin weg van de uitgebrande ruïne van de tempel van Jupiter.

'Dus om de troepen te betalen en terug naar hun provincies te sturen zonder dat ze zich tekortgedaan voelen zijn er honderd sestertiën de man nodig,' zei Vespasianus, het probleem samenvattend terwijl hij op een bank lag, met de ogen gesloten en een vochtige doek op zijn voorhoofd. 'Dat is ruwweg een half miljoen per legioen en dus veertien miljoen voor alle achtentwintig. En dan hebben we nog de praetoriaanse garde, de stadscohorten en de vigiles, die allemaal iets verwachten.'

'En vergeet de hulpcohorten niet,' zei Magnus, die balsem op zijn gezwollen enkel wreef. Buiten viel een lichte regen op het Circus Maximus, dat fonkelnieuw aan de voet van de Palatijn stond.

'Die was ik niet vergeten. Dus als ik driehonderd sestertiën de man aan de garde geef, tweehonderd voor de stadscohorten en vijftig voor de vigiles en hulptroepen is dat nog eens drie miljoen plus achthonderdduizend plus driehonderdvijftigduizend en dan nog zeven miljoen voor de hulptroepen, dat is dan in totaal… Hormus?'

Hormus maakte snel het sommetje. 'Vijfentwintig miljoen tweehonderdvijftigduizend sestertiën, meester.'

'Laten we het afmaken op dertig miljoen, want het wordt altijd meer, en dat is alleen nog het leger, dan krijgen we de vloten ook nog.' Vespasianus zuchtte in ongeloof. 'Hebben ze wat er van de keizerlijke schatkist nog over is al geïnventariseerd, Hormus?'

'Ze zijn nog bezig, meester, maar het kan niet lang meer duren.'

'Helaas gaat het niet zo lang duren als u gehoopt had, als u begrijpt wat ik bedoel,' zei Magnus, die zijn aandacht naar zijn andere enkel verlegde.

'Ik begrijp het, Magnus.' Vespasianus wreef in zijn ogen en kwam overeind; de vochtige doek viel in zijn schoot. 'Belastingen, belastingen en nog meer belastingen, maar waarop zonder dat de handel eronder lijdt? Als ik de aankoopbelasting te veel verhoog komen er minder transacties en nog meer transacties worden verborgen. Ik kan een eenmalige hoofdelijke belasting heffen, zoals ik in Egypte heb gedaan, maar dat is niet meer dan een stoplap. Belasting op luxegoederen levert weinig op, want uiteraard kunnen maar weinig mensen die kopen. Ik heb alle gouverneurs aangeschreven om hun provincie uit te knijpen en ik heb ervoor gezorgd dat hun procuratoren van het roofzuchtige soort zijn, want heel wat van hen zullen te inhalig zijn en dan kan ik ze vervolgen en hun bijeen geroofde rijkdom confisqueren als ze in Rome terugkeren.'

Magnus grijnsde. 'Die is goed, dat is een knap staaltje. Ze krijgen wat ze verdienen en het levert aardig wat op.'

'Ja, maar niet genoeg om de schatkist te vullen.'

'Jammer dan. Ik denk dat u anders moet gaan denken.'

'Wat bedoel je?'

'Nou, u heft belasting op alle aankopen, van slaven en *garum* tot beeldjes van goden en glazen kralen, alle gewone dingen die mensen kopen, en u hebt gelijk – als u de belasting te veel verhoogt kopen ze minder of doen althans alsof ze minder kopen. Nee, u moet belasting heffen op dingen waar mensen niet buiten kunnen, zodat ze betalen, hoeveel belasting er ook op zit.'

'Zoals wat? Water? Graan? Een plaats in het circus? Er zouden rellen uitbreken.'

'En terecht, als u domme maatregelen gaat nemen. Maar er zijn vast andere dingen te bedenken.'

'Urine,' zei Hormus.

Vespasianus keek ongelovig naar zijn vrijgelatene, terwijl Caenis net naar binnen kwam met een arm vol rollen. 'Wat? Belasting heffen op het gebruik van publieke latrines? Ze laten betalen als ze moeten? Beter nog, belast ook hun drollen, laat ze op een balans schijten en laat ze per pond betalen; of is het makkelijker de lengte en breedte te belasten, of misschien moeten we gewicht tegen volume afzetten. Doe niet zo raar, Hormus.'

'Ik was serieus, meester, u hebt me niet begrepen. Ik bedoel: laat de mensen die de urine ophalen belasting betalen, de looiers, de blekers en de wasserijen. In elke straat staat een ton waarin mensen pissen en de handelaren halen het gratis op, net als de urine uit de cisternen van de publieke latrines die geen afvoersysteem hebben. Waarom zouden ze een van de belangrijkste middelen voor hun beroep voor niets krijgen terwijl de stad die levert? Ze moeten belasting betalen.'

Langzaam begon Vespasianus' gezicht op te klaren. 'Natuurlijk moeten ze dat, ze hebben het al die jaren zo meegenomen zonder er iets voor te betalen. Uiteraard berekenen ze de belasting door aan hun klanten en worden hun goederen en diensten duurder en dat betekent weer dat we meer aankoopbelasting binnenkrijgen en dus profiteren we dubbel. Het volk zal niet boos op me zijn want ze zullen mij niet zien als degene die de prijzen heeft verhoogd. Hormus, het is briljant, ik ga pis belasten.'

'En de goede mensen van Rome zullen belasting pissen,' grapte Magnus.

'Rome? Nee, Magnus, het hele rijk gaat belasting pissen.'

302

'Ben je niet bang dat je uitgelachen wordt,' vroeg Caenis, die de rollen op een tafel had gelegd en nu haar handen warmde boven een vuurpot met gloeiende kooltjes bij het raam.

'Ze lachen maar zoveel ze willen, waar het om gaat is dat het een nooit opdrogende bron van inkomsten is.'

Caenis dacht er even over na. 'Tja, je zult wel gelijk hebben.' Ze wees op de rollen, een twaalftal, op de tafel. 'En dit is nog iets wat nooit opdroogt: brieven van de provinciale gouverneurs. Ben je er klaar voor?'

Vespasianus pakte de doek van zijn schoot, doopte hem in een kom water en legde hem weer op zijn voorhoofd terwijl hij ging liggen. 'Vooruit maar, laten we het snel afhandelen, maar voortaan handelen we de correspondentie meteen aan het begin van de ochtend af, als ik nog fris ben.'

'En tot slot een brief van Marcus Suillius Nerullinus, de gouverneur van Azië,' zei Caenis en ze pakte de laatste rol op. Buiten trokken de wolken weg en de namiddagzon scheen door het op het westen gerichte raam en bracht de geur van verdampende regen en het geluid van kwetterende vogels mee, die zich in het mildere weer verheugden.

'"Aan Titus Flavius…"'

Vespasianus wuifde de woorden weg. 'Jaja, liefste, sla dat allemaal maar over en alle dank voor zijn benoeming en de felicitaties voor mijn terugkeer naar Rome en alle andere vleierijen en het gekruip. Wat wil hij, want ik wil vooral mijn avondeten.'

'Dat klinkt als een uitstekend idee,' meende Magnus. 'Ik neem aan dat uw gasten zo langzamerhand arriveren en we willen ze toch niet laten wachten.'

Caenis liet haar ogen over de brief glijden en legde hem neer. 'Hij wil twee dingen, Vespasianus, ten eerste je advies over het beperken van het aantal Joodse gevangenen op de provinciale slavenmarkten, want door de toestroom dalen de prijzen, zelfs voor maagden, en daarmee dalen ook de inkomsten. Nerullinus wil niet je ongenoegen opwekken over zijn pogingen meer belastingen te halen uit een van de winstgevendste provincies.'

Vespasianus dacht na over de zaak en wendde zich tot Hormus, die aan een schrijftafel zat met een stylus in zijn hand en een nieuw wastablet voor zich. 'Aan Marcus Suillius Nerullinus, van Titus Flavius

Caesar Vespasianus Augustus, gegroet. Ik ben het met u eens dat er iets gedaan moet worden om de waarde van slaven te behouden. Ik zal mijn zoon Titus Caesar in Judaea schrijven en hem een limiet laten stellen aan het aantal gevangenen dat de slavenhandelaren elke maand mogen meenemen. In de tussentijd moet u een limiet naar eigen goeddunken instellen op het aantal slaven dat elke maand in uw provincie op de markt mag komen. De rest laat u voorlopig in hun stallen, ze mogen niet naar andere provincies worden gebracht, om te voorkomen dat daar vergelijkbare problemen ontstaan.' Vespasianus keek naar Caenis. 'Wat was de tweede kwestie?'

'Hij maakt zich zorgen over het groeiende aantal volgelingen van die gekruisigde Jood, Christus.'

'Joshua bar Josef? Ik dacht dat de executie door Nero van Paulus van Tarsus en zijn vriend Petrus een paar jaar geleden, na de grote brand, het einde van ze zou betekenen.'

'Niet volgens Nerullinus. Hij moest er een paar honderd kruisigen toen hij in de provincie aankwam en de bevolking trouw aan u liet zweren. Hij is bang dat de kanker blijft groeien en dat hij in het nieuwe jaar als de eed bevestigd moet worden er weer een hoop moet kruisigen.'

Vespasianus zuchtte en ging weer overeind zitten. 'Wat moeten we hiermee? Ik was ze vergeten toen ik in Judaea zat en daar met al even onaangename religieuze extremisten te maken had.'

'Als u mijn mening wilt,' zei Magnus, 'dan zou ik zeggen dood ze waar u ze ook maar vindt, het zijn ongelovigen, atheïsten, godenloochenaars, het is niet natuurlijk. We hebben de aantallen zien toenemen en nu is uw kans om er iets aan te doen. Ze zijn pas tevreden als iedereen die onzin van ze gelooft, zoveel is me wel duidelijk geworden van dat klootzakje Paulus. Begin hier in Rome en zet het goede werk van Nero voort – dat was in ieder geval één ding dat hij goed deed.'

Vespasianus schudde zijn hoofd. 'Nee, ik ga geen mensen ombrengen om wat ze geloven, ik doe het alleen als ze de wet overtreden.' Hij wendde zich tot Hormus. 'Volgende regel. Wat betreft de problemen met de volgelingen van Christus meen ik dat u zelf in elke afzonderlijke zaak moet oordelen. Als ze de eed weigeren, dan voert u de wet uit. Als ze verstandig zijn en de eed afleggen, dan kunnen ze hun leven gewoon voortzetten zolang ze de wetten niet op een andere manier breken.'

'Ik denk dat je een ernstige fout maakt, liefste,' zei Caenis terwijl Hormus aan het schrijven was. 'Ze zullen je clementie niet belonen.'

'En Myrddin zal je niet danken,' zei Magnus.

Vespasianus keek naar zijn oude vriend en fronste, zich afvragend wat de onsterfelijke druïde uit Britannia met de zaak te maken had.

Magnus schudde zijn hoofd. 'Weet u niet meer waarom hij u dood wilde? Hij vertelde u toch dat u op een dag de kans zou krijgen om het kankergezwel weg te snijden dat in het hart van Rome groeide en de oude goden dreigde te doden, en dat u het niet zou doen. Ik zou zeggen dat hij het hierover had: u doet niets aan de mensen die het bestaan van onze goden ontkennen. Misschien moet u daar maar eens over nadenken.'

'Het is maar een kleine sekte, een voorbijgaande gril, hoe kan zoiets de echte goden vernietigen? Nee, ik ga ze niet vervolgen zolang ze zich gedragen. Vergeleken met de Joden in Jeruzalem vormen ze maar een heel kleine bedreiging voor onze levenswijze, en nu het nieuws is gekomen dat Titus op het punt staat de tempel te bestormen zullen we niet lang meer last van ze hebben. Laten we eerst met de ene groep religieuze fanatici afrekenen voordat we de volgende sekte tot extremisme drijven, waarna de leden bereid zijn te sterven voor hun onzin.'

'Ik zou zeggen dat het daar al te laat voor is, u hebt gezien hoe makkelijk ze sterven met de illusie dat ze naar een betere wereld gaan. Onzin, dat is het. En nu is het voor mij tijd om te gaan eten.' Magnus kwam overeind uit zijn stoel, kreunend van de inspanning, zijn gezicht vertrokken van de pijn. Hij haalde scherp adem en steunde op de tafel.

'Gaat het?' vroeg Vespasianus, geschrokken overeind komend.

'Niet echt,' hijgde Magnus, die naar zijn zij greep. 'Het komt en gaat, ik heb het gevoel dat mijn dagen van vechten en neuken voorbij zijn, maar mij hoort u niet klagen, ik ben tachtig en heb beide vaak genoeg gedaan.'

'Ik zal mijn arts je laten onderzoeken.'

'Vergeet het maar. Wat gaat die doen? Me een of ander walgelijk ruikend goedje laten eten, of gestampte kruiden en insecten, en me vervolgens zeggen dat ik niet zoveel moet eten en drinken? Daar is geen lol aan. Nee, ik ga zoals ik geleefd heb: doen waar ik zin in heb en de rest kan de pleuris krijgen. En als het eten me er vanavond niet onder krijgt, dan doe ik morgen nog beter mijn best.' Magnus ging rechtovereind zitten, haalde een paar keer diep adem, draaide zich om en liep mompelend naar de deur.

'Helvidius Priscus zal alles doen om aan te tonen dat u een autocraat bent,' zei Mucianus toen het fruit en de zoete wijnen werden geserveerd.

'En hij gaat door tot hij denkt dat hij daarin is geslaagd,' vulde Nerva aan, die belangstellend naar de opkomst keek van een zestal danseresjes en een troep vrouwelijke musici. 'En dat betekent dat hij elk decreet dat u uitvaardigt onderzoekt op bewijzen van tirannie.'

'U moet hem laten executeren, vader,' zei Domitianus.

Vespasianus doopte zijn vingers in een kom water en droogde ze aan een servet. 'Ik dood geen hond omdat hij blaft.' Hij wendde zich tot Caenis, die naast hem op de ligbank lag. 'Wie organiseert hier het amusement?'

'Ik, net zoals ik bepaal wat er op tafel komt en de wijnen kies.' Caenis streelde zijn arm. 'We mogen dan niet getrouwd zijn, liefste, maar ik doe alles wat een vrouw hoort te doen en dan zal ik je niet eens lastigvallen met de eis me de titel "augusta" toe te kennen.'

'Ik weet zeker dat je je op andere manieren laat belonen.'

'Maak je geen zorgen, Vespasianus, dat doe ik: ik bepaal wie toegang tot de keizer heeft, dat is heel wat meer waard dan een titel.'

Vespasianus liet een wrang lachje horen. 'Als je je prijzen wat zou verhogen zou ik minder mensen met verzoekschriften krijgen.'

'Geloof het maar niet,' zei Magnus, zijn goede oog gefixeerd op de danseressen die hun beginpose aannamen, waarbij hun gracieuze ledematen voordelig uitkwamen. 'Prijs is nooit een belemmering bij het vragen om een gunst.'

'Heel waar, Magnus; je zult een erg rijke vrouw worden, Caenis.'

'Dat ben ik al, liefste, van al het geld dat ik vroeg voor toegang tot Narcissus en Pallas.'

Met een paar slagen op de trom waren de musici bij de les en ze begonnen een langzame melodie te spelen ter begeleiding van de elegante bewegingen van de danseressen. De gesprekken verstomden toen de gasten van de voorstelling begonnen te genieten. Vespasianus reikte naar Caenis' hand en kneep erin, terwijl hij bewonderend zijn ogen over het schitterende triclinium liet dwalen. Het was oorspronkelijk door Augustus gebouwd en vervolgens na de brand door Nero herbouwd op een verrassend smaakvolle manier, want zijn meer extravagante neigingen had hij aan het Gouden Huis voorbehouden. De buitengewoon mooie zaal bezat een hoog plafond gedecoreerd met een geometrisch patroon met als hoofdkleur een krachtig rood, dat contrasteerde met hemels- en diepblauw; dunne banden van lichtgroen en heldergeel scheidden de gekleurde vierkanten en rechthoeken. Op alle vier de muren waren fresco's geschilderd met mythologische taferelen rond een muzikaal thema, een reflectie van Nero's liefde voor de kunsten. De dubbele deuren van gepolijst cederhout waren een kunstwerk op zich en hadden glazen panelen erin die opgloeiden door het lamplicht van het al even indrukwekkende atrium erachter. 'Dit is allemaal van ons, liefste,' fluisterde hij in Caenis' oor. 'Allemaal van ons. Wie had dat gedacht toen onze ogen elkaar vlak voor de Porta Collina ontmoetten, op de dag dat ik naar Rome kwam, niet meer dan een boerenjongen met hoge idealen, rustieke manieren en een Sabijns accent.'

'Alleen de goden, Vespasianus, en zij probeerden je al je hele leven te vertellen dat je hiervoor voorbestemd was; je hebt gewoon nooit de moeite genomen om goed naar ze te luisteren.'

'Dat heb ik wel gedaan, maar ik geloofde ze niet. In ieder geval niet tot voor kort, pas de afgelopen jaren. Nu lijkt het overduidelijk en mijn ouders wisten het al die tijd, net als Sabinus.' Na het noemen van de naam van zijn broer viel Vespasianus stil, kijkend naar de danseressen en de hand van zijn vrouw vasthoudend. Hij voelde zich ontspannen op een manier die hij misschien niet meer had gevoeld sinds hij het ongenoegen van Nero had opgewekt door in slaap te vallen tijdens diens voordracht voor Tiridates, de koning van Armenia. De vlucht die daarop volgde en de benoeming tot commandant van het leger dat de Joodse opstand moest neerslaan hadden hem geen tijd gegeven zijn hoofd tot rust te laten komen en de angst kwijt te raken. Natuurlijk was er nog een hoop om zich zorgen over te maken, vooral de financiën en de diverse opstanden, maar hij was nu hier, terug in Rome, gesteund door de Senaat en de wet. Vespasianus voelde zich veilig en dat was een vreemd gevoel en een zeldzaam iets in Rome, met zijn meedogenloos competitieve samenleving. Het gevoel van welbehagen stroomde door zijn lichaam terwijl de muziek speelde en de heerlijke meisjes elegant dansten, en al snel begonnen zijn ogen dicht te vallen en begon hij te knikkebollen.

Het geluid van openslaande deuren en voetstappen die vastberaden over de mozaïekvloer liepen verstoorden Vespasianus' tevredenheid. Hij opende zijn ogen en zag zijn hofmeester met een ernstig gezicht naderen. 'Wat is er, Varo?'

'Princeps, Marcus Ulpius Trajanus wacht buiten en verzoekt om u te spreken.'

'Trajanus? Maar die is toch bij zijn legioen in Judaea?'

'Ik verontschuldig me dat ik niet duidelijker was, princeps. Het gaat om zijn zoon, die de afgelopen zes maanden als militair tribuun bij zijn vader heeft gediend. Hij heeft een brief van Titus Caesar.'

'Laat hem binnen.'

Varo gaf een teken aan een slaaf, die daarop de deur opende. Een jongen van niet ouder dan zeventien jaar kwam binnen, smetteloos gekleed in het uniform van een tribuun. Hij had een rond gezicht, een dikke nek, een prominente neus, een rechte mond met dunne lippen en de donkerste, doordringendste ogen die Vespasianus ooit had gezien.

Met het zelfvertrouwen van een ouder iemand naderde de jonge Trajanus de keizer van Rome, ging voor Vespasianus' ligbank in de houding staan en salueerde met de precisie van een dertigjarige kampprefect. 'Princeps!'

'Jaja, doe maar rustig aan, we liggen te eten,' zei Vespasianus, die zijn geamuseerdheid over de ernst van de jongeman verborg. 'Je hebt meen ik een brief van mijn oudste zoon bij je.'

'Ja, princeps.' Trajanus overhandigde Vespasianus een leren koker en sprong weer in de houding.

'Ontspan je, tribuun, daar is nog een vrije bank, ga liggen en neem wat fruit en wijn terwijl ik de brief lees.' Vespasianus haalde de brief tevoorschijn en rolde hem uit.

'En?' vroeg Caenis na een tijdje.

Vespasianus keek op van de brief. 'Liefste, heren, Jeruzalem is gevallen en de tempel is verwoest. Er is geen Jood meer in leven in de stad en ruim honderdduizend zijn in ketenen afgevoerd; Shimon bar Gioras, hun leider, is op transport naar Rome gezet.'

Het hele gezelschap slaakte kreten van blijdschap bij het horen van het goede nieuws.

Caenis legde haar hand op Vespasianus' onderarm. 'Maar dat is prachtig.'

'Zeker. Ik zal morgen de Senaat bijeenroepen om het goede nieuws te vertellen en zal ze meteen duidelijk maken dat ik een dubbele triomftocht voor mij en Titus verwacht.' Vespasianus zweeg even en fronste, en keek toen naar de jonge Trajanus. 'Waarom heeft Titus jou gestuurd, tribuun? Ik heb hem gezegd meteen naar Rome te komen als de stad gevallen is. Hij moest het opruimen van de laatste verzetshaarden aan je vader overlaten.'

'Dat is mijn vader aan het doen, princeps.'

'Waar is Titus dan, is hij nog onderweg?'

'Nee, princeps, hij is met koningin Berenice naar Egypte gegaan.'

Vespasianus voelde het bloed in zijn aderen bevriezen. 'Egypte! Hoe durft hij! Ik heb hem geen toestemming gegeven.'

Maar Vespasianus wist heel goed dat Berenice zich niets van dergelijke kleinigheden zou aantrekken en zij had Titus verleid. Een blik op Domitianus vertelde Vespasianus dat ook hij begreep wat er op het spel stond: Berenice liet Titus zien hoe makkelijk het was om koning van het oosten te worden; ze probeerde de zoon tegen de vader op te zetten.

Vespasianus' gevoelens van veiligheid en welbehagen smolten weg.

HOOFDSTUK XVIII

'En dat brengt me bij de situatie langs de Rijn en de Donau,' zei Vespasianus, zijn stem galmend in de Curia, die stampvol zat met senatoren die gehoor hadden gegeven aan de oproep van de keizer. 'Nu Cerialis de westoever van de Rijn heroverd heeft en de rebellenleiders Civilis, Tutor, Classicus en Julius Sabinus naar het oosten zijn gevlucht, en de invallers in Moesia en Pannonia zijn teruggedreven, hebben we een voortreffelijke gelegenheid om de grensverdediging zo te reorganiseren dat dit soort schanddaden niet meer kunnen voorkomen. Het is van vitaal belang voor de ontwikkeling van het rijk op lange termijn dat onze kolonisten in die streken zich veilig voelen zodat ze hun kinderen daar in vrede kunnen grootbrengen en zo die streken verder romaniseren.' Vespasianus stopte met een zucht met praten omdat Helvidius Priscus voor de vierde keer die ochtend opstond om een opmerking te maken.

'De imperator probeert naar mijn mening hier over een probleem heen te praten: hoe zit het met Civilis, Tutor, Classicus en Julius Sabinus? Om nog maar te zwijgen van de honderddrieëntwintig minder belangrijke stamhoofden die met ze mee in ballingschap zijn gegaan in Germania Magna; hoe zit het met hen, patres conscripti? Zijn ze niet tegen Rome in opstand gekomen? Zijn ze niet verantwoordelijk voor het vergieten van veel Romeins bloed? Zijn ze er niet bijna in geslaagd het rijk in tweeën te splitsen, zoals de zoon van de imperator momenteel in Egypte aan het doen is, paraderend met een koninklijke tiara en een Joodse teef als koningin aan zijn arm? Een nieuwe Cleopatra. Kan het nog schaamtelozer?' Rood aangelopen van republikeinse verontwaardiging keek Helvidius Priscus de Senaat rond, terwijl hij zijn toga

schikte en de pose van de mannen van weleer aannam als ze tegen opkomende tirannie tekeergingen. 'Ja, Titus heeft buit en gevangenen
naar Rome gestuurd voor de triomftocht die hij en de imperator over
drie maanden in juni zullen delen, maar zal hij er ook zelf bij zijn? Of
is hij dan de nieuwe Marcus Antonius geworden en heeft hij zichzelf
tot koning van het oosten uitgeroepen?' Met gif in zijn ogen wees hij
met een beschuldigende vinger naar Vespasianus. 'Misschien is de imperator daarom onwillig om die Germaanse en Gallische verraders we-
gens opstand voor het gerecht te slepen, dan kan hij immers zijn zoon
voor hetzelfde verraad vergeven.' Hij ging weer zitten, met kaarsrechte
rug, de ogen strak naar voren gericht; de neusvleugels gingen langzaam
heen en weer door de diepe ademteugen die hij nam na het voltooien
van zijn tirade.

'Bent u klaar, Priscus?' vroeg Vespasianus op milde toon, met een
sprankje overdreven bezorgdheid erdoor gemengd.

Priscus was te veel meegesleept door zijn eigen verontwaardiging
om antwoord te geven.

'Dat zal ik dan maar als een ja opvatten.' Vespasianus schraapte zijn
keel en keek naar de rijen senatoren, die allemaal benieuwd naar zijn
antwoord waren. Titus was het voornaamste onderwerp van roddels in
Rome sinds zes maanden eerder bekend was geworden dat hij naar
Egypte was gegaan. 'Uiteraard hoef ik dergelijke beschuldigingen niet
te beantwoorden, maar in dit geval zal ik het toch doen en ik zal ze een
voor een behandelen. Ten eerste, de reden dat ik Civilis, Classicus en
Tutor niet straf is omdat ze de Romeinse hegemonie hebben aanvaard.
De hulptroepen die ze leveren hebben de eed weer afgelegd en vechten
nu vóór ons en niet tegen ons. Vier Bataafse, twee Tungrische, drie
Lingonische en vier Nervische cohorten zijn weer terug in Britannia
en helpen de opstand van de Brigantes in het noorden neer te slaan.
Cerialis, die ik tot gouverneur van die provincie heb benoemd, zal als
hij vertrekt nog meer hulptroepen meenemen, waaronder Gallische en
Germaanse ruiterij. Ze zijn weer bij hun verstand gekomen, wat heeft
het dan voor zin ze weer opstandig te maken door hun leiders te doden? Civilis is van adel, hij is de kleinzoon van de laatste Bataafse koning, levend is hij van meer nut voor me dan dood. De enige die moet
sterven als we hem vinden is Julius Sabinus, want hij heeft zichzelf
Caesar genoemd en dat kunnen we niet door de vingers zien; de Lingo-

nes moeten het maar aanvaarden, anders krijgen ze een zwaardere straf. Is iemand het niet eens met deze zienswijze?'

Er ging een positief gemompel door de zaal; met uitzondering van de ziedende Priscus leken alle aanwezigen het met Vespasianus eens.

Vespasianus stak een hand op om tot stilte te manen. 'En wat mijn zoon en de situatie in Egypte en Judaea betreft heeft Helvidius Priscus, een man van principes, een punt. Niettemin heeft hij het mis. Titus Caesar heeft mij niet om toestemming gevraagd om naar Egypte te gaan, want het precedent daarvoor is vijftig jaar geleden geschapen door Germanicus toen hij als eerste erfgenaam in Augustus' testament zonder Tiberius' toestemming naar Egypte ging. Hij werd niet berispt...'

'Nee, hij werd vermoord!' schreeuwde Priscus triomfantelijk. 'Door Calpurnius Piso, op bevel van Tiberius, de daad van een tiran! Is dat wat u van plan bent met uw zoon?'

Vespasianus worstelde om zijn stem niet te verheffen. 'Dat idee is belachelijk, zullen we ons beperken tot argumenten en niet op wilde theorieën overgaan? Titus is met mijn zegen in Egypte,' ging Vespasianus verder, hopend dat het ongemakkelijke gevoel dat hij over deze leugen had niet van zijn gezicht viel af te lezen, 'en hij zal hier zijn voor onze gezamenlijke triomftocht in juni, hij zal zelfs veel eerder komen.' Hij probeerde de onzekerheid uit zijn stem te houden.

'Maar wat doet hij daar?'

'Mag ik u eraan herinneren, Priscus, dat de buit die hij naar Rome heeft gestuurd de grootste is die de stad in eeuwen heeft gezien? Gisteren nog is een scheepslading mannelijke gevangenen van topkwaliteit voor de arena en de mijnen aangekomen. Dat is niet de daad van een man die in opstand wil komen. Titus heeft zoveel goud in de tempel buitgemaakt dat de prijs ervan in het oosten is gehalveerd. Bedenk dan dat de Joden inmiddels proberen hun broeders vrij te kopen, wat betekent dat de prijs voor slaven niet gedaald is, ondanks de overvloed op de markt, terwijl we daar wel bang voor waren. Hij is stabiel gebleven en inmiddels stijgt hij weer. Dat is wat hij in Egypte doet, Priscus, onderhandelen over de verkoop van Joodse gevangenen voor goud aan Joodse delegaties uit het hele rijk, die naar Alexandria zijn gekomen omdat dat de rijkste Joodse gemeenschap is. Hij zorgt ervoor dat de fanatici in slavernij blijven en een kort, ellendig maar nuttig leven leiden in de mijnen of arena's door het hele rijk, en dat de vrouwen en kinderen en minder gevaarlijke mannen voor een fatsoenlijke prijs worden vrijgekocht en niet teruggaan naar Judaea, maar verdeeld worden over de Joodse gemeenschappen in het rijk, maar ook in Parthië en Armenia. Sommigen gaan misschien wel helemaal naar Joodse nederzettingen in India.' Vespasianus begon schik in zijn improvisatie te krijgen. 'Dus u ziet dat hij slaven terugverkoopt aan de Joden voor de dubbele hoeveelheid goud die we hadden kunnen verwachten omdat we zoveel van de Joden hebben afgepakt dat de prijs is gedaald. Ik zou het briljant willen noemen en het helpt samen met de rest van de buit om de staatsfinanciën weer op orde te brengen. Stelt dat u tevreden, Priscus?'

'Ik geloof het pas als ik het zie,' kwam het onwillige antwoord.

Vespasianus besloot niet verder in te gaan op het verontrustende onderwerp dat zijn zoon was geworden. Hij had maar weinig brieven van Titus ontvangen in de zes maanden dat die nu in Egypte zat en hij was vaag geweest over zijn plannen, al had hij wel het idee vermeld om Joodse gevangenen aan de Joden terug te verkopen. Maar meer dan dat wist Vespasianus niet. Zijn spionnen hadden bevestigd dat Titus bij diverse gelegenheden, zowel religieuze als profane, een tiara had gedragen die hij van de Alexandrijnen had gekregen. Hij had ook Berenice als zijn echtgenote behandeld, wat zowel in de Griekse als in de Joodse gemeenschap een schandaal was geweest. Vespasianus had teruggeschreven en gezwegen over zijn twijfels over zijn zoons loyaliteit, maar had hem wel gevraagd om zodra hij kon naar Rome terug te keren zodat hij de organisatie van hun triomftocht op zich kon nemen, maar Titus treuzelde.

'En nu, patres conscripti,' ging Vespasianus weer verder, 'als Helvidius Priscus tevreden is, wil ik weer terugkeren naar het veel belangrijkere onderwerp van onze grenzen. Ik wil het aantal legioenen bij de Rijn op acht houden, vier in Germania Superior en vier in Germania Inferior. In die laatste provincie zal de Eenentwintigste Rapax bij Bonna worden gelegerd en de Tweeëntwintigste Primigenia bij Vetera, waar het fort dat in de Bataafse opstand is verwoest herbouwd zal worden. Novaesium wordt de basis van de Zesde Victrix, en de Tiende Gemina zal een nieuw kamp bouwen in het noorden van de provincie. Omdat Germania Inferior het centrum van de Bataafse opstand was zal ik het aantal hulpcohorten in die provincie uitbreiden met de eerste en tweede civium Romanorum, de zesde ingenuorum en de tweede en zesde Brittonum, waarbij er nieuwe forten moeten komen om ze te legeren. In totaal zullen er daarmee zevenentwintig forten zijn, met steeds minder dan tien mijl ertussen. Als u naar deze plannen kijkt, patres conscripti, dan zult u zien dat de provincie goed is verdedigd tegen aanvallen en opstanden.'

De meeste senatoren hadden zelf gediend en zagen de militaire logica in van Vespasianus' betoog en lieten hun instemming blijken; maar Priscus stond op.

'Wat is er nou weer?' vroeg Vespasianus, die de irritatie niet uit zijn stem wist te houden.

'En als we deze plannen nou niet voldoende vinden, zou dat enig verschil maken? Kunnen we erover praten of hebt u het laatste woord?'

'Mijn deur staat altijd open voor mensen die me goede raad willen geven, Priscus. Ik heb deze plannen voor de verdediging van het rijk ook opgesteld na het raadplegen van vele senatoren die gouverneur in de grensprovincies zijn geweest of als legaat in de betrokken legioenen hebben gediend. Zelf heb ik in Moesia en Germania Superior gezeten en bovendien in Britannia. Help me even herinneren waar u gediend hebt, Priscus, waar hebt u militaire ervaring opgedaan? Ik meen dat u een quaestor was in Achaea, een tribuun van het plebs, en nu bent u praetor.'

'Ik heb onder Corbulo in Armenia gediend.'

'Dan zal ik u raadplegen als ik legioenen inzet in dat vazalkoninkrijk.'

'Maar we hebben daar geen legioenen.'

'Precies!'

Onder instemmend gelach ging Priscus zitten met alle waardigheid die hij kon opbrengen, woedend over Vespasianus' sneer.

'En nu Germania Superior,' ging Vespasianus verder. 'Mogontiacum blijft een dubbelkamp voor de Eerste Adiutrix en de Veertiende Gemina, die niet naar Britannia terugkeert. De Tweede Adiutrix is opnieuw geformeerd met vlootsoldaten en gaat in hun plaats naar Britannia om gevechtservaring op te doen. Argentoratum wordt de basis van de Achtste Augusta, en de Elfde Claudia vervangt de Eenentwintigste Rapax in Vindonissa. De hulpcohorten die nu in die provincie zitten blijven. De Dertiende Gemina en de Zevende Galbiana, die vanaf nu

314

ook een Gemina zal zijn, vormen de garnizoenen in Pannonia. De Eerste Italica, Zesde Ferrata, Zevende Claudia en Derde Gallica worden in Moesia gelegerd. Sinds de gecoördineerde aanvallen waar we in die provincie mee te maken hebben gehad gaan er stemmen op voor een grootschalige invasie van de Dacische en Sarmatische gebieden aan de andere kant van de Donau, met als oogmerk Dacia als provincie in het rijk op te nemen. Het idee bevalt me en ik zie er ook veel voordelen in, maar ik meen dat het nu niet het moment daarvoor is en ik laat het dan ook aan mijn opvolgers over zodra de financiën van het rijk weer op orde zijn. Voorlopig houden we aan de bestaande grenzen vast, maar er komt een tijd waarin we weer uitbreiden. Dat is in mijn ogen noodzakelijk, want een stagnerend rijk is een gedoemd rijk. Zodra we zijn uitgerust en de wonden van deze burgeroorlog zijn geheeld gaan we weer in het offensief.'

Deze woorden werden met patriottisch gejuich en het zwaaien van boekrollen en de slippen van toga's ontvangen.

Vespasianus liet zich even toejuichen, maar zijn rommelende maag zette hem aan om tot stilte te manen zodat hij zijn betoog over de verdediging van het rijk kon afmaken. Het was zijn eerste en belangrijkste toespraak over het onderwerp. 'Tot slot wil ik de oprichting van twee nieuwe legioenen boven op de Tweede Adiutrix bekendmaken, zodat het totaal op negenentwintig komt. In de ene zullen de overlevenden van de vorig jaar bij Vetera vrijwel geheel weggevaagde Vijftiende Primigenia worden opgenomen, aangevuld met de dapperder legionairs uit de Zestiende Gallica, Eerste Germanica en Vierde Macedonica, die allemaal opgeheven worden vanwege hun rampzalige prestaties en lafheid in de Bataafse opstand. Deze twee nieuwe legioenen, patres conscripti, zullen de Zestiende Flavia Firma en de Vierde Flavia Felix heten en zullen hun adelaars van mij persoonlijk krijgen.'

'IJdelheid!' schreeuwde Priscus.

'Nee, Priscus, dat is geen ijdelheid. Het is niet meer dan een beloning voor wat ik bereikt heb; een erfenis is het minste wat een goede keizer kan verwachten en ik ben van plan om een goede en rechtvaardige keizer te zijn.'

'Eerder een tiran.'

'Priscus, zelfs een goede en rechtvaardige keizer heeft grenzen aan zijn geduld en ik nader de mijne. Goed, voor ik deze zitting van de

Senaat beëindig heb ik nog één aankondiging: op de plek van het Gouden Huis ben ik van plan het grootste publieke bouwproject sinds de herbouw van het Circus Maximus te beginnen. Het Flavische amfitheater zal het eerste stenen amfitheater van Rome zijn. Volgens mijn architecten zal de bouw tien jaar duren en er zal plaats zijn voor vijftigduizend toeschouwers. En dat, patres conscripti, zal mijn eeuwige erfenis zijn.'

'IJdelheid!'

'Hij gaat te ver, vader,' zei Domitianus, terwijl hij en Vespasianus achter hun lictoren schreden richting het kolossale beeld van Nero in het middelpunt van het Gouden Huis.

'Dat doet hij zeker, maar het heeft ook zijn nut,' antwoordde Vespasianus.

'Wat? Dat hij u zwak laat lijken?'

'In zekere zin wel, ja, zo lijk ik niet almachtig, er is nog ruimte voor een beetje tegenstand in de Senaat.'

'Een beetje? Hij maakt u openlijk belachelijk en beschuldigt u ervan een tiran te zijn.'

'Precies, en zo bewijst hij dat ik dat niet ben. Een tiran zou nooit iemand toestaan hem van tirannie te beschuldigen en hem laten leven. Helvidius Priscus bewijst me een grote dienst en maakt zichzelf gelijktijdig belachelijk.'

'En toch moet u hem laten executeren of op zijn minst verbannen.'

'Dan zou ik echt een tiran lijken.'

'Wat doet dat ertoe als we de macht stevig in handen hebben?'

'Niemand die door angst regeert heeft de macht stevig in handen, Domitianus. Macht is als water: je kunt het makkelijk in je handen houden als je een kom ermee vormt, maar als je het vast wilt grijpen stroomt het weg. Ik houd mijn handen in een kom.'

Domitianus wierp een zijdelingse blik op zijn vader en schudde zijn hoofd in ongeloof.

Vespasianus dankte Mars dat hij met Titus een oudere zoon had, maar meteen begon het ongemakkelijke gevoel over wat Titus aan het doen was aan hem te knagen en hij besloot de kwestie meteen aan te pakken. 'Domitianus, je moet me een gunst bewijzen.'

'Wat is het, vader?'

'Het gaat om je broer.'

'Wat is er met hem? Bent u bang dat hij het oosten inpikt?'

'Daar zou jij je ook zorgen over moeten maken, Domitianus, want het heeft ook gevolgen voor jou. Waar sta jij als hij het rijk opdeelt?'

'Dan ben ik uw enige erfgenaam.'

'En jij denkt dat ik een deling overleef? Als ik het toesta zal Helvidius Priscus niet langer de enige zijn die zich tegen me verzet. Wat is het westen zonder het oosten? Dat gaan ze vragen. Neem de rijkste provincies weg en waar halen we dan belastingen en graan vandaan? Wie zal die provincies besturen, senatoren uit Rome? Niet waarschijnlijk, Titus zal een eigen senaat opzetten in Alexandria en als dat het geval is, wie hebben er dan zitting in? Gaan families die al generaties in Rome wonen naar Egypte om kans te maken op die lucratieve posten? Nee, Domitianus, de consequentie van wat je broer overweegt is dat je de enige erfgenaam van een vermoorde keizer zou zijn, en die positie is niet echt begerenswaard.'

Domitianus kneep zijn ogen samen terwijl hij de logica in zijn hoofd verwerkte. 'Maar dat zou vreselijk zijn voor mij, ik zou sterven.'

'Heel waarschijnlijk.'

'U moet er wat aan doen, vader.'

'Wat? Als ik Titus schrijf over waar ik bang voor ben, geef ik toe dat ik weet waar hij aan denkt en dat dwingt hem dan het te doen, want hij zal beseffen dat ik hem niet langer kan vertrouwen. Maar als...'

Domitianus had geen moeite Vespasianus' zin af te maken. 'Maar als ík hem schrijf dat u zich zorgen maakt over wat er in zijn hoofd zou kúnnen omgaan en ik hem de gevolgen van zijn daden voor de hele familie uitleg, dan kan hij nog op zijn schreden terugkeren zonder dat er een vertrouwensbreuk tussen jullie is.'

Vespasianus legde zijn arm om de schouders van zijn jongste zoon. 'Goed gedaan, Domitianus.'

'Ik zal helpen, maar op één voorwaarde.'

'Ik geloof niet dat je in een positie zit om voorwaarden te stellen.'

'Dat u me toestemming geeft om met Domitia Longina te trouwen.'

Vespasianus haalde diep adem. 'Tja, wat voor kwaad kan dat? Goed dan, je hebt mijn toestemming.'

'Ik ga onmiddellijk de brief schrijven.'

'Dat zou erg behulpzaam zijn.'

'We hebben het hele terrein bekeken, imperator,' zei Marcus Patruitus, die samen met Vespasianus over het kunstmatige meer uitkeek dat het middelpunt van het Gouden Huis vormde, 'en dit is de beste plek om uw amfitheater te bouwen. Het meer is vijfhonderd voet bij vijfhonderd voet en twintig voet diep en daarmee hebben we al de basis voor de fundering en de kelders, en dat levert een forse besparing op.'

Vespasianus mocht de man onmiddellijk. 'Heel goed, Patruitus.'

'En we hoeven niets af te breken en dat bespaart nog meer geld.'

'Mooi, mooi.'

'Bovendien wordt het meer door een ondergronds aquaduct gevoed, dus de leidingen om de arena onder water te zetten liggen er al; weer een grote besparing.'

Vespasianus wreef zich in de handen, opgetogen door de vooruitzichten. 'Uitstekend. Wanneer kan het werk beginnen?'

'Zodra ik de mankracht heb, imperator.'

'In de slavenbarakken in Ostia wacht een scheepslading Joodse gevangenen op distributie. Mijn mensen zoeken momenteel de beste uit voor de spelen die ik volgende maand ga houden; de rest is voor mijn triomftocht, maar daarvoor en daarna staan ze tot je beschikking. Maar wees gewaarschuwd, het zijn nogal fanatieke Joden en die laten zich niet altijd even makkelijk aan het werk zetten.'

Patruitus glimlachte en wuifde het bezwaar weg. 'Geen zorgen, imperator, ik kruisig er een paar om de anderen aan te moedigen. Ze zullen het snel snappen.'

'Goed, maar kruisig er niet te veel, ik wil er een flink aantal overhebben om door de straten te laten paraderen.'

'Ik zal zuinig aan doen.'

'Mooi.' Vespasianus keek uit over het meer en probeerde zich het grote gebouw voor te stellen dat hier binnenkort zou staan. 'Wanneer is het model klaar?'

Patruitus dacht even na. 'Over vier dagen breng ik het naar het paleis.'

'Wat vind je ervan, Magnus?' vroeg Vespasianus, het prachtige schaalmodel bestuderend van wat het Flavische amfitheater moest worden. Het model was zes voet lang, vijf voet breed en vier voet hoog; de bogen en banken waren zorgvuldig uitgesneden en op het zand waren figuurtjes van gladiatoren te zien, zodat je de omvang van het gebouw kon begrijpen.

Magnus bracht zijn oog ter hoogte van een boog en keek de gang daarachter in. 'Het ziet er mooi uit. Ik krijg echt een indruk van hoe het gaat worden, en u zegt dat er water in kan?'

'Als dat nodig is, ja.'

'Nou, dat moet lukken.'

'Wat?'

'Uw naam in herinnering houden nadat u uw afspraak met de veerman hebt. Het Flavische Amfitheater, dat klinkt goed. Ik wil er wel wat onder verwedden dat het bekend zal worden als de Flaviër.'

Vespasianus liet dat even bezinken. 'Het zal een van de wonderen van de wereld zijn. Als het af is laat ik dat kolossale beeld van Nero ernaast zetten.'

'U wilt toch geen kolossale Nero naast uw amfitheater hebben?'

'Nee, natuurlijk niet, ik laat het hoofd vervangen door dat van een god.'

'Welke?'

'Dat heb ik nog niet besloten, maar ik denk Mars of Apollo.'

'Pas wel goed op met wie u kiest, want u wilt geen kolossale god die de naam inpikt en dat men het amfitheater de Mars of iets dergelijks noemt.'

Vespasianus glimlachte naar zijn vriend en sloeg hem op de schouder. 'Ik vraag me af of je ooit de positieve kant van iets zult zien.'

'Nou, nou, ik zeg het alleen maar zoals het is. Iets een naam geven is leuk en aardig, maar de bijnamen blijven hangen, de namen die mensen bedenken, die blijven.' Magnus keek weg en beet op zijn onderlip en krabde op zijn achterhoofd. 'Ik weet niet of ik dit wel moet zeggen.'

'Wat, Magnus?'

'Tja, bijnamen, het is een wat lastig onderwerp, als u begrijpt wat ik bedoel?'

'Bedoel je hoe de mensen me noemen?'

'Het is niet zozeer hoe ze u noemen maar meer hoe ze iets anders noemen.'

'En waarom moet ik me daar zorgen om maken?'

'Tja, ze gebruiken uw naam.'

'Vespasianus? Voor wat?'

'Nou, sinds u de pisbelasting hebt ingesteld zeggen sommige mensen: "Ik moet even een Vespasianus doen", en ze noemen openbare pishuizen "Vespasianussen".'

Vespasianus gooide zijn hoofd in zijn nek en lachte. 'En we waren bang dat mijn naam niet zou voortleven, maar over duizend jaar pissen de mensen nog steeds in een Vespasianus. Ik vind het een hele eer.'

'Wat is er zo leuk?' vroeg Caenis, die binnen kwam lopen.

Vespasianus kreeg zijn lachbui onder controle. 'Mijn urinebelasting heeft de publieke verbeelding geprikkeld, liefste. Ik ben nu een object waarin ze piesen.'

Caenis was er niet van onder de indruk. 'Ik denk dat je wel wat meer respect verdient.'

'En ik denk dat het een teken van genegenheid is, en ik ben blij dat die al zo snel komt.'

'Als jij er maar gelukkig mee bent.' Caenis bood een rol aan.

'Wat is dat?'

'Dat, liefste, is waar je me om gevraagd hebt. Het is het document waarmee de stad Aventicum de status van *colonia* krijgt als dank voor de gastvrijheid die je ouders er kregen toen je vader daar een bank begon.'

Vespasianus nam de rol aan en las de inhoud. 'Vlak voordat hij stierf zei mijn vader tegen me dat als ik ooit in de positie kwam om de stad die status te geven hij het als een gunst aan hem beschouwde als ik dat deed. Ik had geen idee waar hij het over had, ik hield het op het gebazel van een oude man. Maar natuurlijk wist hij wat mijn lot was, want hij had de voortekenen bij mijn geboorte gezien.' Hij nam het document mee naar zijn schrijftafel en pakte een pen, doopte die in de inkt en zette zijn handtekening. 'De goede mensen van Aventicum beseffen waarschijnlijk niet eens dat hun voormalige bankier de vader van de keizer is,' observeerde hij terwijl hij een staafje zegelwas in een vlam hield. 'Het zal een grote verrassing voor ze zijn.' De gesmolten was druppelde op de rol. 'Dit is een schuld die ik graag inlos.' Hij drukte de zegelring in de was en vervulde zo het verzoek dat zijn vader op zijn sterfbed had gedaan.

Het was een lange ochtend vol doden geweest, en nog wilden de mensen van Rome er meer zien; ze juichten zich schor elke keer als een van de Joodse gevangenen de arena in werd gestuurd. Ze waren gedwongen te vechten, want het alternatief was verscheurd worden door wilde dieren, en zo gaven de ooit zo trotse en fanatieke verdedigers van Jeruzalem hun bloed voor het vermaak van de mensen tegen wie ze zich zo koppig hadden verzet in bijna elk aspect van het leven. Maar je zonder gevecht overgeven aan het zwaard was geen optie, want de wapenbroeder tegenover je moest dan die pijnlijke dood in de muil van de dieren sterven. Ook zelfmoord werd op die manier bestraft: je broeders werden aan de kaken en klauwen van de beesten overgeleverd. Om elkaar dat te besparen vochten de Joodse gevangenen daarom met grote felheid en waardigheid in paren of groepjes over het hele oppervlak van het Circus Maximus, gekleed als gladiatoren maar zonder bijbehorende oefening. De geluksvogels vonden een snelle dood na een vertoning die het publiek vermaakt had.

Vespasianus zat in de keizerlijke loge op precies die plek waarop hij Tiberius had gezien toen hij voor het eerst in Rome was, als jongen van zestien. Nu was hij degene die spelen aan het volk bood, dat brulde terwijl het bloed vloeide. Hij stond in zijn magnifieke purperen mantel en met lauwerkrans op en wees op een gevangene wiens inspanningen hij als te mager beoordeelde. 'Breng hem naar de dieren!' Zijn woorden verdronken in het lawaai van een kwart miljoen mensen, maar zijn gebaar was duidelijk en het gejoel nam in volume toe. De ongelukkige werd schreeuwend naar de dierenkooi gesleept, aan het ene uiteinde van het Circus, en zonder omhaal over het hek gegooid.

In een wolk van klauwen, tanden en haar verscheurden de uitgehongerde zwarte panters de gevangene, wiens laatste blik op de wereld een roofdier betrof dat aan zijn verminkte arm knaagde. De intensiteit van het tiental gevechten in de arena nam onmiddellijk toe, want niemand wilde dat lot ondergaan.

'Mag ik de volgende veroordelen, vader?' vroeg Domitianus, die links van hem zat en op wiens gezicht opwinding en plezier in de wreedheid viel af te lezen.

'Ga je gang.' Vespasianus wees op een Thraciër en een *retiarius* die aan de andere kant van de *spina* in een gevecht waren verwikkeld. 'Let op die man met de drietand, volgens mij is hij zijn net expres kwijtgeraakt en hij lijkt zich bij sommige stoten in te houden.'

'Hoe lang wil je nog blijven, liefste?' vroeg Caenis, gezeten aan zijn rechterzijde met een stem waar verveling uit sprak.

321

'Tot het einde en ik ben bang dat je bij me moet blijven. Het volk moet kunnen zien hoe heerlijk wij het vinden om ze een plezier te doen.'

'Ik probeer er heel blij uit te zien, maar ik begin er pijn van in mijn kaken te krijgen.' Ze glimlachte breed en onoprecht en wreef over het getroffen deel om het te bewijzen.

Vespasianus wendde zich tot de praetoriaanse centurio van de wachters die bij de ingang van de loge stonden. 'Stuur iemand om uit te zoeken hoeveel gevangenen er nog te gaan zijn, centurio.'

De centurio salueerde en blafte een bevel naar een van zijn mannen. Op dat moment verscheen er een figuur bij de loge.

Vespasianus' hart sprong op en hij voelde een enorme opluchting. Hij stond op en nam de beide uitgestoken handen aan.

'Hier ben ik, vader,' zei Titus. 'Ik ben er.'

'Ik ben meteen naar Puteoli gegaan in plaats van via Brundisium,' zei Titus bij wijze van verklaring. 'Daarom hebt u geen bericht gehad, ik wilde hier zo snel mogelijk zijn.'

'En de triomfantelijke tocht van Brundisium naar Rome overslaan,' zei Vespasianus, 'waarbij je in elke stad als teruggekeerde held ontvangen en feestelijk onthaald en bezongen wordt? Je moet grote haast hebben gehad, hoe dat zo?'

Titus keek naar de arena, waar een *murmillo* zijn zwaard recht in de keel van de *secutor* tegenover hem stootte. 'U weet heel goed, vader, waarom ik haast had.'

'Vermaakte je je opeens niet meer in Egypte?'

'Hou op met spotten, vader. Ik hoorde wat u hebt gedaan en moest zo snel mogelijk komen om u over te halen uw beslissing terug te draaien.'

'Welke beslissing?'

Titus leek even in de war en keek naar zijn broer en toen weer naar zijn vader. 'Dat u me uit uw testament hebt geschrapt en dat Domitianus uw enige erfgenaam is.'

Vespasianus moest de sluwheid van zijn jongste zoon wel bewonderen. 'Wie heeft je dat verteld?'

'Ik kreeg een brief van Domitia Longina waarin ze schreef dat Domitianus dat haar had verteld en ze vroeg me of het waar was en of ik in

322

het oosten bleef. Ze zei dat ze dat moest weten voordat ze Domitianus' huwelijksaanzoek kon aanvaarden.'

Vespasianus wendde zich tot Domitianus. 'Wist jij iets van die brief?'

'Nee, vader.' De leugen was perfect.

'Heb jij dat tegen haar gezegd?'

'Nee, vader.'

'Lieg niet tegen me, jongen.'

'Nou ja, misschien heb ik wel zoiets gezegd toen het erop leek dat Titus het oosten voor zichzelf wilde.'

Vespasianus deed zijn best om ongelovig te kijken. 'Het oosten voor hemzelf? Waar haal je dat onzinnige idee vandaan? Van mij niet in ieder geval.'

Domitianus haalde zijn schouders op.

Voor één keer was Vespasianus tevreden met zijn jongste zoon, hij wist bovendien dat Domitianus uit eigenbelang nooit de waarheid zou vertellen. Hij wendde zich weer tot Titus. 'Zie je wel, het was allemaal een hersenspinsel van je broer, ik had er niets mee te maken.'

Titus fronste. 'Dus u koesterde geen verdenking dat ik was teruggekomen op mijn woord aan u, vader?'

'Verdenking? Natuurlijk niet, ik ging ervan uit dat je druk was met slaven terugverkopen aan de Joden en intussen wat uitrustte met Berenice. Waar is ze trouwens?'

'Ze is terug naar Tiberias. Ik heb haar gevraagd mee te komen, maar ze zei dat ze geen getuige kon zijn van de viering van mijn triomf op de Joden.'

'Mooi, dat is dan een probleem minder.'

'Dus er is niets van waar, ik ben nog steeds uw erfgenaam en heb uw vertrouwen?'

'Natuurlijk, Titus, waarom zou dat niet zo zijn? En om je te laten zien hoeveel ik je vertrouw ga ik je tot prefect van de praetoriaanse garde benoemen.'

'Ik? Maar die functie gaat altijd naar een eques.'

'En dat ga ik veranderen, net zoals ik de garde ga veranderen; ik verminder het aantal manschappen tot negen cohorten van vijfhonderd man die we zelf uitpikken. We moeten onze macht consolideren en als jij een kleinere, loyale garde commandeert is er een bedreiging minder.'

Titus verwerkte dat even, knikte toen en keek Vespasianus aan. 'U hebt gelijk, dank u, vader.'

Een blik op Domitianus vertelde Vespasianus wat zijn jongste zoon dacht van de macht die de vervalste brief zijn broer had bezorgd.

HOOFDSTUK XIX

'Eén familie, één grote familie!' fulmineerde Helvidius Priscus met rood aangelopen gezicht. Hij hield zijn hand boven zijn hoofd en richtte zijn wijsvinger op het plafond van de Senaat. 'Eén familie heeft alle macht verzameld die volgens de gewoontes van onze voorouders gedeeld hoort te worden door de senatoren en equites. Door de consul van het volgende jaar zes maanden voor het einde van dit jaar aan te kondigen laat de imperator zijn ware gezicht zien.'

'En wat voor gezicht is dat, Priscus?' onderbrak Vespasianus hem, zijn geduld werd danig op de proef gesteld door de constante stroom aanvallen waarmee hij te maken had gekregen sinds hij Titus tot prefect van de praetoriaanse garde had benoemd.

'Een machtshongerig monster dat zich in grootheidswaan wentelt, en om mijn punt te bewijzen bent u niet tevreden met uw triomf-tocht van morgen, maar wordt u volgend jaar weer consul, samen met de prefect van de praetoriaanse garde.' Hij wendde zich tot Titus, die naast Nerva op de voorste rij van senatoren zat. 'Dat is toch ongehoord, een consul die tevens de prefect van de praetori-aanse garde is? Het is een schande. En om het nog erger te maken zijn de consules suffecti Vespasianus' neef Titus Flavius Sabinus; Marcus Ulpius Trajanus, die aangetrouwde familie is; en dan voor de derde keer Caius Licinius Mucianus, een voormalige kontjongen van hem.'

Vespasianus sprong op, alle waardigheid van zich af gooiend. 'Zo is het wel genoeg, Priscus. Neem die bewering terug.'

'Uitstekend, ik neem "voormalige" terug.'

Vespasianus moest zichzelf in bedwang houden om niet op de man af te stormen en hem te wurgen. 'U weet precies wat ik bedoel, Priscus. Neem het terug!'

'Of anders? Laat u de senior consul me uit het gebouw zetten?' Hij keek naar Domitianus, die de Senaat voorzat. 'De senior consul,' sneerde hij. 'Senior? Hij is nog niet eens twintig en u maakt een lachertje van het consulschap door hem niet alleen consul te maken drieëntwintig jaar voordat hij daarvoor in aanmerking komt, maar ook nog eens een "senior" consul! Zie u niet hoe idioot het u laat lijken?'

'Nee, Priscus, als uw keizer, gekozen door dit huis, heb ik de bevoegdheid iedereen voor het consulschap te nomineren die ik wil en voor mijn jongste zoon is het passend om de waardigheid van die rang te krijgen, wat uw kleinzielige jaloezie u ook laat denken.'

'Jaloezie! Hoe kun je jaloers op een tiran zijn?'

'Tiran!' Titus ontplofte en sprong op. 'U noemt mijn vader een tiran in zijn gezicht en u ziet niet dat u zichzelf daarmee voor schut zet? Ik zou maar voorzichtig zijn met wat u wenst, Priscus.'

'Ik bén voorzichtig in wat ik wens en ik wens een staat zonder tirannen. En dan hebben we ook nog eens een tiran met onwettige zoons.'

'Onwettig! Hoe durft u?' Met grote stappen liep Titus doelgericht de zaal door.

'Dat durf ik omdat het de waarheid is. Uw moeder was de dochter van Flavius Liberalis, een vrijgelatene met Latijnse rechten maar zonder volledig burgerschap. Hij werd vrijgelaten nadat ze geboren was, waarmee ook zij een vrijgelatene was en geen burger, zoals ze altijd beweerde, en we kennen allemaal de wet dat een senator niet met een vrijgelatene mag trouwen. En als er kinderen uit een dergelijke verbintenis geboren worden, dan zijn die onwettig en zeker geen burgers.'

'Genoeg!' schreeuwde Vespasianus, die zich niet langer kon beheersen. 'Flavia was een Romeins burger en haar vader was de zoon van een vrijgelatene, niet zelf een vrijgelatene. Hou op met die laster.'

'En ik eis vrijheid om te spreken.'

'En dat is precies wat ik u bied,' zei Titus over zijn schouder en hij stopte bij de deur.

'Dat lijkt me amusant om te zien.'

'En ik deel in het amusement, Priscus.' Titus gaf een teken aan de praetoriaanse centurio om binnen te komen. 'En neem twee man mee, centurio.'

326

Helvidius Priscus keek woedend naar de gewapende soldaten die de Senaat binnenkwamen. 'Wat heeft dat te betekenen?'

'Dit, Priscus, betekent dat uw beide wensen vervuld worden: ik geef bevel tot ballingschap.' Titus keek naar Vespasianus. 'Wat vindt u, vader, zullen we hem de gewenste tiran geven?'

Vespasianus drukte zijn vingertoppen tegen elkaar en bracht ze peinzend naar zijn lippen. 'Ja, Titus,' zei hij na enkele ogenblikken. 'Ja, ik zal me als tiran tegenover hem gedragen, wat hem ongetwijfeld veel plezier zal doen. Breng hem weg en vervul zijn wens van een eenzaam leven op een eiland waar hij niet bang hoeft te zijn door een tiran geregeerd te worden en waar hij kan zeggen wat hij wil.'

'Dat kunt u niet doen!' schreeuwde Helvidius Priscus toen de gardisten hem bij de schouders pakten.

'Dat kan ik en doe ik omdat u me ertoe hebt gedreven, u zult in de toekomst voldoende tijd hebben om dat te overdenken. Ga nu, Priscus, en mocht u terug naar Rome willen, dan hoeft u alleen een excuusbrief te schrijven.'

Priscus' mond ging open en dicht en hij sputterde bij de gedachte aan die gruwel. 'Tiran!' gilde hij toen hij de deur door werd gesleept.

'En nu, patres conscripti,' zei Vespasianus toen het geschreeuw van steeds verder weg klonk, 'voordat de Senaat opstaat en de festiviteiten van morgen voorbereidt, wil ik het hebben over het verslag van de commissie die ik vorig jaar heb ingesteld over de teruggave aan de rechtmatige eigenaars van eigendommen die tijdens de burgeroorlog zijn geroofd. Niet de daad van een tiran, dat zullen jullie met me eens zijn.'

'En tot slot Cerialis,' zei Caenis, die in het licht van enkele walmende olielampjes aan weerszijden van de schrijftafel de brief probeerde te lezen.

'Wat wil hij?' vroeg Vespasianus, een stuk brood in een kom olijfolie dopend. Hij wreef knoflook op het brood terwijl Caenis de brief voorlas.

'Hij is in Britannia aangekomen met de Tweede Adiutrix en zeven hulpcohorten en is met groot succes opgetrokken tegen de Brigantes, hij verwacht dat ze onderworpen zijn tegen de tijd dat je deze brief krijgt.'

'Ik hoop niet dat het Cerialis' gebruikelijke overmoed is,' zei Vespasianus met zijn mond vol ontbijt. 'Nog meer?'

'Als hij de Brigantes eenmaal verslagen heeft wil hij verder naar het noorden marcheren en hij vraagt je advies daarover.'

Vespasianus kauwde nadenkend op het brood, zijn gezicht gespannener dan normaal. Hij wendde zich tot Hormus en brak nog een stuk brood af. 'Aan Cerialis enzovoort enzovoort. Ik feliciteer je met je snelle afhandeling van de opstand en dank je dat je het laatste conflict dat nog in het rijk woedde tot een goed einde hebt gebracht. Ik bewonder je wens om de verovering van het eiland te voltooien door tegen de stammen in het noorden op te trekken, maar ik dring erop aan om daar nog mee te wachten. We hebben bijna drie jaar van oorlogen en opstanden in alle hoeken van het rijk achter de rug en daarom vind ik dat er een periode van rust en reflectie nodig is. Ik ben van plan om indien mogelijk de deuren van de tempel van Janus te sluiten.' Hij zweeg even voor een volgende hap brood. 'En dan nog wat vriendelijke zinnen aan het einde, Hormus.'

'Ja, meester,' zei Hormus, druk aantekeningen makend op een wastablet. 'Maar ik heb geen tijd om alles uit te werken voordat de triomftocht begint.' Hij gebaarde naar de dubbele stapel wastabletten die het resultaat was van het afhandelen van Vespasianus' correspondentie.

'Geef ze aan de klerken, die kunnen het ook.'

'Maar ik doe het liever zelf, meester.'

'En ik wil dat je dat soort dingen door anderen laat doen. Je bent meer dan mijn persoonlijke secretaris, je bent mijn vrijgelatene en hebt de status van eques gekregen als beloning voor je loyaliteit, en nu moet je je daar ook naar gedragen. Laat de eenvoudige taken over aan degenen bij wie dat past.'

'Ja, meester.'

Vespasianus keek zijn voormalige slaaf aan om te zien of Hormus begreep dat hij zich met de waardigheid diende te gedragen die bij zijn status hoorde. 'Mooi, ga nu de hofmeester vertellen dat hij mijn cliënten binnen kan laten voor de *salutatio*.'

'Heil, Titus Flavius Caesar Vespasianus Augustus, ik wens u een goede morgen op deze dag van uw triomftocht,' zei Marcus Cocceius Nerva op formele toon en hij pakte de onderarm die de gezeten Vespasianus hem aanbood.

'Dank je, Nerva.'

Nerva knikte naar zowel Titus als Domitianus, die aan weerszijden van hun vader stonden. 'En ik wens ook Titus Caesar en Domitianus Caesar een vreugdevolle dag.'

Titus glimlachte breed naar Nerva en Domitianus keek zuur bij de gedachte dat hij vreugde zou beleven aan een dag waarop hij weer een mindere rol dan zijn broer zou spelen.

Vespasianus probeerde Domitianus' humeur te negeren, die al liep te mokken vanaf het moment dat hij gehoord had dat hij op een paard in de processie zou rijden en niet in een triomfwagen, omdat hij niets had gedaan om die eer te verdienen.

'Mijn vader doet u de groeten,' zei de jonge Marcus Ulpius Trajanus toen het zijn beurt was om de keizer te begroeten en Nerva weer opging in de menigte senatoren en equites. 'En dankt u voor het privilege van het consulschap volgend jaar; hij voelde zich vereerd toen hij de brief ontving waarin u hem erover informeerde.'

'Ik verheug me erop hem binnenkort in Rome te zien, Trajanus.'

'En hij kijkt uit naar zijn terugkeer.'

'Vertel hem naar me toe te komen zodra het hem uitkomt, dan zullen we samen eten.'

De jonge Trajanus knikte en vertrok na een korte groet aan Titus en Domitianus, die nog altijd boos keek.

'Gegroet, meester,' zei Titus Flavius Josephus, die voor Vespasianus was gaan staan, 'zie de werkelijkheid van mijn voorspelling.'

Vespasianus grinnikte. 'Jij schurk, dat was geen voorspelling, het was óf een logische conclusie óf een wanhopige gok. Maar het zij je vergeven.'

Josephus neeg het hoofd zonder te laten merken of Vespasianus gelijk had of niet. 'Als uw vrijgelatene wil ik u een gunst vragen, meester.'

'Zeg het maar.'

'Zoals u weet kan ik niet terug naar Judaea na wat daar is gebeurd. Ik was aanwezig bij de bestorming van de tempel en de verwoesting daarna; ik zag de vlammen en ik zag de heilige voorwerpen en boekrollen die uit het Heilige der Heiligen werden gehaald door niet-Joden en ik deed niets. Ik kan nooit meer terug.'

'Dan blijf je in mijn huishouden.'

'Dat is waar ik op gehoopt had, meester. Maar als ik dat doe moet ik wel een bezigheid hebben.'

Vespasianus keek Josephus met enige argwaan aan. 'Als je om een positie in…'

'Nee, meester, dat zou ik nooit vragen. Ik weet hoe moeilijk het is voor een Jood om in Rome als iemand met macht te worden geaccepteerd. Nee, meester, ik vraag om iets heel anders: toestemming om de geschiedenis van de Joodse Oorlog te schrijven, die onze levens onlosmakelijk met elkaar verbonden heeft.'

Vespasianus dacht erover na. 'Goed, maar op één voorwaarde: dat je benadrukt hoeveel doden de Joden op hun geweten hebben. Er zijn veel meer Joden door Joodse handen gedood dan door Romeinse. Ik wil dat je een boek schrijft waarin je laat zien dat de Joden zelf verantwoordelijk waren voor hun lot en niet Rome.'

Er verscheen een glinstering in Josephus' ogen. 'Dat, meester, is precies het boek dat ik wil schrijven.'

'Ik zal degene zijn die dat beoordeelt als je klaar bent. Hou me op de hoogte van je voortgang. Intussen wil ik dat je de boekrollen die uit de tempel zijn gehaald krijgt, ik heb er niets aan, maar als Jood kun je er misschien iets mee.'

'Ik ben u veel verschuldigd, dank u, meester,' zei Josephus, die zijn armen voor zijn borst kruiste en zijn hoofd boog bij wijze van afscheid.

'Heil, caesar,' zei Agricola, die Josephus' plaats voor Vespasianus innam.

'Liefste, je kunt beter snel komen,' zei Caenis, die Vespasianus verraste door achter hem op te duiken en in zijn oor te fluisteren.

Vespasianus draaide zich fronsend om. 'Waarom? Wat is er?'

Caenis' gezicht stond bezorgd. 'Het is Magnus, hij heeft een beroerte gehad toen hij… eh, net toen hij, hoe zei hij het ook alweer? Toen hij gebruikmaakte van een van die zeldzame keren dat hij een erectie kreeg.'

'De oude bok. Hoe gaat het met hem?'

'Niet goed. Hij vraagt naar je.'

Vespasianus voelde een steen op zijn maag en snelde naar zijn oude vriend.

De kamer was schemerig. Er klonk een zacht vrouwelijk snikken uit de hoek en een langzame, raspende en onregelmatige ademhaling uit een groot bed onder een gesloten raam; de eerste dunne stralen van de zonsopgang kropen door barsten in de luiken.

'Magnus?' vroeg Vespasianus toen hij binnenkwam, gevolgd door Caenis. 'Magnus, gaat het?' Hij ging naar het bed en probeerde zo stilletjes mogelijk te lopen, al wist hij eigenlijk niet waarom. 'Magnus?'

'Bent u het?' hijgde Magnus piepend, zich bewegend in bed.

'Ja, ik hoor dat je je iets te veel hebt ingespannen.'

Vespasianus ging naast het bed staan en keek naar het gezicht van zijn oude vriend, zelfs in het weinige licht kon hij zien dat het bleek was, terwijl de huid strakgespannen leek. Zijn glazen oog lag in een kom op de tafel naast het bed.

Magnus kreunde en legde een hand op zijn borst. 'Tja, het leek me zonde er geen gebruik van te maken aangezien hij zo prachtig was toen ik wakker werd en dus nodigde ik Caitlín uit om erop te springen, als u begrijpt wat ik bedoel.'

Vespasianus keek naar Magnus' huilende slavin aan de andere kant van het bed. Caenis liep erheen om haar te troosten.

'Ze geeft zichzelf de schuld omdat ze te atletisch is en ik moet toegeven dat het me het ritje wel was. Maar ik voelde iets in me knappen toen we het slot bereikten,' Magnus grimaste weer, 'op de plek waar ik de laatste tijd veel pijn heb.' Hij kreeg een hoestbui.

Vespasianus legde zijn hand onder Magnus' hoofd om hem te steunen terwijl de hoestbui zijn longen leek te verscheuren en een hoogtepunt bereikte. Daarna veegde hij Magnus' mond schoon met een doek, er zat bloed in het slijm. 'Ik roep mijn arts.'

'Nee, geen sprake van, hij komt niet in mijn buurt.' Hij zweeg even en hoestte nog een paar keer. 'Het is voorbij en ik wil dat mijn laatste momenten plezierig zijn, ik wil geen Griek die in me zit te prikken en porren, terwijl hij evenveel verstand heeft van geneeskunst als een Vestaalse maagd van testikels.'

'Dat is niet waar, hij is goed opgeleid.'

'Dat is fijn voor hem.' Magnus kreunde van pijn en hoestte weer. 'Maar ik wil hem niet aan mijn lijf hebben. Luister nu, zorg voor Caitlín, ze is in de loop der jaren goed voor me geweest, ze zeurde niet al te veel en deed meestal wat ik haar opdroeg zonder dat ik haar hoefde te slaan.'

'Natuurlijk doe ik dat, Magnus; ik weet zeker dat Caenis wel een plaatsje voor haar heeft in de hofhouding. Maar wie zegt dat jij ervandoor gaat?'

'Hebt u niet geluisterd? Ik wel en ik kan het weten.' Hij sloot zijn oog en kneep het samen terwijl een volgende explosie zijn lichaam martelde. 'Ik heb aardig wat opgepot bij de bank van de gebroeders Cloelius op het forum. Ik heb haar de helft nagelaten in mijn testament, dat Hormus voor me heeft opgesteld.' Zijn ademhaling werd zwakker met elke hoestbui en zijn stem dunner. 'De rest laat ik na aan de Zuid-Quirinale Kruispuntbroederschap, de enige plek die ik ooit thuis kon noemen, afgezien van het leger dan.'

'En hier bij mij, Magnus.'

'Tja, het is meer een paleis dan een huis, maar ik begrijp wat u bedoelt. En ergens heb ik u geloof ik als een zoon beschouwd.'

Vespasianus glimlachte. 'En ik heb je altijd als een narrige ouwe man beschouwd – zelfs toen je nog jonger was.'

Magnus lachte en slikte een hoest door, zijn borst zwoegde. 'Nou zit u me weer in de maling te nemen.'

'Daar zal ik mee moeten ophouden.'

'Zeker.'

Vespasianus onderdrukte een snik toen hij de waarheid van die uitspraak besefte. 'Ik weet het.'

'Het spijt me dat ik dit op de dag van uw triomftocht doe.'

'Ja, ik vind het ook nogal egoïstisch van je.'

'Het compenseert al die keren dat u me in de maling zat te nemen.' Magnus bracht zijn hand omhoog en pakte die van Vespasianus beet, terwijl een volgende hoestbui zijn lichaam teisterde. 'Juno's pukkelige kont, dat deed pijn.' Hij haalde een paar keer zwak adem. 'Ik zal beter af zijn en ik heb nergens spijt van. Ik heb alles uit het leven gehaald en de anderen kunnen de tering krijgen. Dus ik vind het niet erg om nu te gaan.'

Er rolde een traan uit Vespasianus' oog.

'Kom op, dat hoort een man niet te doen, het is niet natuurlijk.'

'Toch wel, Magnus, ik kan je verzekeren dat het iets heel natuurlijks is.' Hij keek naar zijn vriend, hij zag dat het leven bezig was hem te verlaten. 'Wat moet ik met je as doen?'

'Bouw een mooie tombe voor me op uw landgoed in Cosa, ik ging altijd graag naar het land.'

'Ik zal het doen.'

'Ik heb nog een raad voor u.' Magnus' stem klonk breekbaar en werd zachter. 'Iets wat u misschien vergeet nu u keizer bent, want het zal u niet bevallen.'

332

'Wat dan?'

'Open uw beurs wat vaker, maar weinig mensen hebben er een blik in geworpen, ik denk zelfs dat de bodem niet weet hoe zonlicht eruitziet.' Er ging weer een kramp door zijn lichaam en bij zijn mondhoek droop wat bloed naar buiten. 'Maar als u uw vrekkigheid wat beter onder de duim weet te houden, dan zullen de mensen u meer mogen.'

Vespasianus knikte, de tranen stroomden nu vrijelijk. 'Ik zal het onthouden, Magnus.'

'Brave jongen. Je hebt er niets aan een rijk lijk te zijn.' Weer een hoestaanval die zijn hele lichaam deed sidderen. 'Als u begrijpt wat ik bedoel.'

'Dat doe ik, Magnus, dat heb ik altijd gedaan.' Hij kneep in Magnus' hand, maar die was slap. Hij leunde voorover en streelde met zijn hand over Magnus' gezicht, het oog sluitend.

Caitlín jammerde luidkeels en Caenis nam haar mee naar buiten.

Vespasianus keek in ongeloof neer op de bewegingsloze gelaatstrekken van zijn oudste metgezel en liet zijn verdriet stromen. En het stroomde tot Caenis de kamer weer in kwam en haar handen op zijn schouders legde. Zijn snikken bedwingend veegde Vespasianus de tranen van zijn wangen; met een glimlach om hun gedeelde herinneringen leunde hij voorover en kuste Magnus op zijn voorhoofd en trok toen het laken over zijn gezicht. 'Vaarwel, oude vriend.'

'Zo, liefste,' zei Caenis, die met een doek het laatste beetje pigment uitsmeerde, 'het rode gezicht van een god.'

Vespasianus keek in de gepolijste bronzen spiegel en zag het gezicht van Jupiter hem aankijken. Hormus vervolmaakte het beeld door een lauwerkrans op zijn hoofd te zetten. Hij schikte zijn purperen triomftoga en deed een stap naar achteren om het totaalbeeld te bewonderen. Ondanks het diepe verdriet dat hij voelde bij de gedachte aan Magnus die enkele kamers verderop lag, zwol hij van trots bij de klassieke aanblik van de triomferende generaal. 'Vandaag is mijn dag.'

Caenis kuste hem op de lippen. 'Vandaag is ook de dag van Titus, liefste.'

Vespasianus bromde. 'Klopt. Vandaag is dus de dag van het huis Flavius. Dat klinkt beter.'

'Ik denk niet dat Domitianus het daarmee eens zou zijn.'

'Een deel van de glorie straalt ook op hem af, al geef ik toe dat hij nooit tevreden was met een deel van de glorie en dat zal wel nooit gebeuren ook. Hij zal in de toekomst ongetwijfeld een excuus vinden om een eigen triomftocht te houden, maar niet zolang ik er ben. Ik zal hem nooit een leger toevertrouwen uit angst hoe hij het leidt en wat hij ermee doet.' Hij verschoof de lauwerkrans iets naar achteren zodat die schuiner stond. 'Waar is Titus, Hormus?'

'Hij zei dat hij beneden in het atrium op u zou wachten zodat jullie samen in de overdekte wagen naar het theater van Pompeius kunnen gaan.'

Gezeten naast Titus gluurde Vespasianus door een spleet in de gordijnen, die de passagiers van de buitenwereld afschermden tot het moment van de triomftocht. De wagen reed rammelend de Palatijn af in de richting van de Campus Martius. Het volk van Rome was in een feestelijke stemming, en terecht: er waren door de hele stad keukens opgezet, klaar voor het feest dat op de parade zou volgen.

Vespasianus snoof. 'Mmm, vers brood, zoveel beter dan de normale geur van de stad.' Hij keek naar Hormus tegenover hem. 'Voor hoeveel broden heb je betaald?'

Hormus keek even op een rol. 'Twee miljoen vierhonderdduizend, samen kostten ze driehonderdduizend sestertiën.'

Titus floot zachtjes, zijn opeengeklemde rode lippen waren bijna komisch om te zien. 'Da's een hoop brood, kan Rome dat echt in één dag maken?'

'Alle bakkerijen van de stad werken sinds gistermiddag onafgebroken door en tegen de tijd dat de triomftocht begint moeten ze klaar zijn.'

'En hoeveel kost al het eten en drinken dat de keukens uitdelen bij elkaar?'

Hormus keek weer naar zijn cijfers. 'Inclusief het brood is het net iets minder dan zes miljoen sestertiën.'

Vespasianus schudde zijn hoofd en slikte een klacht door bij de herinnering aan Magnus' advies op zijn sterfbed. 'Tijd om meer belastingen te innen.'

Titus wendde zich tot Vespasianus. 'Ja, vader, wat heb ik nou gehoord over belastingen op urine? Er wordt stiekem heel wat afgelachen door allerlei invloedrijke mensen; het is een grap geworden.'

Vespasianus hield zijn hand op. 'Hormus, geef me je beurs.'

Vespasianus leegde de inhoud op zijn hand en liet de munten aan Titus zien. 'Ruik eens.'

Titus rook aan het geld.

'En?'

'Het ruikt naar munten.'

'En toch komen ze van pis.'

Titus keek op en zag de twinkeling in Vespasianus' ogen. 'Als het op geld aankomt kan het u verder niets schelen, hè?'

'Integendeel, zoon, het kan me erg veel schelen.'

Ze barstten in lachen uit, terwijl de wagen door de stadspoort de Campus Martius op reed.

De trompetten schalden bij de tempel van Pompeius toen Vespasianus en Titus boven aan de trap verschenen, onder de zuilenportiek die voor de gelegenheid met bloemen en vlaggen was versierd. Binnen hadden ze gebeden en waren offers gebracht en nu was het moment van de triomftocht aangebroken. Het gejuich van de menigte was overweldigend en ze zwolgen vele hartslagen in de aanbidding. Vespasianus voelde Caenis' hand langs de zijne strijken toen ze met Domitianus en diens nieuwe vrouw Domitia Longina naar buiten kwam om achter de twee triomfators te gaan staan.

Vespasianus liet zijn ogen over de Campus Martius glijden, die versierd was en stampvol stond met mensen uit alle klassen. Vanaf de vroege ochtend was men bezig geweest de parade samen te stellen en nu was het zover. De muzikanten die voorop zouden gaan stonden al te wachten bij de Porta Triumphalis, die alleen openging bij triomftochten en ovaties. Achter de muzikanten kwamen haveloze groepjes gevangenen, allemaal in ketenen en met de sporen van de zwepen waarmee ze in toom werden gehouden. Daarna volgde een stroom karren volgeladen met buitgemaakte wapens, gevolgd door wagens waarop acteurs taferelen uit de oorlog naspeelden en waarbij de twee triomferende generaals heldhaftig werden verbeeld; ze vertrapten Joden, bestormden steden en haalden stadsmuren met hun blote handen neer. Dan kwam het goud en zilver, een onvoorstelbare hoeveelheid, van munten en sieraden tot de grote zevenarmige menora van massief goud die uit het Heilige der Heiligen was meegenomen toen de tempel van de Joodse god werd vernietigd, die zo dakloos was geworden, een ronddolende geest. Stapels gouden en zilveren schalen en staven vormden het volgende onderdeel van de parade, afkomstig uit de tempelschat, de rijkdom die het Joodse volk in honderd jaar tijd had verzameld sinds Pompeius de Grote de vorige had geroofd.

Daarna zou de Senaat komen, maar de senatoren stonden nu nog in het pomerium achter de Porta Triumphalis om daar het legercommando te ontvangen van de terugkerende generaals. Men had een formulering bedacht om het wat ongemakkelijke feit te verdoezelen dat zowel Vespasianus als Titus al een tijdje in de stad was en hun commando dus technisch gezien al hadden moeten overdragen, maar niemand wilde de dag laten verpesten door zo'n detail.

Vespasianus daalde de trap af naar een van de twee vierspannen die naast elkaar klaarstonden. Hij zag Titus een blik over zijn schouder werpen op Domitia Longina, die terugkeek; hij hoopte maar dat Domitianus de blikwisseling niet had gezien, maar wist dat dat ijdele hoop was, want Domitianus merkte vrijwel alles op wat op hem persoonlijk betrekking had. En zijn oudste broer die naar zijn nieuwe vrouw keek ging hem zeker persoonlijk aan.

Aan de voet van de trap stonden Vespasianus' en Titus' lictoren in twee colonnes, hun roedebundels voor deze gelegenheid met laurier omwikkeld. De twee triomferende generaals liepen tussen de twee colonnes door naar hun wagen. Ze stapten in, beiden gevolgd door een publieke slaaf.

Vespasianus en Titus pakten allebei hun teugels in de ene hand en staken een vuist in de lucht, die ze gelijktijdig omlaagbrachten. Er weerklonk een bucina, het geluid sneed luid en helder door het gejuich van de menigte; de roep werd overgenomen door een andere verderop in de parade en weer een andere verderop, totdat het signaal de muzikanten aan het hoofd bereikte. Met een roffel op de trommels begon de muziek en zwaaiden de deuren van de Porta Triumphalis open.

Vespasianus stond op het hoogtepunt van zijn loopbaan en het volk brulde zijn en Titus' naam.

Op het gedreun van de trommels marcheerden de muzikanten in de pas, langzaam en met grote waardigheid, passend bij de gelegenheid. Hoorns schalden en een centurie harpisten weefde in unisono fraaie melodieën erdoorheen, het geheel afgemaakt door de hese noten van de vele waterorgels, die op lage karren waren gezet en tussen de muzikanten reden.

Langzaam zette de rest van de stoet zich ook in beweging, de slavenopzichters dreven de gevangen Joden voorwaarts, die met vuil bekogeld en hoon overladen werden zodra de menigte hen in het oog kreeg. Rij na haveloze rij van ooit zo fanatieke heilige strijders werd de stad in geranseld, waar een veelvoud aan goden had samengespannen om hun ene god te vernietigen. De mensen van Rome waren dankbaar dat hun vele verschillende manieren van leven veilig waren voor de dreiging uit het oosten die de religieuze fundamentalisten hadden gevormd. Ze genoten van de ellende van de gevangenen, lachten om hun vernedering en scholden hen uit voor alles wat mooi en lelijk was. Er was geen mededogen, want de Joden hadden die ook niet betoond, niet aan hun eigen mensen en niet aan de legioenen die tegen hen waren ingezet.

Ze werden voortgedreven en gingen gebukt onder zware ketenen en ellende. Achter hen zetten de wagens met wapens en die met de nagespeelde taferelen zich in beweging. Muildieren en ossen lieten hun spieren werken en wielen kraakten aan met ganzenvet gesmeerde assen, langzaam kroop de lange rij karren voorwaarts.

En Vespasianus wachtte nog altijd, zijn vier paarden trappelden en briesten van ongeduld, bij hun halster vastgehouden door staljongens. Achter de wagens zat Domitianus op zijn paard, tussen enkele hoge officieren die aan de oorlog hadden deelgenomen, de woede en vernedering dropen van zijn gezicht af terwijl hij naar zijn oudere broer op het moment van diens triomf keek. Achter de officieren en voor een volgende groep muzikanten kwamen de standaards van de verslagen vijand, voornamelijk zwarte vlaggen waar in wit religieuze teksten op waren geborduurd, waarin vernietiging werd beloofd aan de vijanden van de ene ware God; ze werden gevolgd door twee sneeuwwitte ossen versierd met slingers en met vergulde hoorns, een offer aan Jupiter op het hoogtepunt van de dag.

Vol vreugde zag Vespasianus de triomfstoet door de historische poort de stad in trekken en wachtte tot het tijd voor hem en Titus was om hun wagens in beweging te zetten.

'Onthoud dat u sterfelijk bent,' fluisterde de publieke slaaf die achter

337

hem stond in zijn oor. En dat deed Vespasianus, want hij was die ochtend nog getuige van de dood geweest en hij had geen publieke slaaf nodig om hem aan zijn sterfelijkheid te herinneren. Hij wist dat als hij nu stierf, hij dat gelukkig en vervuld zou doen.

Toen hij en Titus de Porta Triumphalis bereikten, werd hun weg versperd door Lucius Flavius Fimbria, de senior consul suffectus en niet toevallig een verwant, en Caius Atillius Barbus, de junior consul.

'Uw commando, imperator,' eiste Fimbria.

Vespasianus stak zijn hand in de plooi van zijn toga en haalde de symbolische commandostaf tevoorschijn, die hij zichzelf die ochtend had toegekend. Titus pakte de zijne en weer werd een van de formaliteiten van een triomftocht afgehandeld. Nu ze hun commando hadden neergelegd was het de triomferende generaals toegestaan om het pomerium over te steken en de stad te betreden, voorafgegaan door de Senaat en gevolgd door hun troepen, tot vervoering van de burgers.

Zwaaiend met de kleuren van hun favoriete ploeg bij de wagenrennen, rood, wit, blauw en groen, verwelkomden ze hun keizer en diens zoon alsof ze hem in geen jaren hadden gezien. Varenbladeren en bloemen vlogen door de lucht en dwarrelden op de strijdwagens, hun zoete geuren vulden de lucht en voegden zich bij die van vers brood, roosterend vlees en geparfumeerde wierook.

'Onthoud dat u sterfelijk bent.'

En hoe zou Vespasianus dat kunnen vergeten? Een god voelt geen vreugde bij aanbidding, want die komt hun in hun ogen toe, maar een mens… ja, Vespasianus voelde zijn sterfelijkheid toen de stad hem vereerde en hij ervan genoot. Ze vereerden hem voor het onderwerpen van het oosten, voor het terugdrijven van de Sarmaten over de Donau, voor het verpletteren van de Bataven en hun nieuwe Gallische rijk in het noorden, voor het neerslaan van de Brigantische opstand en het blussen van vele andere kleine brandhaarden die aan het begin van zijn regeerperiode oplaaiden. Maar bovenal vereerden ze hem omdat hij als laatste man was overgebleven in een burgeroorlog die tienduizenden Romeinse burgers het leven had gekost. Daarvoor en voor de stabiliteit die hij bracht schreeuwden ze hun kelen schor, terwijl hij en Titus over de Via Triumphalis naar het Circus Maximus reden en eromheen naar de Via Sacra om bij het zakken van de zon bij het Forum Romanum te eindigen. Ze stonden tien, twintig rijen dik langs de straten, duizenden waren op beelden geklommen of hingen uit ramen, terwijl menigeen gevaarlijke capriolen uithaalde om maar zicht te hebben op de nieuwe keizer en diens zoon, die in triomf naar hen waren gekomen.

Bij het naderen van de Capitolijn werden de gevangenen die door wurging ritueel geëxecuteerd zouden worden naar het Tullianum geleid, waar hun lot op hen wachtte in de vorm van de cipier en zijn harige hulpje, dat op en neer sprong van opwinding bij het vooruitzicht van de langzame dood die hij mocht toedienen. De overige gevangenen werden terug naar hun kooien op de Campus Martius gegeseld, waar ze moesten afwachten welke kwelling ze voor de rest van hun leven kregen toebedeeld.

De Senaat schreed met grote waardigheid voort, getooid met militaire kronen, overwinningsornamenten en alles wat hun verhevenheid nog meer kon benadrukken. Achter hen bestegen ook Vespasianus en Titus de Capitolijn naar de deels herbouwde tempel van Jupiter. Voor de tempel stonden de wagens met het waardevolste deel van de buit: de inhoud van het Heilige der Heiligen: de menora, de toontafel, de prachtige schalen en de priesterlijke gewaden en andere gouden en zilveren voorwerpen die heilig voor de Joodse god waren geweest.

Vol vreugde keken de mensen toe terwijl de ossen de trappen op werden geleid en in het schemerige heiligdom van Romes beschermgod verdwenen. Domitianus, Vespasianus en Titus volgden en liepen naar een altaar waar een vuur brandde. Ze draaiden zich om en keken de menigte aan, een beperkt aantal had zich op de Capitolijn weten te wurmen, maar veel meer stonden beneden op het Forum Romanum en nog verder in de straten van de stad. Ze brachten weer hun armen omhoog en weer werden ze toegejuicht, waarbij de Senaat het voortouw nam, vele ogen waren gericht op de wagenladingen buit, glinsterend in de avondzon.

Vespasianus gebaarde om stilte, die op de heuvel al snel kwam, terwijl het gejuich elders in de stad doorging. 'Patres conscripti, deze overvloed vormt het herstel van Romes fortuin.' Hij gebaarde naar de wagens vol onmetelijke rijkdommen, het goud van de tempel. 'Deze buit betekent een eerste stap naar het herstel van de financiën van het rijk; mijn regering zal het begin zijn van een tijd van vrede en voorspoed, een tijd waarin wetten nageleefd worden, waar mensen zeker zijn van hun rechten en onze munt stabiel is. Dat zijn kenmerken van een beschaafde samenleving, dat is waar we naar streven. Dit goud is het begin van een nieuw Rome.' Hij wees op de menora en alle andere prachtige tempelschatten. 'Smelt ze om, alles; ze hebben genoeg ellende in deze wereld veroorzaakt, nu is het tijd dat ze goeddoen.'

EPILOOG

Aquae Cutillae, 22 juni 79 n.C.

Titus Flavius Caesar Vespasianus sloot zijn ogen toen zijn vader, keizer Vespasianus, van pijn kreunde en een volgende stroom diarree naar buiten spoot in de ondersteek die Hormus vasthield. De zoete stank van verrotting vulde de kamer aan de ommuurde tuin van het huis op het Flavische landgoed bij Aquae Cutillae; een huis dat Titus net als zijn vader al zijn hele leven kende.

'Ben je zo teergevoelig?' vroeg Vespasianus toen de aanval ten einde kwam.

Titus opende zijn ogen en keek naar zijn vader, die veel gewicht had verloren sinds hij tien dagen eerder in Campania ziek was geworden. Vespasianus was naar Rome teruggekeerd en had toen besloten dat hij zijn laatste reis liever begon op het landgoed waar hij zijn hele leven van had gehouden. Het leek erop dat die reis nu elk moment kon beginnen. 'Het spijt me, vader; ik wilde uw waardigheid niet aantasten.'

'Waardigheid? Ha! Die ben ik kwijtgeraakt toen ik stront uit mijn anus begon te pissen. Waar komt het allemaal vandaan? Dat zou ik wel eens willen weten.' Hij keek naar de klotsende inhoud van de ondersteek. 'Bloed?'

Hormus keek ook, zijn neus vertrok vanwege de stank. 'Ja, meester, ik geloof het wel.'

'Natuurlijk is het bloed.' Vespasianus schudde zijn hoofd en ging achterover liggen, zijn ademhaling ging hortend en hij zweette, hoewel het koel was in de kamer. 'Dat is het dan, het is voorbij.'

'U wordt weer beter, vader.'

341

Vespasianus glimlachte zwakjes. 'Nee, dat gaat niet gebeuren, en dat wil je ook niet. Jouw tijd is aangebroken, zoon, en je hebt er geen behoefte aan dat ik het nog wat rek.'

Titus antwoordde niet, want hij wist dat het waar was. Zijn vader had tien jaar geregeerd. Het waren goede jaren geweest, jaren van vrede en herbouw en een relatieve harmonie tussen keizer en Senaat. Vespasianus, voor altijd de keizer die belasting op urine hief, was een rechtvaardig keizer geweest, zo besefte Titus, en nu was het zijn beurt en hij zou naar zijn vaders standaard worden beoordeeld. Ze hadden maar een beperkt aantal dingen gedeeld in die tien jaar: ze waren samen censor geweest en hadden toen een grote reorganisatie doorgevoerd van de klassen van senatoren en equites; ze hadden samengewerkt bij de bouw van het inmiddels bijna voltooide Flavische amfitheater; en ze waren acht keer samen de consuls geweest. Verder hadden ze ieder een ander pad bewandeld: Vespasianus als de goedaardige keizer en Titus als de gevreesde prefect van de praetoriaanse garde, die zijn vader verre hield van de duistere kant van het beschermen van de macht. Vespasianus was geliefd, maar alleen omdat Titus hem die mogelijkheid bood. Nu zou alles veranderen.

Vespasianus werd met élke ademhaling zwakker en pakte zijn zoons hand. 'Vier jaar lang, sinds de dood van Caenis, ben je mijn steun en toeverlaat geweest, Titus, niet je jongere broer, maar jij. Waar is Domitianus? Hij zit liever in Rome om te intrigeren dan dat hij bij mijn sterfbed is.' Hij zweeg even en haalde zwoegend adem.

Titus kneep in zijn hand, die was zweterig. Hij kon het zachte gepraat van de huishoudslaven horen, die buiten in de tuin wachtten op nieuws over hun meester. Van verder weg kwamen geschreeuwde bevelen en de klanken van een *lituus*, afkomstig van het praetoriaanse cavalerie-escorte dat bij de stallen exerceerde. 'Rust, vader.'

'Daar heb ik binnenkort meer dan genoeg tijd voor, luister nu naar me. Ik heb maar weinig mensen laten executeren, Helvidius Priscus en nog een paar, maar jij bent als prefect van de praetoriaanse garde niet terughoudend geweest, en ik weet dat ik reden heb je dankbaar te zijn. Maar Titus, je wordt gehaat en gevreesd. Iedereen tegen wie jij een verdenking koesterde werd geëxecuteerd of vermoord. Je liet zelfs Aulus Caecina voor een maaltijd uitnodigen om hem in het triclinium na het eten te laten neersteken.' Vespasianus kreunde. 'Ik heb mezelf bevuild.'

'Ik zal uw tuniek en lendendoek wel even verwisselen, meester,' zei Hormus en hij kwam naar voren.

'Nee, Hormus, dat heeft geen zin, het gebeurt daarna toch weer; het is de laatste vernedering die ik zal moeten verdragen.' Hij keek weer naar Titus, zijn ogen waren bloeddoorlopen, de oogleden trilden. 'Je wordt gehaat; je wordt gehaat voor het wegslepen van mensen uit het theater, de thermen, hun eigen huis, soms terwijl ze aan de maaltijd zaten met hun vrouw en kinderen. Ik weet dat je ons zo veilig meende te houden, maar je hebt zo hun haat opgewekt terwijl ik geliefd bleef. Maar ik ben aan het sterven en jij erft het rijk; en je erft het als een gehaat man. En hoe zit het dan met Domitianus? Hij is te trots en te boos om dat te laten gebeuren. En hij heeft niets gedaan om de haat van de mensen te verdienen; als het erop aankomt krijgt hij hun steun. Dus wat ga je doen?'

'Ik ga Domitianus niet doden, vader; ik wil geen "broedermoordenaar" toevoegen aan alles wat ik al genoemd word.'

'Maar hij zal het niet erg vinden zo bekend te staan.'

'Ik weet het.'

'En een van jullie zal het moeten zijn, zie je de waarheid daarvan niet?'

'Nee, vader, ik zie het alleen als mogelijkheid. Maar ik ben niet dom, ik zal voorzichtig zijn en ik houd Domitianus in de gaten. En ik zal als keizer anders zijn dan ik als prefect was. Ik zal hun liefde krijgen. Ik zal genereus zijn voor de Senaat en zal het volk overladen. De opening van het amfitheater zal het grootste spektakel zijn dat Rome ooit heeft gezien.'

'Ja, jammer dat ik er niet bij ben.' Er schoot een nieuwe kramp door Vespasianus' lichaam, gevolgd door het rommelende geluid van zich legende darmen.

Titus bleef zijn vaders hand vasthouden, terwijl Vespasianus' gezicht van pijn vertrok en hij met korte, hortende happen naar adem snakte. Hij sloot zijn ogen maar bleef ademen, heel zwakjes. 'Hij is bewusteloos, Hormus, dep zijn voorhoofd.'

Hormus deed wat hem gevraagd werd, de tranen stroomden.

Titus wachtte en keek toe terwijl zijn vader weggleed, hij voelde het gewicht van de naderende machtswisseling. Hij nam zich voor zich aan zijn woord te houden; zijn bewind zou rechtvaardig en lang zijn, hij zou alle intriges van Domitianus dwarsbomen en hem toch in leven laten, wat hij ook deed.

Een volgende explosie onder het laken bracht Vespasianus bij; met een plotselinge hik van zijn borst vlogen zijn ogen open. Hij keek om zich heen alsof hij niet wist waar hij was en toen hij Titus' gezicht zag probeerde hij overeind te komen. 'Help me, Titus, een keizer hoort staande te sterven.'

Vespasianus worstelde om op zijn verzwakte benen overeind te blijven, Titus steunde hem aan de ene kant, Hormus aan de andere. Zijn bevuilde tuniek stonk, maar geen van beiden merkten ze het.

Titus keek naar zijn vader: zijn ogen staarden in de verte, alsof hij daar zijn bestemming zag.

Vespasianus verslapte en een dun lachje beefde op zijn lippen. 'Ik geloof dat ik in een god aan het veranderen ben.' Zijn hoofd zakte opzij en zijn knieën begaven het.

Met onderdrukte snikken legden Titus en Hormus het lichaam op het bed. Terwijl de tranen kwamen knielde Titus naast zijn vader neer en kuste hem op de mond. Hij sloot de lege ogen, stond op en keek neer op het lijk van de nieuwe man uit de Sabijnse heuvels die de negende keizer van Rome was geworden, zijn vader, Titus Flavius Vespasianus.

NAWOORD VAN DE AUTEUR

Ook deze roman is gebaseerd op de werken van Tacitus, Suetonius, Cassius Dio, en bovendien op Josephus.

Tacitus beschrijft de eerste Slag bij Bedriacum grotendeels zoals ik hem heb weergegeven, net als Otho's zelfmoord en Vitellius' reactie op het zien van de vele dode burgers. Tacitus schrijft ook dat Vitellius het verhaal van Paulinus en Proculus over hun verraad geloofde en hen daarom vrijsprak van de verdenking van loyaliteit. Ik vind het moeilijk om niet te grinniken als ik hem lees.

De oude Sabinus nam de Capitolijn daadwerkelijk in naam van Vespasianus in en werd, zoals ik beschreven heb, er weer verjaagd en werd vervolgens gevangengenomen en geëxecuteerd. Het laatste gesprek tussen hem en Vitellius heb ik verzonnen, want ik wilde voltooien wat ik jaren eerder had voorbereid in *Scherprechter van Rome*.

Josephus heeft een fraai verslag geschreven van de Joodse Oorlog, inclusief het beleg van Jotapata, zijn profetie over de duur ervan, zijn sluwe manier om aan de dood te ontsnappen, zijn overgave aan Vespasianus en zijn voorspelling dat die keizer zou worden. Over hoeveel hij daarvan verzonnen heeft kunnen we alleen maar speculeren. In ieder geval werd hij Vespasianus' slaaf en vervolgens diens vrijgelatene en kreeg de naam Titus Flavius Josephus.

De vader van de toekomstige keizer Trajanus was de legaat van de Tiende Fretensis onder Vespasianus' commando. Vespasianus raakte bij Jotapata gewond aan zijn voet – volgens Suetonius aan zijn knie – en de Joden vermomden zich inderdaad als schapen om de stad in en uit te sluipen, en hoogden de stadmuren op achter een scherm van ossenhuiden.

Josephus schreef ook over de bloedige gevechten tussen de diverse Joodse sekten in Jeruzalem en elders in de provincie. De groepen fanatici besteedden meer tijd aan elkaar bestrijden dan dat ze tegen de Romeinen vochten; en helaas, zoals we door de eeuwen hebben gezien, gebeurt dat steeds weer als de onwetenden en intoleranten met religie aan de haal gaan.

Tiberius Alexander, de Joodse prefect van Egypte, liet als eerste zijn legioenen trouw zweren aan Vespasianus; dat hij dat deed omdat Vespasianus zijn leven had gered heb ik bedacht.

Ook Mucianus steunde Vespasianus, waarschijnlijk omdat hij zelf geen kinderen had en daarmee geen stabiliteit kon bieden. Mogelijk speelde zijn belangstelling voor Titus een rol bij zijn beslissing.

Het is onduidelijk welke reden Titus had om naar Rome te gaan toen Galba keizer werd, misschien hoopte hij geadopteerd te worden. Na Galba's dood is hij in ieder geval teruggekeerd, waarbij hij via Cyprus ging om te horen wat het orakel van Aphrodite over zijn toekomst te zeggen had; hij kreeg goed nieuws.

Koning Malichus' reizen uit naam van Vespasianus naar Rome en Parthië heb ik verzonnen, maar Vologases bood daadwerkelijk veertigduizend boogschutters aan Vespasianus aan, dus iemand moet naar het oosten zijn gegaan om Vologases te bezoeken.

Titus' verhouding met Berenice is goed gedocumenteerd en was het onderwerp van literatuur en poëzie. Suetonius vertelt over Titus' gedrag in het oosten en Egypte, het moet Vespasianus een tijdje zorgen hebben gebaard. Hij kwam echter terug naar Rome en liet Berenice achter.

Dat Sabinus naar Vespasianus in Judaea kwam heb ik bedacht. Wel werd hij door Galba afgezet als prefect van Rome en weer aangesteld door Otho toen die keizer werd, dus theoretisch had hij tijd voor de reis.

Van Vespasianus werd gezegd dat hij wonderen verrichtte in Alexandria; ik heb de locatie ervan naar het forum verplaatst om ze meer publiek te maken. Of ze in scène waren gezet of niet zullen we nooit weten – maar we kunnen wel raden.

De tocht van Vespasianus naar Siwa om Amon te raadplegen is een verzinsel van mij, ik kon het niet laten om hem op het leger van Cambyses te laten stuiten – wie weet geeft het zand het leger ooit echt prijs.

De laatste woorden van Vespasianus op zijn sterfbed zijn overgeleverd door Suetonius en in mijn ogen laten ze zien wat een geweldig
gevoel voor humor de grote man had. Die woorden waren wat me in de
eerste plaats voor Vespasianus innam en waarom ik zo dol op hem ben.

DANKWOORD

Omdat dit het laatste Vespasianus-boek is zal ik geen namen noemen, maar ik wil wel mijn dankbaarheid uiten aan iedereen die op de een of andere manier heeft bijgedragen aan de publicatie van de serie. Sommigen van hen ken ik, anderen niet, maar ik weet heel goed hoe belangrijk elk onderdeel van het proces is, dus ik dank jullie allen.

Nu ik aan het einde ben van Vespasianus' verhaal, een verhaal waar ik vandaag precies tien jaar geleden aan ben begonnen, op 8 februari 2008 – om 11.08 uur als je het precies wilt weten – besef ik hoezeer ik hem zal missen. Het was een prachtige reis en ik ben blij, beste lezer, dat je mee bent gegaan.

Robert Fabbri
Berlijn
8 februari 2018 – om 11.08 als je het precies wilt weten.

BEN KANE

Krijgsbanier van de Adelaars

'De rijzende ster van de historische fictie.' – Wilbur Smith

9 na Christus, Germania, ten oosten van de Rijn. Vijandige stammen bereiden een dodelijke hinderlaag voor op de Romeinen. Hun aanvoerder is een charismatisch stamhoofd en vertrouweling van Rome, Arminius, wiens droom het is om de Romeinse indringers uit Germania te verdrijven.

Centurion Lucius Tullus, die al vele veldslagen meemaakte, en de gewiekste provinciale gouverneur Varus staan lijnrecht tegenover Arminius. Samen met drie lokale legioenen verlaten zij hun zomerkampementen en marcheren terug naar hun forten aan de Rijn.

Ze hebben er geen idee van dat in de mistige bossen van het Teuto-burgerwoud alleen bloed, modder en de dood op hen wachten...

ISBN 978 90 452 1216 6 | ISBN e-book 978 90 452 1226 5

Lees ook van Ben Kane: *Jacht op de Adelaars*

ISBN 978 90 452 1287 6 | ISBN e-book 978 90 452 1457 3

Lees ook van Karakter Uitgevers B.V.

De Valerius Verrens-serie van
Douglas Jackson

'Een meester in zijn vak en terecht beschouwd als een van de beste historische schrijvers van nu.' – *Daily Express*

Held van Rome

ISBN 978 90 452 0630 1 | ISBN e-book 978 90 452 0821 3

Beschermer van Rome

ISBN 978 90 452 0804 6 | ISBN e-book 978 90 452 0914 2

Wreker van Rome

ISBN 978 90 452 0955 5 | ISBN e-book 978 90 452 1095 7

Zwaard van Rome

ISBN 978 90 452 0828 2 | ISBN e-book 978 90 452 0838 1

Vijand van Rome

ISBN 978 90 452 1109 1 | ISBN e-book 978 90 452 1119 0